D0480502

Het groene vuur

EVA RAAFF

Het groene vuur

DE TARAGON
TRILOGIE

Uitgeverij Ploegsma Amsterdam

Kijk ook op:
www.ploegsma.nl
www.evaraaff.nl

ISBN 90 216 1949 0 / NUR 283/284

Vormgeving omslag: Petra Gerritsen

Voor Dan en Luna

Met dank aan Uitgeverij Ploegsma voor haar vertrouwen en goede raad, Henk en Micki Raaff voor hun taalkundige adviezen, Patricia Slager voor de foto en Christina Graumann voor haar onuitputtelijke geduld.
E.R.

Inhoud

Wanneer de nacht licht is, en de dag in duister gehuld,
dan wordt deze voorspelling vervuld.
Geboren wordt één prins, tweemaal van koningsbloede
die zal bepalen het kwade of goede.
Door hem zal heersen, dag of nacht,
aan licht of aan donker zal zijn de macht.
Beide landen, tussen zee en veen,
zal hij verenigen tot één.

Proloog

De ineengedoken figuur bewoog zich zo snel als hij kon door het bos, het bundeltje stevig tegen zijn borst geklemd. Behalve het geluid van de stromende regen was het stil, en toch voelde hij het gevaar naderen. Het licht van de volle maan was helder genoeg om het bijna dag te laten lijken, zolang het niet verdween achter de snelle donkere wolken die langs de hemel joegen. Met steeds kortere tussenpozen lichtte het woud op door een felle bliksemschicht.

Ineens hoorde hij hoefgetrappel door het bos klinken. Vlug verschool hij zich in het struikgewas. Het geluid kwam nu snel dichterbij. Hij hoorde het gesnuif van de paarden. Voorzichtig gluurde hij tussen de bladeren door, en het was alsof een koude hand om zijn hart greep. Dragoniaanse soldaten! Hoe konden die ongemerkt zo ver in Westenrijk zijn binnengedrongen?

Vlak voor de struik waarin hij zat, hielden de twee ruiters hun paarden in. Hij kon hun sissende stemmen duidelijk horen.

'Het kamp moet hier ergens zijn,' sprak de ene, 'het kind moet vannacht zijn geboren. Gisteren was de zonsverduistering en vannacht is het volle maan.'

Wanneer de nacht licht is, en de dag in duister gehuld, dan wordt deze voorspelling vervuld, dacht de kleine gestalte toen hij deze woorden hoorde.

Een van de zwarte paarden snoof plotseling in de richting van het struikgewas waarin hij zich had verborgen. Met ingehouden adem drukte hij het bundeltje nog steviger tegen zich aan. Toen hij er zeker van was dat hij zou worden ontdekt, gaven de ruiters hun paarden de sporen en verdwenen tussen de bomen. Het duurde even voordat hij weer normaal adem durfde te halen en tevoorschijn kroop. Trillend veegde hij het koude zweet van zijn voorhoofd en zette zijn tocht voort. Hij moest het kamp bereiken voordat het te laat was, voordat de twee soldaten het zouden ontdekken. In de verte zag hij de omtrekken van de woonwagens zich al aftekenen.

De wagen waarin *zij* lag stond iets buiten het kamp. Geruisloos sloop hij er naar binnen. De jonge vrouw in het bed lag nog in diepe slaap van het kruid dat ze haar hadden gegeven. Voorzichtig liet hij het kleine bundeltje in het lege wiegje glijden en dekte het toe.

Op dat moment hoorde hij opnieuw het naderende hoefgetrappel. Hij kon nog net door de deur wegglippen voordat de twee zwarte schimmen bij de wagen kwamen en er naar binnen gingen. Vanachter een boom keek hij toe hoe ze even later weer naar buiten kwamen. De ene ruiter droeg de slapende jonge vrouw, gewikkeld in een deken, en de andere het kleine bundeltje dat hij zojuist had achtergelaten. Ondanks hun nieuwe last klommen beide mannen moeiteloos op hun grote rijdieren. Uit het bundeltje klonk nu zachtjes het gehuil van een baby, dat wegstierf met de galop van de paarden.

Hij glimlachte. Tot zover was het plan geslaagd, het Genootschap kon tevreden zijn.

De grijze wolf

De maan scheen door het open dakluik en wierp een poel van licht op de slaapkamervloer. In het andere raam boven zijn bed kon Matthias zijn spiegelbeeld zien liggen. Hij kneep zijn ogen tot spleetjes en tuurde naar zichzelf.

Op het eerste gezicht een heel normale jongen van veertien. De bonte lappendeken had hij naar het voeteneinde getrappeld. Eigenlijk was het ook al te warm voor zijn katoenen nachthemd. Hij sperde zijn ogen open waardoor de pupillen zich samentrokken. Nu was er toch iets bijzonders aan de afspiegeling die op hem neerkeek. De mensen in het Klaverdal hadden nog nooit zulke vreemde ogen gezien. Een groenblauwe kleur, zonder tekening erin, maar met een egale turquoise glans. In het dorp werd gefluisterd dat het de ogen van de duivel waren. Sommigen zeiden dat Matthias een wisselkind was, door de trollen of andere wezens achtergelaten om onheil over het dal te brengen. De kinderen uit het dorp noemden hem 'heksenjong' en 'duivelsoog'.

Hij kwam overeind en drukte zijn voorhoofd tegen het koele glas. Tot zijn ergernis ontdekte hij een paar nieuwe sproeten op zijn neus. Snel ademde hij een grote dampplek totdat hij zichzelf niet meer kon zien.

De eerste zonnestralen kwamen als spinnenpoten boven de bergtoppen uit. Zoals iedere ochtend probeerde Matthias zich voor te stellen wat er aan de andere kant van de bergen was.

Maar weinig mensen uit het dorp waren voorbij het volgende dal geweest. De tocht over de bergen duurde dan ook bijna twee weken. Alleen Tobias de Visser beweerde verder dan het Dennendal te zijn gereisd, lang geleden, toen hij nog een sterke jonge kerel was. Hij vertelde dat hij zelfs bij 'de zee' was geweest. Dat was net zoiets als het Grote Meer, maar dan duizend keer groter, zodat je de overkant niet eens kon zien. Natuurlijk geloofde niemand hem, want Tobias stond bekend als een fantast en een verhalenverzinner. Vooral wanneer hij op het dorpsplein te veel wijn had gedronken in herberg De Schele Eekhoorn. Simon, de waard, had gezegd dat het onmogelijk was. Zo veel water bestond er op de hele wereld niet. En de waterval die nodig zou zijn om deze 'zee' te blijven vullen moest dan wel zó hoog zijn, dat die regelrecht uit de hemel stroomde. Hiermee was voor de dorpelingen onomstotelijk bewezen dat 'de zee' weer een van de verzinsels van de oude Tobias was. Niemand had ooit gehoord van een waterval die uit de hemel kwam. Vooral toen Tobias ook nog vertelde dat het water uit de zee naar zout smaakte, hadden de mensen gegierd van het lachen.

'Dan komen de vissen zeker kant-en-klaar gepekeld uit het water,' had bolle Janis, de bakker, geroepen. Iedereen had kromgelegen van plezier.

De oude Tobias had hierop alleen maar zijn schouders opgehaald. 'Ik weet wat ik gezien heb, jullie kunnen het geloven of niet.'

'De bodem van je glas, die heb je zeker te vaak gezien,' had bolle Janis geantwoord, en toen waren ze allemaal bijna van hun stoel gerold.

De zon kwam nu half boven de bergkam uit. Matthias hoorde zijn moeder in de keuken. Door de vloerplanken heen rook hij de geur van gebakken spek, appelen en kaneel. Ineens schoot hem te binnen waarom ze al zo vroeg aan het bakken was. Vandaag was het Derkoningendag! Opgewonden sprong hij zijn bed uit. Terwijl hij de trap af stommelde probeerde hij zijn onwillige piekharen glad te strijken.

Een stapel dampende pannenkoeken stond al af te koelen. Zijn moeder goot een scheut nieuw beslag in de sissende pan.

'Vader heeft het hout al gehaald en de eieren geraapt. Ga je maar gauw wassen, dan is deze zo meteen voor jou.'

Zo vlug hij kon waste hij zijn handen en zijn gezicht bij de put. Met rood glimmende wangen van het koude water schoof hij aan de houten tafel. Zijn moeder liet de goudgele pannenkoek op zijn bord glijden. De klont boter glibberde er nog op rond.

'Waar is vader?' vroeg Matthias tussen twee happen door.

'Die is vanmorgen vroeg al naar het dorp gereden met de kar.' Met de punt van haar schort veegde zijn moeder een lik boter van zijn wang.

'Mahaaam...' Verstoord draaide Matthias zijn hoofd weg. 'Ik dacht dat ik met vader mee kon rijden,' mompelde hij kauwend.

Even later begon Matthias aan de wandeling naar het dorp. Zijn moeder had hem een mand met pannenkoeken meegegeven. Elk jaar op Derkoningen bracht iedereen iets mee voor het grote feestmaal aan het eind van de dag.

Hun kleine boerderij stond een eind buiten het dorp, want Frenkel, zijn vader, had het niet zo op met 'te veel drukte'. Matthias vond het wel fijn zo, hij voelde zich niet erg op zijn gemak met veel mensen om zich heen. Het liefst dwaalde hij uren in zijn eentje door de bergen, of door het bos tussen de boerderij en het dorp. Hij fantaseerde vaak over het dal aan de andere kant van de bergen. Later zou hij lange reizen maken. Dan zouden alle mensen wel zien dat hij helemaal geen bange verlegen jongen was, en ook geen heksenkind. Als hij kon vertellen over de wijde wereld, en de avonturen die hij had meegemaakt, zou niemand het meer wagen om hem weg te sturen of uit te schelden.

De mand werd na een tijdje wel erg zwaar aan zijn arm, dus zette hij die boven op zijn hoofd. Nu hoefde hij hem nog maar met één hand op de plaats te houden. Zo wandelde hij verder langs het bospad.

Ineens hoorde hij een luid gejoel. Uit de struiken sprongen twee jongens voor hem op het pad. Het waren Ullrick en Sieger van de molenaar.

'Hé, heksenjong!' riep Ullrick met de plaagstem die Matthias al zo vaak van hem gehoord had. 'Draag je de mand op je hoofd als een meisje?'

En Sieger begon vóór hem op het pad te dansen en zong:

Meisje Matthias, je behekst me met je ogen.
Meisje Matthias, zou ik een pannenkoekje mogen?

Matthias greep de mand nu ook met zijn andere hand vast en klemde deze stevig op zijn hoofd.

'Ga weg!' riep hij. 'Deze pannenkoeken zijn voor het Derkoningenfeest.'

Honend stapten de beide grotere jongens achteruit.

'Aaah...' riep Sieger met gespeelde angst, 'hij kijkt me aan met zijn duivelsogen, hij heeft me betoverd!'

Ook Ullrick speelde het spelletje mee en sloeg zijn handen voor zijn gezicht. Plotseling sperden ze allebei hun ogen open. Sieger verbleekte en Ullrick maakte happende bewegingen met zijn mond als een vis op het droge. Als aan de grond genageld bleven ze verstijfd tegenover Matthias staan.

'Da... da...' hapte Ullrick, en het lukte hem om zijn hand op de schouder van Sieger te leggen.

Als bij toverslag draaiden de broers zich tegelijk om en renden zo hard als ze konden terug naar het dorp. Voordat Matthias besefte wat er gebeurde, waren ze uit het zicht verdwenen. Opgelucht haalde hij zijn schouders op. Hij had nooit gedacht dat de zoons van de molenaar zo goed toneel konden spelen.

Toen hoorde hij achter zich een geritsel en draaide zijn hoofd om. Verlamd van angst bleef hij staan: een paar meter verderop stond een grote grijze wolf tussen de bomen. Met gele ogen staarde het beest hem aan. Grommend ontblootte de wolf een rij tanden en kromde het lichaam. Matthias kneep hulpeloos zijn ogen stijf dicht, en wachtte tot het dier hem zou verscheuren.

Ineens voelde hij de warme adem van de wolf op zijn benen, en een lik tegen zijn knie. Hij durfde zijn ogen weer te openen en keek verbaasd hoe het grijze dier naast hem kwispelde als een hond. Het volgende moment had het zich omgedraaid en was tussen de bomen verdwenen.

Matthias was nog niet van de schrik bekomen toen hij opgewonden stemmen hoorde. Met Frenkel voorop kwamen de mensen uit het dorp aangerend.

'Matthias!' riep Frenkel ongerust. 'Matthias, is alles goed met je?'

Zijn vader tilde hem op en drukte hem stevig tegen zich aan. De mand met pannenkoeken rolde over de grond, maar daar lette niemand op. Tranen rolden over Frenkels wangen. Matthias had zijn vader nog nooit zien huilen en werd er verlegen van.

'Mijn jongens kwamen het dorp in rennen en zeiden dat ze een grote wolf hadden gezien!' hijgde Dieter de Molenaar buiten adem.

Matthias knikte alleen maar en kroop dichter tegen zijn vader aan.

'Wat gebeurde er, Matthias?' vroeg Frenkel zachtjes. 'Normaal zijn er helemaal geen wolven in het Klaverdal.'

'We moeten er jacht op maken!' riep Frijda, de vrouw van Dieter de Molenaar. 'De mannen moeten dat beest doden voordat het iemand aanvalt.'

Matthias' hoofd schoot omhoog. 'Nee!' riep hij zo hard als hij kon. 'Het was een lieve wolf, hij heeft mij niks gedaan, hij heeft me zelfs gelikt en hij kwispelde met zijn staart!'

Er viel een ijzige stilte en de mensen stapten achteruit.

'Zie je wel!' snerpte opnieuw de stem van Frijda terwijl ze met haar knokige vinger naar Matthias wees. 'Ik heb het altijd al gezegd, kijk maar naar die ogen. Het is een heksenjong dat beschermd wordt door wolven. Het zou mij niets verbazen als hij die wolf zelf heeft geroepen om mijn jongens schrik aan te jagen. Hij zal nog onheil brengen over ons allemaal, let op mijn woorden!'

Het was een prachtige zonnige dag voor de viering van Derkoningen, veel te mooi om de feestvreugde door het voorval met de wolf te laten bederven.

Op het dorpsplein stonden al lange houten tafels voor het feestmaal. Zoals elk jaar hing het grote doek tegen de muur van het dorpshuis. Ook al waren de geborduurde letters door de jaren heen wat verweerd, het Derkoningenlied was er nog duidelijk op te lezen.

Elk jaar een nieuwe kroning
van een onderdaan,
die de dag van Ander-koning
op de troon zal gaan.

De koning zonder kroon
voor ene dag en nacht.
Een burger op de troon
houdt trouw voor hem de wacht.

Eén dag is onze Soeverein,
gewone burgerman.
die slechts door bij het volk te zijn,
hun noden leren kan.

Zo houdt de vorst zijn wijsheid,
waarmee hij ons regeert,
en ons tot grote daden leidt,
zijn volk dat hem vereert.

Het Derkoningenfeest was een oude traditie in Westenrijk. Eeuwen geleden besloot koning Esmeraldus de Derde dat je pas goed kunt regeren als je de mensen in het land kent en weet hoe ze leven. Eerst had hij daarom zijn raadsheren gevraagd om dat voor hem uit te zoeken, maar die vertelden hem alleen wat hij graag wilde horen. Niemand durfde iets te zeggen dat hem misschien niet zou bevallen, want hij was tenslotte de koning.

Toen kwam Esmeraldus op het idee om één dag per jaar zijn troon te verruilen met een gewone burger. Op datzelfde moment keek hij uit zijn raam en zag ver voorbij de kasteelmuren een boer zijn akker omploegen. Hij liet deze bij zich komen en stelde hem voor om de volgende dag van plaats te wisselen. Zo hoopte hij meer te weten te komen over het echte boerenleven. De arme man was te ontredderd om hier iets tegen in te brengen en bovendien spreek je de koning niet tegen.

In alle vroegte vertrok koning Esmeraldus naar het kleine huisje op de akker. Toen hij de volgende ochtend naar het kasteel terugkeerde, zaten zijn handen vol blaren van het ruwe werk en had hij een blauw oog, overgehouden aan een gevecht tijdens de jaarmarkt. De hele hofhouding was geschokt over het onkoninklijke gedrag van hun vorst. Maar Esmeraldus de Derde had een heleboel nieuwe dingen gezien en gehoord. Hij had geleerd hoe belangrijk de boeren zijn voor de welvaart van zijn volk. Als hun oogsten mislukten, zou het hele land honger lijden. Daarom liet hij grote watervoorraden aanleggen, om in tijden van droogte het land te kunnen besproeien. Ook kwamen er enorme schuren waarin noodvoorraden graan en gedroogde vruchten konden worden opgeslagen in jaren dat de oogst goed was.

Het jaar daarop ruilde hij met een visser. Nadat hij de hele nacht had helpen vissen, moest 's ochtends vroeg de vangst naar de markt worden gebracht voor de verkoop. Door een kuil in de weg brak het wiel van de kar. Nu duurde de tocht zó lang, dat de markt al voorbij was toen hij eindelijk aankwam. De volgende dag was alle vis bedorven en kon niet meer worden verkocht.

Zo leerde hij hoe belangrijk het voor zijn land was dat mensen snel en veilig konden reizen. Daarom liet hij alle wegen opknappen en goed onderhouden. Hierdoor bloeide de handel tussen de verschillende streken al snel op.

Tijdens de regering van koning Esmeraldus de Derde ontstond dan ook de welvaart die Westenrijk nog steeds kende. Het werd een vaste gewoonte voor de koning om eens per jaar een dag te ruilen met een van zijn onderdanen. De mensen noemden deze dag 'Ander-koningendag', wat al snel verbasterde tot 'Derkoningendag'.

Inmiddels was Derkoningendag uitgegroeid tot een ware feestdag in het hele land. Tegenwoordig was het allang niet meer zo dat de koning van plaats verwisselde met iemand anders. Wel was de traditie gebleven dat hij een van de streken in zijn rijk bezocht om met de mensen zelf te kunnen praten en naar hun problemen te luisteren.

Koning Walian had het Klaverdal nog niet uitgekozen voor zijn bezoek, maar het feest was er niet minder om. In de kring van tafels midden op het plein werd een groot vuur gemaakt met een braadvarken aan het spit. Dit gebeurde onder leiding van Simon van De Schele Eekhoorn, want die had daar het meeste verstand van. Terwijl het varken werd geroosterd, droop het braadvet sissend in het vuur. De geur van gebakken spek deed alle magen knorren. Ondertussen dekten de kinderen de lange tafels, en de vrouwen stalden trots hun zelfgemaakte gerechten uit.

Matthias keek zijn ogen uit naar al dat eten. Grote eendenpasteien, gebraden kippen, sappige worsten, goudbruin gerookte vissen, geurende broden, enorme gele kazen, er leek geen einde aan te komen. En voor toe waren er fruitsalades en honingkoeken, bosbessentaarten en citroenpuddingen, rabarbercrème en niet te vergeten de pannenkoeken van zijn moeder, Miriam. Na Matthias' avontuur met de wolf had ze gelukkig nog genoeg tijd gehad om een grote nieuwe stapel te bakken. De mannen rolden grote houten vaten met bier het plein op. Op de tafels stonden de kruiken met wijn al klaar, en voor de kinderen was er bessenlimonade en karnemelk.

Op het hoogtepunt van de maaltijd werd het braadvarken opgediend. Het lag op een enorme schotel met een geglazuurde appel in zijn bek, en er waren vier mannen nodig om het te tillen. Trots liep Simon van De Schele Eekhoorn voorop terwijl het gebraad in een ereronde langs de tafels werd gedragen. Daarna sneed hij met zijn pas geslepen mes dikke plakken af die werden rondgedeeld.

Matthias zat tussen Frenkel en Miriam in en genoot met volle teugen. Hij had zelfs een eigen beker wijn gekregen, verdund met water. Eigenlijk vond hij het helemaal niet zo lekker. Maar het was zo bijzonder dat zijn ouders hem groot genoeg vonden om wijn te drinken, dat hij maar deed alsof. Zijn wangen voelden warm aan in het schijnsel van het vuur. Met zijn mond vol bosbessentaart zuchtte hij tevreden. Hij voelde hoe Frenkel een arm om zijn schouders sloeg en hem even tegen zich aandrukte.

Op dat moment klonk een luide knal gevolgd door een fluitend geluid. De hemel lichtte op in alle kleuren van de regenboog die in duizend sterren uiteenspatten. Het vuurwerk was begonnen. Iedereen zat met zijn hoofd achterover naar het spektakel te kijken.

Iedereen behalve Tobias de Visser, die over de tafel heen naar Matthias staarde.

De vervloeking van Zorah

Hoog op de rotsen stond het donkere kasteel. Golven beukten tegen de kliffen en de zeewind gierde rond de torens. Alleen in de koninklijke slaapkamers brandde nog licht. Op het bed lag koning Isgerias van Dragonië. Zijn magere gezicht was grauw verkleurd. Hij voelde dat hij nu snel zou sterven.

'Malvezijn, ben je daar nog?' fluisterde hij.

De oude tovenaar stond op uit de stoel naast het bed.

'Ik ben hier, Sire, maar ik vrees dat ik niets meer voor u kan doen.'

'Jij kunt al jaren niets meer voor mij doen, oude kwakzalver. Je hebt al je krachten al aan mij gegeven toen je dacht dat je het land kon redden.' Ondanks zijn zwakte lukte het de koning nog om een kwaadaardige hese lach uit te stoten die meteen overging in een hoestaanval.

Malvezijn boog zijn hoofd. Er ging geen dag voorbij waarop hij niet met spijt terugdacht aan die ene verschrikkelijke nacht, alweer bijna drieëndertig jaar geleden.

Net als nu had hij aan het koninklijk bed gezeten. Alleen was het toen het sterfbed van koningin Zorah geweest. Arme Zorah. Geboren als prinses Zorah Royaldi van het Steppenvolk moest ze trouwen met de man die haar vader voor haar uitkoos. En haar vader had de wrede koning Isgerias van Dragonië voor haar gekozen. In ruil hiervoor zou de koning van Dragonië ophouden zijn mensen te vervolgen. Isgerias had het Steppenvolk inderdaad met rust gelaten, maar de jonge koningin had daarvoor elke dag van haar leven moeten boeten met verdriet.

De mooie jonge koningin wist dat ze doodziek was. Ze wist

ook dat ze door haar eigen man was vergiftigd, en waarom. Koning Isgerias had een zoon nodig. Volgens de oeroude Voorspellingen van Taragon zou een prins de beide koninkrijken, Dragonië en Westenrijk, verenigen. Beide landen, tussen zee en veen. Dus toen het nieuws hem bereikte dat koning Belver en koningin Dorinda van het buurland Westenrijk een zoon hadden gekregen, had paniek zich van Isgerias meester gemaakt. Hoewel de jonge prins Walian nog maar een zuigeling was, vormde hij voor de eerzuchtige koning al een enorme bedreiging. Het was zijn grootste angst dat Walian zou opgroeien tot de prins uit de voorspellingen.

Wanneer de nacht licht is, en de dag in duister gehuld,
dan wordt deze voorspelling vervuld.
Geboren wordt één prins, tweemaal van koningsbloede
die zal bepalen het kwade of goede.
Door hem zal heersen, dag of nacht,
aan licht of aan donker zal zijn de macht.
Beide landen, tussen zee en veen,
zal hij verenigen tot één.

En nu had het koningshuis van Westenrijk vóór hem een zoon gekregen! Isgerias had vurig gehoopt dat Zorah hem nu ook snel een jongen zou schenken. *Zijn* zoon moest het gebied verenigen dat zich uitstrekte van de grote zee ten oosten van Dragonië tot aan het ondoordringbare moerasveen dat Westenrijk begrensde. Daarmee zou de koninklijke familie van Dragonië de macht hebben over beide landen.

Toen prinses Zafyra een jaar later werd geboren was hij dan ook buiten zinnen geweest van woede. Wat had hij nou aan een prinses! Een zóón moest hij hebben. In zijn razernij had hij Zorah het dodelijke gif gegeven. Natuurlijk had niemand de koning van zijn afschuwelijke daad durven beschuldigen. De zondebok was Lupa geweest, de voedster en vertrouwelinge van de koningin. Zij werd hiervoor ter dood veroordeeld. Malvezijn zelf had haar in het diepste geheim helpen ontsnappen.

Nooit zou de tovenaar de laatste blik van Zorah op Isgerias vergeten. Ze had zich nog eenmaal weten op te richten. Haar ogen hadden gebrand in haar lijkbleke gezicht.

'Ik vervloek je, Isgerias,' had ze met trillende stem gesproken. 'Ik vervloek jou en je familie en het hele koninkrijk. Nóóit zul je een zoon hebben. Wanneer de Voorspellingen van Taragon uitkomen, zal ook dood en verderf over het koninkrijk komen en het zal het einde zijn van de macht van het koningshuis van Dragonië.'

Met deze woorden had ze haar laatste adem uitgeblazen. Datzelfde moment had een bliksemschicht de donkere hemel gespleten. Zweetdruppels hadden op het van angst vertrokken gelaat van Isgerias gestaan. Het was de enige keer dat Malvezijn de wrede koning bang had gezien.

'Help ons, Malvezijn,' had hij gefluisterd, 'help je koning en je vaderland. Maak deze vreselijke vervloeking ongedaan.'

'Zo veel kracht bezit ik niet, Sire. Een bezwering met de laatste adem gesproken...' Malvezijn had hulpeloos zijn hoofd geschud. 'Bovendien heeft...'

Hier had de tovenaar zichzelf onderbroken om een treurige blik op het bed te werpen.

'...had koningin Zorah de Kracht van de Royaldi's.'

Bevend was de koning voor hem op zijn knieën gevallen.

'Ik smeek je, Malvezijn, gebruik al je krachten om mijn volk te redden. Moeten mijn onderdanen dan boeten voor mijn daden en mijn hebzucht? Laat geen dood en verderf over het hele koninkrijk komen!'

Die nacht had Malvezijn zich teruggetrokken in zijn torenkamer. Alle spreuken en bezweringen die hij kende had hij samengesmeed tot één toverformule. Hiermee hoopte hij het land te beschermen tegen de vervloeking van Zorah. Pas in de vroege ochtend was hij uit zijn kamer gekomen. Al zijn krachten zaten in de formule. In één nacht was zijn haar wit geworden en zijn ledematen stijf en stram.

Isgerias had de hele nacht heen en weer gelopen door de troonzaal. De koning verbleekte toen hij de veranderingen in de tovenaar zag.

'Ik kan de vervloeking niet helemaal ongedaan maken,' had Malvezijn gesproken. 'Ik kan hem alleen verzwakken.'

'Verzwakken?'

'Ik kan helaas niet de koninklijke familie én het koninkrijk allebei redden, Sire. Geen enkele spreuk heeft zo veel kracht als een vloek die met de laatste adem is gesproken. Ik kan alleen het koninkrijk redden door de vervloeking af te zwakken. Ik heb net genoeg krachten om één woord te veranderen: in plaats van over uw familie én uw koninkrijk, zal de voorspelling alleen uitkomen voor uw familie óf voor uw koninkrijk. De Voorspellingen van Taragon zullen uitkomen, en dat zal dood en verderf over het koninkrijk brengen óf het einde van de macht van uw familie.'

Toen was Malvezijn op de oostelijke kasteelmuur gaan staan waar hij de ochtendzon aan de horizon kon zien opkomen. De tovenaar had zijn kromme handen opgeheven naar de eerste stralen en zijn allerlaatste betovering uitgesproken.

Verbitterd was Isgerias de troonzaal uitgelopen. In de jaren die volgden had hij geen enkel berouw getoond voor zijn daden. Integendeel, hij werd alleen maar wrokkiger en hartelozer, zodat zijn naam de geschiedenis in zou gaan als 'Isgerias de Wrede'.

Omdat hij zich nauwelijks meer bezighield met belangrijke regeringszaken, ging het steeds slechter in Dragonië. De wegen werden onbegaanbaar en onveilig. De dijken begonnen af te brokkelen en er ontstonden overstromingen. Roversbenden teisterden het land en plunderden de dorpen. En wat de roversbenden niet meenamen, werd als steeds hogere belastingen opgeëist voor de koning. Waar Isgerias al dit belastinggeld voor gebruikte wist niemand, en niemand durfde ernaar te vragen. Van de mensen die niet genoeg konden betalen werden de huizen platgebrand.

Op een dag, toen prinses Zafyra twaalf jaar oud was, kwam het hongerige en onderdrukte volk in opstand. In drommen waren de mensen naar het kasteel gekomen, gewapend met hooivorken en dorsvlegels.

De doodsbange bewoners van het kasteel waren naar de troonzaal gevlucht. Zelfs het hele koninklijke leger kon hen nu niet meer beschermen tegen de woede van het volk. Maar de koning zelf was op de slotmuur verschenen. Zijn bulderende lach was tot ver in de omtrek te horen geweest. Toen iedereen dacht dat hij zijn verstand had verloren, verscheen een enorme horde in zwart leer geklede gemaskerde ruiters aan de horizon. Waar deze krijgers zo plotseling vandaan kwamen, begreep niemand. Op een teken van de koning stormden ze op de opstandelingen af en dreven hen uiteen. Het was een kort, maar bloedig gevecht. De mensen vluchtten terug naar hun dorpen.

Even snel als ze gekomen waren, verdwenen de Zwarte Rijders weer.

Door een reutelende hoestbui schrok Malvezijn op uit zijn herinneringen. Isgerias had zich half opgericht in zijn bed en wenkte de oude tovenaar dichterbij. Toen hij weer wat op adem was gekomen, sprak hij nog maar met een heel zachte stem.

'Je dacht dat je met je laatste toverspreuk het volk had helpen redden, nietwaar?' fluisterde hij nauwelijks hoorbaar. 'Dacht je nu echt dat ik het lot van dat simpele volk belangrijker zou vinden dan mijn eigen familie?' Het magere lichaam van de koning schudde door een nieuwe hoestaanval. 'Misschien zal er dood en verderf over het land komen, maar onze koninklijke familie zal de machtigste op aarde zijn. Niemand kan dat nog tegenhouden.' Met een duivelse glimlach liet hij zich terugvallen in zijn kussens.

Malvezijn besloot dat nu het langverwachte moment van zijn wraak was gekomen. Het geheim dat hij vijftien jaar verborgen had gehouden.

'Toch wel, Sire,' sprak hij, 'er is wél iemand die dat kan tegenhouden.'

Hij boog zich voorover om zacht iets in het oor van de stervende koning te fluisteren.

De ogen van Isgerias werden groot van ontzetting.

'N... nee!' stamelde hij met hese stem. 'Nee, dat kan niet waar zijn, dat is onmogelijk!' Met zijn gerimpelde hand greep hij de tovenaar vast. 'Laat Zafyra komen, haal mijn dochter!'

Maar Malvezijn maakte de hand van de koning los. Vanaf het voeteneind van het grote bed keek hij neer op de naar adem snakkende koning, en wachtte rustig tot deze stierf.

Het geheim van het Grote Meer

Nadat Matthias Bruintje had geroskamd, greep hij hem stevig bij zijn bit en leidde hem de stal uit.

Het Derkoningen-feest was zes weken geleden, en de grijze wolf alweer bijna vergeten. Het was marktdag in het dorp, en hij had hun koopwaar al op de kar geladen. Elke maand verkochten Matthias en zijn vader de boter en de kazen die zijn moeder had gemaakt. Daarna deden ze alle inkopen voor Miriam. Meestal mocht hij dan ook even mee naar De Schele Eekhoorn. Frenkel dronk dan een koude pul bier, en Matthias een beker bessenlimonade.

Toen ze in het dorp aankwamen, stonden er al verschillende kraampjes met uitgestalde goederen op het plein. Frenkel klapte de zijkanten van de kar omlaag. Matthias spreidde de kazen uit op een bont geruit kleed. De tonnen met boter zette hij onder de wagen in de schaduw.

Al snel kwamen er mensen op hun kraam af zodat Matthias het druk kreeg met inpakken. Maar ineens weken de mensen rondom de kraam uit elkaar. Frijda van de molenaar drong zich naar voren.

'Dáár ben je, duivelsjong!' snerpte haar stem boven het geroezemoes uit. 'Ik heb het voorspeld. Nog maar pasgeleden hebben mijn jongens je in het bos zien praten met een behekste wolf, en vandaag liggen ze allebei op bed, van top tot teen onder de jeukende bultjes!' Met de handen in haar zij stond ze hijgend voor hun kraam. 'En alsof dat nog niet genoeg is: vanmorgen was onze hele voorraad melk verzuurd. Iedereen weet dat dát een teken van hekserij is!'

Triomfantelijk keek Frijda om zich heen naar de geschrokken menigte.

'Zéí ik het niet,' benadrukte ze nogmaals. 'Kijk maar naar de ogen van dat jong, dat zijn geen normale mensenogen. Onheil zal hij ons brengen!'

Matthias sloeg zijn blik neer. Zijn vader sloeg een beschermende arm om hem heen.

'Verdwijn, domme bijgelovige vrouw!' hoorde hij Frenkel bulderen. 'Het enige dat onheil brengt, is jouw ziekelijke gestook en geroddel!'

'Hóren jullie dat?' krijste Frijda. 'Horen jullie hoe hij tegen mij spreekt?'

Met een rood hoofd draaide ze zich om en liep weg. Matthias drukte zijn hoofd tegen Frenkel aan. Het liefst was hij helemaal weggekropen van schaamte.

'Kom, jongen, we gaan naar huis,' hoorde hij zijn vader zeggen.

De hele weg terug sprak Matthias geen woord. Hij merkte niet hoe Frenkel af en toe bezorgd naar hem keek. Toen ze thuiskwamen rende hij meteen de stal in waar Dora de koe stond.

'Wat is er aan de hand? Waarom zijn jullie zo vroeg thuis?' hoorde hij de stem van zijn moeder door de dunne muur heen. 'Waar is Matthias?'

'Laat hem maar even met rust,' antwoordde zijn vader zachtjes. 'Bijgeloof van domme mensen die bang zijn voor alles wat anders is dan ze gewend zijn,' bromde hij erachteraan.

Matthias drukte zijn gezicht tegen de warme flank van Dora. Na een tijdje hoorde hij de deur opengaan en hij veegde snel over zijn ogen. Hij wilde niet dat zijn ouders zagen hoe hij als een kleine jongen zat te huilen. Maar voordat hij zich kon omdraaien, voelde hij de armen van Miriam al om zich heen.

'Trek je maar niks aan van wat ze zeggen,' fluisterde ze in zijn oor. 'Voor je vader en mij ben je het mooiste dat ons ooit is overkomen.'

Matthias wist hier niets op te antwoorden.

'Kom je weer mee naar binnen? Tobias is op bezoek. Hij heeft heerlijke gebakken visjes meegebracht.'

Matthias krabbelde overeind en samen liepen ze de stal uit. Tobias zat al met zijn mes de vissen schoon te maken.

'Ha jongen, ik had het er net met je vader over hoe groot je alweer bent,' zei hij vriendelijk.

Matthias grijnsde verlegen en ging naast Frenkel op de houten bank zitten.

'We hebben ook besproken of je het misschien leuk zou vinden om een tijdje bij je oom Clovis in het Dennendal te gaan logeren,' ging Tobias verder. 'Dan zie je eens wat meer van de wereld dan het Klaverdal.'

'Echt waar...? Wanneer gaan we...? Gaan we echt helemaal over de bergen heen...?' Matthias struikelde over zijn woorden van opwinding. Hij ging op reis! Met glimmende ogen keek hij Tobias aan. Hij zag niet hoe zijn ouders elkaar gerustgesteld over zijn hoofd heen toeknikten.

'Je kunt met Tobias meereizen. Hij gaat binnenkort naar het Dennendal om nieuwe vishaken te kopen,' zei Frenkel.

Matthias kon zijn oren niet geloven. De hele gebeurtenis die middag op de markt was hij alweer vergeten.

Die avond zag niemand hoe Tobias de Visser een van zijn duiven uit de til haalde. Voorzichtig bond hij een opgerold briefje onder de vleugel. Hij aaide het dier over zijn kopje en fluisterde: 'Goede reis, Grauwtje, het gaat beginnen.'

Met een gefladder steeg de vogel op en verdween in de nacht.

Matthias klom steeds hoger tegen de berg op. Maar die leek vanzelf te groeien, zodat hij nooit de top bereikte. Onder aan de berg zag hij een mensenmassa. Frijda van de molenaar stond vooraan en schreeuwde tegen hem.

'Duivelsjong, heksenoog, wisselkind!'

Steeds sneller probeerde hij te klimmen. Maar de berg groeide ook steeds sneller. Zou hij nou nooit uit het Klaverdal weg kunnen komen? Nu zag hij boven aan de berg Tobias de Visser staan. Naast hem zat de grijze wolf, die kwispelde. Tobias stond met zijn gezicht naar de hemel. De visser hief zijn handen omhoog en riep: 'Stroom maar vol, zoute zee!'

Ineens ontstond er een groot gat in de blauwe hemel. Het water stroomde als uit een waterval naar beneden.

'Matthias, word wakker!'

'Kijk uit, jullie zullen allemaal verdrinken,' mompelde Matthias slaperig.

'Matthias, lieverd, je droomt nog,' hoorde hij de stem van zijn moeder.

Met tegenzin deed hij zijn ogen open. Hij wilde nog helemaal niet opstaan. Door zijn dakraam zag hij dat het buiten nog donker was.

Naast zijn bed stond Miriam met een kandelaar. Ze had een dikke wollen sjaal omgeslagen en haar bruine haar hing in een lange vlecht op haar rug.

'Je moet eruit, jongen, Tobias komt je zo ophalen.'

Meteen was Matthias klaarwakker. Vandaag zou hij naar het Dennendal reizen! Al twee weken telde hij de dagen af, sinds het bezoek van Tobias. Ze zouden nog vóór zonsopgang vertrekken. Dan konden ze al een flink stuk op weg zijn als de zon hoog stond en het te warm werd voor de steile klim.

Snel klom hij uit zijn bed en kleedde zich aan. Even later werd er op de deur geklopt, en Tobias stapte het huisje binnen.

'Zo, ik zie dat je al klaar bent voor vertrek,' zei hij. 'Laten we maar snel gaan. Hoe verder we zijn voordat de zon opkomt, hoe beter.'

Door de opwinding zag Matthias niet dat Miriam tranen in haar ogen had. De stem van Frenkel klonk vreemd hees.

'Wees voorzichtig, jongen, en kom heelhuids weer thuis.'

'En doe de groeten aan Clovis,' voegde zijn moeder toe.

Matthias popelde om te vertrekken, maar toen hij zijn ouders zo zag voelde hij ineens een brok in zijn keel.

'Mam... vader...'

Maar Tobias pakte zijn hand, en samen liepen ze het bospad af. Matthias draaide zich nog een keer om en zwaaide naar zijn ouders, die met hun armen om elkaar in het licht van de deuropening stonden.

Het was zó donker dat ze ingespannen naar de grond moesten turen om niet over een boomwortel te struikelen. Nadat ze uit het zicht van het huisje waren verdwenen stond Tobias ineens stil.

'Hier moeten we van het pad af,' zei hij.

Matthias begreep er niets van. 'Maar de weg over de bergen begint aan het einde van het bospad,' zei hij beduusd.

'We gaan niet over de bergen, we gaan erdoorheen,' antwoordde Tobias.

Matthias kon zijn oren niet geloven. Was Tobias tóch een beetje vreemd, zoals de mensen zeiden? Als hij dacht dat hij door een berg heen kon lopen, moest hij wel heel gek zijn. Matthias overwoog of hij niet beter terug naar huis kon rennen. Maar Tobias greep zijn beide handen en keek hem recht in de ogen.

'Als we over de bergen reizen duurt het twee weken voordat we in het Dennendal zijn,' zei hij. 'Maar er is nóg een weg, een geheime weg waar maar heel weinig mensen van af weten. Een tunnel door de bergen.'

Ongelovig keek Matthias hem aan. 'Maar waarom weet dan niemand dat? Waarom moet iedereen die naar het Dennendal wil helemaal over de bergen klimmen als er een veel snellere manier is?'

'Als het moeilijk is om het Klaverdal úít te komen, is het ook moeilijk om het Klaverdal ín te komen. De bergen zijn ook een bescherming,' antwoordde Tobias.

'Bescherming?' herhaalde Matthias. 'Waar moeten we dan tegen beschermd worden? Er is toch helemaal geen gevaar?'

Hierop zuchtte Tobias diep. 'Ik wou dat je gelijk had, maar er dreigt zelfs een groot gevaar.'

Matthias opende zijn mond om verder te vragen, maar Tobias was hem voor.

'We hebben nu geen tijd voor vragen. We moeten in de tunnel zijn voordat de zon opkomt, zodat niemand ons ontdekt.'

Hij trok Matthias met zich mee van het pad af. Snel liepen ze door het bos naar het Grote Meer. Aan de oever lag het kleine vissersbootje van Tobias. De visser gebaarde Matthias in te stappen. Zwijgend roeiden ze het donkere meer op. Het was een warme zomernacht, maar Matthias voelde een rilling over zijn rug lopen. Zijn reis met Tobias de Visser was nog maar nauwelijks begonnen, maar overtrof nu al zijn stoutste verwachtingen. Een groot gevaar en een geheime tunnel, dat kwam zelfs in zijn spannendste dromen niet voor!

Plotseling hoorde hij een aanzwellend geluid. Eerst begreep hij niet waar het lawaai vandaan kwam, maar toen merkte hij dat ze in de richting van de waterval roeiden. Het kleine bootje begon te deinen. Het gebrul van het vallende water kwam steeds dichterbij. Ineens zag Matthias tot zijn schrik dat Tobias recht op de waterval afstevende! Rond de boot kolkte en schuimde het. Het bulderende water was nu oorverdovend.

'Tobias!' gilde Matthias. 'Tobias, de waterval! Ben je helemaal gek geworden!' Maar hij werd overstemd door het donderend geraas.

Hij probeerde op te staan om Tobias tegen te houden, maar viel meteen om in het schommelende bootje. Terwijl hij wanhopig op handen en voeten over de houten spanten kroop, kon hij de eerste spatten al voelen. Het lukte hem om Tobias' voet beet te pakken. Hij schudde deze heen en weer om zijn aandacht te trekken, maar de visser roeide stug door. Matthias greep zich nu stevig vast aan de randen van de boot en kneep zijn ogen stijf dicht. Algauw voelde hij golven water over zich heen komen. Ze zouden nu elk moment in het kolkende water onder worden gezogen en verdrinken. Hij kon al geen adem meer halen en vroeg zich af of het bootje was omgeslagen. Ineens besefte hij dat er minder water over hem heen stroomde en hij hapte naar lucht. Proestend deed hij zijn ogen weer open, maar het was aardedonker. Hoewel hij doorweekt was, voelde hij tot zijn opluchting in de ruimte om hem heen geen water meer.

'Tobias!' riep hij. 'Tobias, ben je daar nog?'

Van alle kanten hoorde hij zijn eigen stem weerkaatsen.

Matthias zag een vonk en meteen daarna lichtte een toorts op. Zijn mond viel open. Ze waren aangekomen in een grot waarin zich grillige pilaren van druipsteen hadden gevormd. Sommige reikten helemaal van het plafond tot op de bodem. Andere piekten omhoog of hingen als pegels van het plafond naar beneden. In het flakkerende schijnsel lichtten de wanden op in paarse, blauwe en rode tinten, en het water was fluorescerend groen. Matthias vergat hoe nat en koud hij was, en kon zich alleen nog maar vergapen aan de adembenemende pracht om hem heen.

'O Tobias, wat mooi,' fluisterde hij vol ontzag.

'Het water van het Grote Meer heeft de berg eeuwen- en eeuwenlang steeds dieper uitgeslepen tot een tunnel naar de andere kant,' zei Tobias.

De boot was volgelopen met water. Ze klauterden op een brede richel langs de wand van de tunnel. Samen trokken ze de boot op de kant, en kiepten hem leeg. Tobias wrikte een afgesloten luik open en haalde droog hout en spaanders tevoorschijn.

'Hier kunnen we niet meer gezien worden. Laten we eerst opdrogen en warm worden.'

Algauw brandde er een knapperend vuur. In het licht van de vlammen leek de grot nóg sprookjesachtiger. Matthias kwam ogen te kort. In de hoge gewelven tussen de pilaren hadden zich verschillende soorten steen gevormd, waartussen kristallen flonkerden.

Toen Matthias en Tobias waren opgedroogd, lieten ze het bootje weer in het water glijden. De tunnel werd te smal om goed te kunnen roeien, zodat ze het bootje met hun handen langs de richel moesten voortduwen.

Matthias wist niet hoe lang ze al onderweg waren, toen hij eindelijk een lichtpuntje zag aan het einde van de gang. Tobias doofde nu de fakkel. Het daglicht kwam door een kleine opening hoog in de rotswand. Ze trokken het bootje weer uit het water en legden het omgekeerd op de richel.

Tobias klom langs de grotmuur omhoog en stak zijn hoofd naar buiten.

'Alles is veilig, klim maar achter me aan.'

Matthias kroop door de opening, en zag dat deze verborgen was achter een boomstronk die uit de rotswand groeide. Wijdbeens zat hij op de brede stam en keek om zich heen. Ze waren op een steile berg. Boven hun hoofden liep een smal pad.

'Dat is het pad naar het Dennendal,' zei Tobias, die op een rotspunt vlak naast hem zat.

Toen ze even later op het pad stonden keek Tobias hem ernstig aan.

'Het is heel belangrijk dat je nóóit iemand over de verborgen tunnel vertelt,' zei hij nadrukkelijk. 'Ik kan niet veel meer zeggen dan dat, maar later zul je begrijpen dat het Klaverdal anders in groot gevaar kan komen.'

Op het Runenplateau

Zwijgend zaten twee figuren tegenover elkaar in het maanlicht.

'Wat denk jij ervan?' vroeg Lupa ten slotte.

Op de offerplaats lagen twaalf stenen in een kring. Twee ervan gaven een heldere gloed. Maar de oude vrouw had vooral aandacht voor een van de andere tien stenen.

'Welke bedoel je?' vroeg Alchior.

Lupa wees met haar stok. Alchior bestudeerde de kleine ronde kei aandachtig.

Het was windstil en hun stemmen klonken onwerkelijk luid in de nacht.

'Ik weet het niet zeker,' zei hij uiteindelijk. 'Hij lijkt inderdaad iets meer te gloeien dan bij de vorige volle maan.'

Hij stond op en klopte het stof van zijn knieën.

'Ik twijfel zelf ook, het is bijna niet te zien,' zei hij.

Lupa wreef haar gerimpelde handen alsof ze het plotseling koud had gekregen. 'Maar denk je dat het mógelijk is? Denk je dat de stenen zó snel achter elkaar kunnen oplichten?'

Alchior zei niets. Ze wisten allebei dat Lupa die vraag zelf kon beantwoorden. En dat deed ze dan ook.

'Het zou alléén kunnen als Zafyra het boek heeft gevonden. Het boek van Zorah,' fluisterde ze.

'Maar Malvezijn dacht dat Zorah het boek had vernietigd,' wierp Alchior tegen.

'Dácht,' herhaalde Lupa peinzend. 'Hij was er niet helemaal zeker van. Ik heb al bericht naar Malvezijn gestuurd.'

Zwijgend keken ze elkaar aan. Geen van beiden durfden ze hun gedachten hardop uit te spreken.

'Ik heb ook Tobias laten weten dat hij het kind alvast naar Bergmond moet brengen,' ging Lupa verder.

'Dan moeten we maar op de instructies van Malvezijn wachten,' zei Alchior.

'Verder kunnen we niets anders doen dan wachten op de volgende volle maan,' fluisterde Lupa. 'Wachten en hopen.'

De Vrolijke Baars

De afdaling van de berg had een hele dag geduurd. Uitgeput was Matthias bij het kampvuur in slaap gevallen. De volgende morgen werd hij wakker met pijn in spieren waarvan hij nooit had geweten dat hij ze had. Tobias had al een klein vuurtje gemaakt, waarboven een pannetje water kookte. Op een gloeiende platte steen bakte hij eieren met spek. Matthias hoorde zijn maag rommelen. De vorige avond was hij te moe geweest om nog iets te eten. Na het ontbijt doofde Tobias het vuur zorgvuldig met de rest van het water, en bedekte het daarna met zand.

'Hoe ver is het nog naar oom Clovis?' vroeg Matthias.

Tobias klopte het zand van zijn handen en hurkte tegenover Matthias.

'Ik denk dat ik je nu maar moet vertellen dat we niet op weg zijn naar je oom Clovis.'

Niet-begrijpend staarde Matthias hem aan. 'Maar daar ga ik toch logeren?'

Tobias schudde zijn hoofd. 'Het is de bedoeling dat iedereen dénkt dat je daar bent, maar je moet worden voorbereid. Daarvoor moet ik je naar Lupa brengen.'

'Lupa? Wie is Lupa?'

Tobias glimlachte. 'Je hebt Lupa al een paar keer ontmoet,' zei hij. 'Binnenkort zul je haar beter leren kennen.'

Matthias kon zich geen vrouw herinneren die Lupa heette en zo'n vreemde naam zou hij vast niet zijn vergeten. Hij kreeg ineens het gevoel dat er maar een beetje met hem gesold werd. Iedereen deed geheimzinnig terwijl ze hem gewoon de waarheid hadden kunnen vertellen. Jarenlang had zijn vader hem niet willen meenemen over de bergen omdat hij nog te jong was voor de zware klim. Nu bleek dat ze makkelijk door de tunnel naar de andere kant hadden kunnen varen. En in plaats van naar oom Clovis was hij op weg naar een of andere raadselachtige vrouw die hem ergens op moest voorbereiden. En alsof dat allemaal nog niet genoeg was, zou er ook nog een of ander gevaar dreigen.

Boos sprong hij op. 'Waarom hebben mijn ouders dan gezegd dat ik naar oom Clovis ga!?'

'Ook je ouders weten hier niets van,' antwoordde Tobias rustig. 'De enigen die hiervan af weten, zijn de leden van het Genootschap waar ik lid van ben.'

Driftig liep Matthias heen en weer over het rotsige pad. Hij wist niet meer wat hij ervan moest denken. Als álles buiten het Klaverdal zo verwarrend was, dan ging hij liever terug naar huis. Daar wist hij tenminste waar hij aan toe was.

Maar was dit niet juist waar hij altijd van had gedroomd, verre reizen en grote avonturen?

Hij vond het vreemd allemaal, en een beetje eng. Tegelijkertijd was er ook een spanning en een opwinding zoals hij nog nooit had gevoeld.

'Waar moet ik dan op worden voorbereid?' vroeg hij uiteindelijk.

'Dat weet ik niet precies,' antwoordde Tobias, 'maar hoe sneller ik je bij Lupa breng, hoe eerder je antwoord krijgt op je vragen.' Met deze woorden stond hij weer op.

Matthias begreep dat dit alles was wat hij op dit moment te weten zou komen, en besloot om maar af te wachten.

De begroeiing werd steeds voller, zodat ze een paar uur later door een dicht woud liepen. De streek deed zijn naam eer aan, want het grootste deel van het bos bestond uit naaldbomen. Het was er veel rotsiger dan in het Klaverdal. Kleine kristalheldere bergbeekjes stroomden tussen de stenen. Van alle kanten weerkaatsten kloppende geluiden tussen de rotswanden. Af en toe hoorden ze een luide schreeuw gevolgd door een krakend geluid.

'Dat zijn de houthakkers,' legde Tobias uit.

'Het hout uit het Dennendal wordt naar heel Westenrijk vervoerd. Een deel gaat zelfs helemaal naar het oosten, tot in Dragonië.'

Het was ook veel kouder dan in het Klaverdal. Tobias zag Matthias huiveren.

'Je moeder heeft vast wel iets warmers voor je ingepakt,' zei hij.

Matthias vond een dikke gebreide trui in zijn rugtas en trok hem over zijn hoofd.

Algauw werd het pad breder. Langs de kant stonden karren waarop stapels vers gekapte boomstammen lagen. Het rook naar dennennaalden en hars. De weg was bezaaid met houtspaanders die kraakten onder hun voeten.

'Hé reizigers, willen jullie een rit naar de stad?'

Ze werden ingehaald door een zwaarbeladen wagen waarvoor twee ossen waren gespannen. Opgewonden klom Matthias op de wagen. De man had gesproken over een stád! Hij was nog nooit in een stad geweest, maar wist dat het net zoiets was als een heel groot dorp. Tobias gaf hem een homp brood met gerookte vis erop. Matthias beet er een mondvol af en maakte het zich gemakkelijk op een stapel dennentakken.

Het werd steeds drukker op de weg. Karren reden af en aan. De meeste waren beladen met hout, maar Matthias zag ook wagens met kippen, grote biervaten en gerookte hammen.

De zon stond inmiddels hoog aan de hemel, en het werd lekker warm. Tevreden en met een volle maag leunde Matthias tegen de stapel boomstammen. Hij stelde vast dat de wijde wereld lang zo gek nog niet was.

Hij moest in de schommelende wagen in slaap zijn gevallen, want toen hij zijn ogen opendeed, was de zon alweer een stuk gezakt. Ze hadden het dennenbos achter zich gelaten en in de verte doemden de torens van de stad al op. Tobias zat op de bok en was in een druk gesprek verwikkeld met de voerman.

Het landschap was nog steeds rotsachtig, met hier en daar wat begroeide stukken waarop geiten graasden. Matthias had nog nooit zo veel drukte gezien als op de weg die zich omhoog slingerde naar de stad. Hij zag afgeladen wagens, marskramers met hun waar, pelgrims met hun breedgerande hoed en andere reizigers.

Hij ging rechtop zitten en tuurde over de dennenstammen heen naar de stad. Boven de stadspoorten was het wapen van Bergmond afgebeeld: een dennenboom met een zwaard gekruist. Hetzelfde embleem was op de schilden van de poortwachters geschilderd.

Tobias draaide zijn hoofd om.

'Ha, je bent wakker,' stelde hij vast. Hij wees op het stadswapen. 'Kijk, het schild geeft aan dat Bergmond een belangrijke verdedigingspost is. Het is de enige toegangsweg naar de achterliggende dalprovinciën.'

Vlak voor de stadsmuur hield de kar halt, en Matthias en Tobias klommen eraf. Nadat ze de voerman hartelijk hadden bedankt voor de rit, liepen ze de poort door.

Matthias keek zijn ogen uit. Er reden echte koetsjes door de straten, in plaats van eenvoudige boerenkarren zoals in zijn eigen dorp. Op een hoek stond een man in een kleurig pak te jongleren. Met verbazing keek Matthias hoe hij zes ballen in een cirkel liet rondvliegen zonder er ook maar één te laten vallen. Even verderop zag hij een ijzeren ton waarboven een vrouw kastanjes roosterde op gloeiende kooltjes. Dienstmeisjes met witte schorten voor droegen manden vol boodschappen aan hun arm.

Knechten duwden handkarren voort, kinderen speelden met tollen en hoepels, en kooplui prijsden langs de straten hun waren aan.

Anders dan in het dorp in het Klaverdal waren de huizen dicht op elkaar gebouwd in smalle straten en nauwe steegjes. Tobias had hem bij de hand genomen en leidde hem door de stad. Dat was maar goed ook, want Matthias had het veel te druk met rondkijken om op de weg te letten. Boven zijn hoofd zag hij twee kijvende vrouwen uit de ramen hangen en hij moest aan Frijda van de molenaar denken.

Net op tijd trok Tobias hem opzij toen een teil uit een open deur over de straat werd geleegd. Hij zag dat er in de goot putjes gegraven waren zodat het water kon weglopen.

Ook had hij nog nooit zo veel dingen gezien die je kon kopen. Tussen de opengeslagen luiken van de vele winkels lag van alles uitgestald. Bij een slager hingen worsten en hammen, en zelfs een hele varkenskop. Er lagen potten, pannen en grote koperen ketels. Uit een andere winkel steeg het aroma van kaneel, kruidnagels en laurier op. Aan het plafond hingen bladeren te drogen, en lange strengen kandijsuiker. In een keldertje zag hij een schoenmaker spijkers in een zool slaan, terwijl een knechtje vormen uit grote lappen leer sneed. De jongen lachte vrolijk naar hem toen hij naar binnen gluurde. Een paar huizen verder zat een kleermaker met zijn benen over elkaar knopen aan een jas te naaien. Op de toonbank spreidde een jonge vrouw kanten kraagjes uit voor een klant.

Het duizelde Matthias van de bedrijvigheid om hem heen. Stevig hield hij Tobias' hand vast, want hij was bang om hem kwijt te raken in de mensenmassa.

Ze staken een pleintje over en stonden stil voor een groot stenen gebouw. Door de open ramen klonk geroezemoes en het gekletter van borden en tinnen bekers. Op een gietijzeren uithangbord was een spartelende vis geschilderd. 'Herberg De Vrolijke Baars' las Matthias de sierlijke letters eronder.

Tobias moest bukken om door de lage houten deur naar binnen te gaan. Matthias volgde hem de volle gelagkamer in. De zware houten balken waren donkerbruin geworden van de tabaksrook. In een enorme open haard hing een rij kippetjes aan een lang spit te braden.

Toen zijn ogen aan de rokerige lucht gewend waren zag Matthias overal mensen aan lange en ronde tafels eten en drinken. Een meisje met kleurige rokken bewoog zich behendig tussen de gasten door met in elke hand vier grote pullen schuimend bier. De herbergier droeg een grote schaal vlees met rapen aan uit de keuken. Toen hij Tobias binnen zag komen, zette hij deze snel aan een gast voor.

'Tobias, ouwe rakker!' riep hij uit en kwam met open armen op hen af. Uitbundig sloeg hij de oude visser op zijn rug. 'Je gaat me toch niet vertellen dat je al die jaren stiekem een zoon voor ons verborgen hebt gehouden,' zei hij met een knipoog naar Matthias.

Tobias duwde Matthias naar voren. 'Dit is Matthias, de zoon van Miriam en Frenkel uit het Klaverdal,' zei hij. 'Matthias reist alleen maar met me mee tot aan het huis van zijn oom.'

Matthias keek verbaasd op naar Tobias. Door een kneepje in zijn schouder begreep hij dat deze het eigenlijke doel van hun tocht geheim wilde houden. Daarom hield hij zijn mond maar en keek gretig naar de volle schalen op de tafels.

'Ik geloof dat je jonge metgezel honger heeft,' zei de herbergier. 'Ik zal snel een rustig plekje voor jullie uitzoeken en Amalia vragen of er nog een kamer vrij is.'

Even later zaten ze vlak bij het haardvuur, Tobias met een kruik koud bier en Matthias achter een beker warme melk.

Matthias was blij toen de vrouw van de waard het eten bracht.

Er waren goudbruin gebraden kippenpootjes, dikke plakken gerookte Dennendalse ham, een groot rond brood en appelcompote toe.

Toen ze hadden gegeten, kwam de waardin vertellen dat ze een kamer klaar had. Lachend veerde ze overeind toen haar man een flinke klap op haar achterste gaf.

'Amalia, mijn liefste, breng ons nog een kruik bier van het huis en voor mijzelf ook een beker, dan kunnen Tobias en ik rustig bijpraten.' Met deze woorden schoof hij bij hen aan tafel.

'Zo te zien gaat het jullie goed,' begon Tobias, 'de zaak zit helemaal vol, je komt nog plaats te kort.'

De herbergier knikte grijnzend. 'We mogen niet klagen, Amalia en ik. De kinderen zijn gezond en de zaken bloeien. Bergmond wordt steeds belangrijker als handelsstad. Alle toevoer van goederen naar de dalprovinciën loopt hierlangs, en ook de uitvoer van hout naar de rest van Westenrijk.'

'Vertel eens wat er allemaal voor nieuws komt uit de wereld,' zei Tobias.

Bijna alle reizigers in Bergmond logeerden in De Vrolijke Baars, en 's avonds werden rond het haardvuur alle nieuwtjes uitgewisseld. Weinig nieuws bereikte dan ook de dalen voordat Ivo de Herbergier het had gehoord.

'Wel,' begon Ivo nadenkend, 'koning Walian is nog steeds niet getrouwd. Men begint zich zorgen te maken over de troonopvolging. Als het geslacht van Westenrijk uitsterft, zal er een nieuw koningshuis gesticht moeten worden.'

'Dat zou erg jammer zijn,' beaamde Tobias. 'De Westenrijken zijn altijd goede koningen geweest, al sinds Esmeraldus de Derde. En is er nog nieuws uit het oosten?'

Ivo keek plotseling ernstig en schudde zijn hoofd. 'Er komt steeds minder nieuws uit Dragonië. De grens is bijna helemaal gesloten, behalve voor handel tot vlak over de rivier de Arge. Alleen de mensen van de Steppen kunnen vrij heen en weer reizen, hoewel ook zij tegenwoordig het liefst veilig op de Vlakte van Ebe blijven. Geruchten gaan dat de hongersnood steeds erger wordt door het wanbeleid van de koning. Het schijnt dat de mensen er voortdurend in angst leven en dat de soldaten van Isgerias plunderen en de huizen platbranden.'

Matthias huiverde toen hij deze woorden hoorde. Graag wilde hij weten wat Ivo nog meer allemaal te vertellen had, maar hij begon te knikkebollen. Na de lange dag vol nieuwe belevenissen werd hij doezelig bij het warme haardvuur.

Het boek van Zorah

Malvezijn de Tovenaar stond bij het raam van zijn kamer en tuurde naar buiten. Op de vensterbank trippelde Bianca, zijn lievelingsduif. Verstrooid kriebelde hij onder haar snavel. Zijn duiven waren het laatste plezier dat hij nu nog had. Bovendien waren ze de enige manier waarop hij geheime boodschappen kon sturen naar de andere leden van het Genootschap. Maar ook dat werd steeds moeilijker. Zafyra had overal spionnen, hij kon niemand meer vertrouwen.

Hij huiverde. Verbeeldde hij het zich, of werd het steeds killer in het kasteel? Soms had hij het gevoel dat er een vreemd soort kou door het slot trok. Hij zou het bijna willen omschrijven als een 'lege' kou.

Malvezijn zette deze zonderlinge gedachten van zich af. Waarschijnlijk was het de ouderdom die hij in zijn botten voelde. Ook had hij op het moment belangrijker zaken aan zijn hoofd.

Al bijna vier weken wachtte hij op de terugkeer van Zoeker. Hij had de bruine duif naar Lupa en Alchior op het Runenplateau gestuurd met het nieuws van Isgerias' overlijden. Zoeker had al lang terug moeten zijn. Hij vreesde dat de vogel was neergehaald door een pijl van de soldaten van Zafyra. Malvezijn kon alleen maar hopen dat niemand het bericht zou vinden dat waarschijnlijk onder zijn vleugel verborgen zat. Als Zoeker niet snel kwam, zou hij Bianca moeten sturen, zijn laatste duif.

Net toen hij zich wilde omdraaien hoorde hij een wild gefladder. Bianca begon luidkeels te koeren. Een bruine vogel met rode vlekken vloog vlak langs zijn hoofd door het raam naar binnen en stortte neer aan zijn voeten.

'Zoeker!' riep Malvezijn uit en hurkte op de grond.

De veren van de duif kleefden aan elkaar met bloed. Voorzichtig raapte Malvezijn hem op en zag tot zijn opluchting dat het dier nog leefde. Hij had veel bloed verloren, maar de wond leek niet diep te zijn, zodat Zoeker met zijn laatste krachten de weg terug naar huis had kunnen vinden. Verzwakt deed hij zijn oogjes open en liet een zacht gekoer horen.

'Dappere Zoeker,' fluisterde Malvezijn. 'Dappere, trouwe Zoeker.'

Hij maakte de wond zorgvuldig schoon met een vloeistof uit een van de vele flesjes die op de planken langs de muren stonden. De vogel was te uitgeput om tegen te stribbelen. Pas toen Malvezijn de wond stevig had verbonden, tilde hij de rechtervleugel op. Van diep onder de veren trok hij een heel klein rolletje perkament tevoorschijn. Hij legde Zoeker voorzichtig in een doos.

Terwijl Bianca zenuwachtig rond haar vriendje drentelde, vouwde hij het berichtje open en las:

Broeder van het Genootschap,

De tweede steen vangt het licht, de tijd dringt. Ik heb Tobias gevraagd om het kind alvast naar het Dennendal te brengen, en verdere instructies af te wachten. Laat weten wat ons nu te doen staat,

Lupa

Verslagen ging Malvezijn zitten. Al twee stenen! Hoe had dat kunnen gebeuren, vlak onder zijn neus? Hoe kon de macht van Zafyra zo snel groeien?

Met een schok hief hij zijn hoofd op. Tenzij... Nee, dat was onmogelijk. Maar hij kon de bloedstollende gedachte niet uit zijn hoofd zetten en verliet de kamer.

Malvezijn rilde van de kou terwijl hij de trappen van de toren afliep. Hij sloeg zijn grijze mantel dichter om zich heen. Zo hoopte hij ook minder op te vallen in de schemering.

Verborgen door de schaduw van de kasteelmuren stak hij de binnenplaats over. Twee wachters liepen boven zijn hoofd heen en weer over de kantelen. Malvezijn maakte zich zo klein mogelijk totdat ze voorbij waren, en glipte toen snel door een houten deurtje achter de dichte begroeiing die rond de oostelijke toren woekerde.

Verder kende niemand deze toegang tot de oostelijke toren. Malvezijn had het geheime deurtje voor koningin Zorah gemaakt toen hij nog toverkracht had. De oostelijke toren was haar domein waar ze zich kon terugtrekken van haar wrede echtgenoot die ze zo haatte. Dat was bijna een jaar voordat Isgerias haar in zijn onbeheerste drift vergiftigde, en ze die vreselijke vloek over Dragonië en de koninklijke familie uitsprak.

Malvezijn had zichzelf nooit vergeven dat hij zich toen had laten overhalen om Isgerias te helpen, ook al was het het enige dat hij had kunnen doen. Door de twee letters uit de vervloeking te veranderen was er tenminste nog een kans om Dragonië te redden. Het lot van beide landen lag nu in de handen van het Genootschap, maar vooral bij het kind.

Met een diepe zucht dacht hij terug aan het bericht dat hij zojuist van Lupa had gekregen. De kans van slagen werd met het uur kleiner. Als zijn vrees juist bleek, dan was de zaak vrijwel zeker verloren.

Malvezijn stond in de oostelijke toren met zijn rug tegen de houten deur gedrukt. Hij wist dat hij in een kast stond, de geheime toegang naar een van de tussenkamertjes. Met zijn hand tastte hij langs de houten wand totdat hij de hendel vond, en duwde deze naar beneden. Langzaam schoof het paneel opzij, en hij trad een kleine kamer binnen. Zorgvuldig sloot hij de deur achter zich.

Aan de dikke laag stof die er lag, kon hij zien dat de ruimte jaren niet meer was gebruikt. Hij sloop naar de deur en legde er zijn oor tegenaan. Tegenwoordig mocht niemand behalve Zafyra zelf nog in de toren komen, en zij was al drie dagen geleden vertrokken op een van haar geheimzinnige reizen. De toegang werd streng bewaakt door haar wachters.

Toen hij geen enkel geluid hoorde, deed hij voorzichtig de deur open. Hij schrok van het luide gepiep van de scharnieren en hield zijn adem in. Er gebeurde niets. Malvezijn glipte de trap op, die als een spiraal naar boven kronkelde. Af en toe moest hij even stoppen om uit te rusten. Zijn stramme ledematen waren het klimmen niet meer gewend.

Boven in de toren hield hij stil voor een zware eikenhouten deur. Tot zijn verbazing zag hij dat deze op een kier stond. Zafyra moest wel erg veel vertrouwen hebben in de bewakers van haar toren.

Langzaam duwde Malvezijn de deur open en liep de torenkamer in. Het was al meer dan drieëndertig jaar geleden dat hij hier voor het laatst was geweest. Vlak na de dood van Zorah was hij hetzelfde komen zoeken als nu, maar had het toen niet gevonden. Hij had er daarom op vertrouwd dat Zorah haar belofte was nagekomen en het had vernietigd. Tot zijn grote schrik zag hij nu dat hij zich had vergist.

Hij staarde naar het opengeslagen boek.

'Inderdaad, Malvezijn. Het boek van Zorah,' hoorde hij een koude stem achter zich. 'Het boek van mijn moeder, ik heb het gevonden.'

Met een schok draaide Malvezijn zich om.

In de deuropening stond Zafyra.

Toen Malvezijn van de schrik was bekomen, had hij alleen nog oog voor het boek. Langzaam schuifelde hij achteruit in de richting van de tafel waarop het lag. Vanuit zijn ooghoeken keek hij uit het torenraam, en zag de zee. Als het hem nou maar zou lukken om het boek naar buiten te gooien... Met het boek was Zafyra onoverwinnelijk, maar in de woeste golven zou het voor altijd verdwijnen. Dan kon niemand meer misbruik maken van de gevaarlijke formules van Zorah.

Wanhopig nam hij een sprong naar de tafel. Maar hij onderschatte haar krachten. Zafyra hief alleen maar haar hand op, en Malvezijn smakte tegen de muur. Ze gooide haar hoofd achterover en lachte.

'Ik heb het boek niet alleen gevonden, maar ik heb het ook gelézen en eruit geleerd.' Honend keek ze op hem neer zoals hij daar op de grond lag. 'De enige reden dat ik je niet metéén vernietig, is dat ik wil weten hoe je ongemerkt mijn toren in bent gekomen.'

Met harde stem riep ze haar soldaten, die onder aan de toren de wacht hielden. Toen de beide mannen Malvezijn zagen, trokken ze bleek weg.

'M... m... maar dat kan niet...' stamelde de ene. 'Hoe kan hij nu binnen zijn gekomen?'

Doodsbang zakten de beide mannen op hun knieën.

'Genade,' smeekten ze. 'Dit is tovenarij...'

'Tovenarij?' herhaalde Zafyra geamuseerd. 'Toveren kan die oude dwaas allang niet meer.' Haar felle ogen keken de sidderende wachters aan. 'Door jullie laksheid is het hem gelukt om in mijn toren te komen. Daarvoor zullen jullie niet aan je straf ontkomen.'

Hierop sprong de jongste van de twee mannen op. Hij rende naar de deur van de torenkamer. Zafyra maakte een beweging met haar vingers, en de soldaat gilde het uit. Met zijn handen voor zijn gezicht zakte hij tegen de deurpost.

'Ik ben blind!' riep hij.

'Als je je ogen toch niet gebruikt, heb je ze ook niet nodig,' antwoordde Zafyra.

Ze draaide zich om naar de andere wachter die trillend zijn lot afwachtte.

'Met jou zal ik later nog wel afrekenen. Gooi eerst deze verrader in de kerker.'

Hardhandig duwde de doodsbange soldaat de nog versufte Malvezijn de trappen af. Even later werd de tovenaar met een smak in een kerker geworpen. Het duurde even voordat hij durfde te gaan zitten. Voorzichtig bewoog hij zijn armen en benen. Gelukkig had hij alleen wat kneuzingen opgelopen. Ook zijn ribben leken niet gebroken.

Zijn cel was halfdonker. Het enige licht kwam door een hoog klein raampje. Zelfs als hij langs de gladde muren omhoog had kunnen klimmen, dan nog wachtten aan de andere kant de steile rotsen en de woeste zee. Helemaal bovenin zat ook nog een gat dat uitkwam op de binnenplaats. Hierdoor hoorde hij opnieuw de twee wachters om genade smeken. Maar genade had Zafyra niet. Gillend werden ze weggeleid.

De laatste tijd verdwenen er steeds meer mensen. Niemand wist waarheen. Malvezijn hoorde de vreselijkste verhalen. Sommigen zeiden dat ze geofferd werden aan een onbekende macht. Anderen dachten weer dat ze als slaven moesten werken om de rijkdom van Zafyra te vergroten. Het enige zekere was dat niemand ooit werd teruggezien.

Na een paar uur merkte Malvezijn dat zijn maag begon te knorren. Iets te drinken had hij ook nog niet gehad. Zou dat het plan van Zafyra zijn? Om hem te laten verhongeren en verdorsten?

In het duister tastte hij met zijn vingers langs de muren. Hier en daar voelde hij wat mos. Als het moest kon hij zich daar wel een tijdje mee voeden. Maar drinkwater was een probleem. Inmiddels was het donker geworden, en hij probeerde wat te slapen.

Of hij had geslapen wist Malvezijn niet, maar toen hij zijn ogen weer opendeed, kwam er al wat schemerlicht door het raampje. Hij rilde op de ijskoude stenen vloer en trok zijn mantel strakker om zich heen. Net toen hij overwoog of hij de cipier om wat water kon vragen, hoorde hij naderende voetstappen.

De celdeur werd opengegooid en twee zwijgende wachters stapten binnen. Zonder een woord grepen de mannen hem onder zijn oksels en sleepten hem naar buiten. Malvezijn kon net op tijd zijn hoofd intrekken om niet tegen de lage deurpost te stoten. De oude tovenaar zag hoe de bedienden beschaamd hun hoofd wegdraaiden toen hij over de binnenplaats werd gesleurd. Allemaal waren ze wel eens bij hem geweest, en had hij hen geholpen met zijn kruiden en drankjes. Hij begreep dat ze nu te bang waren om iets tegen hem te zeggen, en knikte hen bemoedigend toe. Een van de dienstmeisjes sloeg haar schort voor haar gezicht en vluchtte snikkend de keukens in.

In de eetzaal zat Zafyra aan haar ontbijt. Op tafel stonden de heerlijkste lekkernijen uitgestald. Malvezijn begreep dat ze deze had laten opdienen om hem te kwellen. Zijn maag trok zich dan ook samen toen hij het verse brood rook, en hij werd duizelig bij de aanblik van de gerookte hammen en hompen kaas.

'Honger?' vroeg de koningin spottend.

Malvezijn gaf geen antwoord, maar kneep zijn lippen stevig op elkaar.

'Nog steeds te trots om toe te geven dat je hebt verloren?'

'Je weet dat je het boek moet vernietigen,' antwoordde Malvezijn. 'De formules van Zorah zijn gemaakt door haat en verdriet en kunnen daarom alleen maar ellende brengen. Het is zwarte kunst.'

'Vernietigen?' Zafyra schaterde het uit. 'Kijk toch naar jezelf. De eens zo machtige tovenaar Malvezijn. Je hebt helemaal geen krachten meer, ik kan met je doen wat ik wil en jij bent weerloos, dát is hoeveel je aan jóúw toverkracht hebt gehad!'

Ze kwam vanachter de tafel vandaan en liep op de tovenaar toe.

'Maar nu wil ik weten hoe je langs mijn wachters in de toren bent gekomen.'

Malvezijn zweeg hardnekkig.

'Dwaas!' beet Zafyra hem toe. 'Begrijp je dan nog steeds niet dat je mij toch niet meer kunt tegenhouden? Mijn krachten worden met de dag groter. Je kunt me beter helpen bij mijn plannen dan wegrotten in mijn kerkers!'

Opnieuw gaf Malvezijn geen antwoord, maar zijn blik sprak boekdelen.

Hij voelde hoe Zafyra haar koude hand op zijn voorhoofd legde. Het was alsof zijn hersenen door zijn schedel naar buiten werden gezogen. Het werd zwart voor zijn ogen en de grond verdween onder zijn voeten. De pijn was ondraaglijk en hij hoorde in de verte iemand schreeuwen. Vlak voordat hij flauwviel, besefte hij dat het zijn eigen stem was.

Toen Malvezijn bijkwam, lag hij weer op de koude kerkervloer. Tot zijn vreugde ontdekte hij dat de cipier een kan water en een homp brood voor hem had neergezet. Zafyra was dus niet van plan om hem te laten verhongeren. Waarschijnlijk zou ze hem alleen in leven houden totdat hij haar had verteld wat ze wilde weten. Nu hij een proef van haar krachten had gezien, was hij nóg vastberadener om de verborgen deur naar de toren geheim te houden. Mogelijk kon deze ingang nog eens van pas komen. Hij wenste alleen vurig dat hij de andere leden van het Genootschap ervan had verteld. Daarnaast moesten deze natuurlijk ook te weten komen dat Zafyra het boek van Zorah had gevonden. Terwijl hij op de harde homp brood kauwde, piekerde hij over een manier om hen te bereiken.

Verlangend keek hij omhoog naar het raampje. Aan het licht

te zien moest het vroeg in de avond zijn, maar welke dag wist hij niet meer. Hij sloot zijn ogen en probeerde zijn gedachten op Lupa te richten. Nu hij niet wist wat er met hem zou gebeuren, hoopte hij maar dat ze niet te lang op een bericht van hem zou wachten. Het kind moest zo snel mogelijk worden voorbereid!

Een paar dagen lang waren de ratten die door de kerker scharrelden zijn enige gezelschap. Het enige andere teken van leven was de hand van de bewaker, die eenmaal per dag een kruik water en een homp brood door een luikje in de deur schoof.

Malvezijn wist dat het niet lang meer kon duren voordat Zafyra hem opnieuw zou laten komen, en vroeg zich af hoe lang hij haar ondervragingen kon doorstaan.

Al mijmerend moest hij zijn ingedommeld, want ineens schrok hij wakker van een vreemd geluid. Hij hoorde gekrabbel achter een van de muren. Eerst dacht hij dat het een rat was, en wilde weer inslapen. Maar toen hoorde hij ook een fluisterstem.

'Ben je Malvezijn de Tovenaar?'

Malvezijn was met stomheid geslagen. De onbekende moest zijn vraag herhalen voordat hij antwoord kon geven.

'In Gods naam geef antwoord, ben je Malvezijn de Tovenaar?'

'Dat ben ik, ik ben Malvezijn de Tovenaar,' stamelde hij.

Er werd een kleine fakkel door het raampje gestoken. Even was hij verblind door het plotselinge licht. Toen zag hij hoe een touwladder naar beneden werd gegooid.

Zo snel als zijn stijve ledematen het toelieten klom Malvezijn naar boven.

Een gemaskerde man wachtte hem op en hielp hem door het smalle raampje. Malvezijn durfde niet naar beneden te kijken, naar de kolkende zee. Hijgend van inspanning klampte hij zich aan de vreemdeling vast. Deze gespte een riem om zijn middel, en samen gleden ze naar beneden. Op een uitstekende rotspunt hielden ze halt. Verbluft zag Malvezijn hoe zijn redder met een snelle draai de haak lostrok waarmee het touw in het kerkerraam vastzat. Vanaf de rotspunt liep weer een andere lijn de diepte in.

De afdaling leek een eeuwigheid te duren, maar ten slotte voelde de uitgeputte tovenaar zeewater tegen zijn enkels spatten. Met zijn laatste krachten hield hij zich vast aan het touw. Ineens greep de gemaskerde man hem stevig vast. Malvezijn gaf een schreeuw van schrik toen hij merkte dat ze van de rots sprongen. Met een plof vielen ze samen op een wiebelende ondergrond. Toen hij zijn ogen weer open durfde te doen, zag hij dat ze in een zeilbootje waren gesprongen. Om hun val te breken was de hele bodem bedekt met schapenvellen. In één beweging trok de man het zeil omhoog. Met zijn andere hand sneed hij het touw door waarmee de jol aan een klif gebonden lag, en op een harde windvlaag schoot het bootje met een ruk van de rotsen weg.

Op het Runenplateau

'Het is zover,' sprak Alchior, en vouwde het briefje weer op. 'Tobias en het kind zijn vier dagen geleden in Bergmond aangekomen. Tobias wacht op ons bericht.'

Lupa stond met haar rug naar hem toe en tuurde naar de hemel. Haar gele ogen stonden bezorgd. Grauwtje, de duif van Tobias, zat op haar schouder met zijn kopje tussen zijn veren. Na de lange vlucht over de bergen was hij zelfs te moe om te eten.

'We hebben al meer dan een maand geen nieuws ontvangen van Malvezijn,' zei ze zacht. 'Ik hoop dat ik er goed aan heb gedaan om het kind al te laten komen.'

'Als we niet snel iets van Malvezijn horen, zullen we zelf iets moeten doen,' antwoordde Alchior somber.

'Wij kúnnen hem niet begeleiden,' zei Lupa beslist, 'wij moeten hier blijven om de tekenen te lezen.'

'Desnoods zal hij zó moeten gaan.'

'Je bedoelt zonder voorbereiding?' Met een ruk draaide Lupa zich om. 'Hij is nog te jong en onervaren!'

'We hebben geen andere keus.'

'Er zijn zo veel gevaren, Alchior,' antwoordde Lupa zuchtend. 'Het duurt nog bijna een maand tot de maan weer vol is en de stenen geworpen kunnen worden, maar ik vrees het ergste.' Vermoeid ging ze zitten.

Alchior knikte en raapte zijn tas op. 'Ik kom vóór de volgende maan terug,' zei hij en verliet de offerplaats.

Behoedzaam liep hij even later door het veen dat het Runenplateau omringde. Zijn voeten tastten zorgvuldig de verraderlijke bodem af, zodat hij op het verborgen pad bleef. Zij die de juiste stappen niet kenden, werden al snel opgeslokt door het veen.

Zo zeker en weloverwogen als Alchiors passen waren, zo gejaagd waren zijn gedachten. Hij had niet aan Lupa willen laten merken hoe bang hij werkelijk was. Het vermoeden dat Zafyra misschien het boek van Zorah had gevonden, liet hem niet los.

Malvezijn had hem vaak verteld hoe vol met haat en bitterheid koningin Zorah de laatste jaren van haar leven was geweest, waardoor haar toverformules steeds zwarter waren geworden.

Meer dan dertig jaar geleden waren ook eens drie van de twaalf stenen opgelicht. Zo wist de bewaker van het Runenplateau wanneer een kwade macht groeide. Alleen was het toen lang niet zo snel gegaan als nu.

Zodra Malvezijn ontdekte waar Zorah mee bezig was, had hij haar van de gevaren overtuigd. Zorah had hem beloofd dat ze het boek zou verbranden. Haar experimenten waren dan ook niet meer dan een tijdverdrijf geweest. Haar zwarte formules waren voortgekomen uit opgekropte woede en verdriet. Ze was nooit van plan geweest om er iemand kwaad mee te doen.

Toen Zorah kort daarop stierf waren ook de stenen weer gedoofd, en de leden van het Genootschap gerustgesteld.

Niemand had verwacht dat haar dochter Zafyra het boek in handen zou kunnen krijgen. En maar weinigen kenden de verschrikkelijke gevolgen daarvan.

Lupa zat met gesloten ogen op de offerplaats en probeerde Malvezijn met haar gedachten op te roepen.

Plotseling hoorde ze geklapwiek, en haar ogen schoten open. Een sneeuwwitte duif daalde op de offerplaats neer.

'Bianca!' riep Lupa en sprong op.

De duif koerde, maar was te uitgeput om naar haar toe te komen.

'O Bianca, wat ben ik blij jou te zien!'

Voorzichtig pakte Lupa de vogel op. Bianca sloot haar oogjes en viel bijna in slaap, terwijl Lupa haar rechtervleugel optilde. Toen ze het verwachte rolletje perkament niet meteen zag, voelde ze met haar hand on-

der de veren. Groot was haar teleurstelling en verslagen ging ze weer op de offerplaats zitten.

Niets! Wéér geen bericht.

Peinzend aaide ze de inmiddels slapende duif en tuurde over de vlakte.

Ze besloot dat ze niet langer meer kon wachten.

Een onleesbare hand

Matthias deed zijn ogen open en zag dat het bed van Tobias al leeg was. Hij genoot van het warme zachte bed waarin hij lag. In de herberg hadden ze echte veren matrassen en kussens. Thuis vulde Miriam elke week hun matrassen met vers geurig hooi, maar hier roken de bedden naar echte lavendel.

Ze logeerden nu al meer dan een week in De Vrolijke Baars, maar Matthias verveelde zich geen moment. Daarvoor was Bergmond te vol van spannende nieuwe dingen en avonturen.

Van gevaren had hij nog niets gemerkt, en ook leek niemand anders zich hierover ongerust te maken. Als de visser wilde tobben en zijn eigen plezier bederven, moest hij het zelf maar weten. Misschien hadden de mensen in het dorp gelijk en was hij gewoon een beetje vreemd. Matthias had in elk geval besloten om het beste te maken van hun reis voordat ze weer terug zouden gaan naar het Klaverdal.

Tot zijn plezier had Tobias hem een buideltje munten gegeven, het eerste geld dat hij ooit had gehad. Allereerst had hij voor Miriam een koperen sierspeld met flonkerende bergkristallen gekocht. Voor Frenkel had hij een zakmes gevonden, met een echt benen handvat in een zachtleren foedraal.

Terwijl hij naar de balken van het plafond staarde, fantaseerde hij over zijn terugkomst in het Klaverdal. Hij stelde zich de gezichten van Sieger, Ullrick en de andere kinderen voor wanneer ze hoorden dat hij helemaal in het Dennendal was geweest. Hij vond het wel spijtig dat hij niets mocht zeggen over de geheime tunnel, maar hij had genoeg andere dingen om over te vertellen. Ivo had hem en zijn eigen dochter Maartje een dag meegenomen naar een echte kermis. Hij durfde te wedden dat de meeste kinderen thuis niet eens wisten wat dat was! Daar had hij acrobaten gezien, en een vrouw met een baard. En aan de meisjes in het dorp zou hij de jurken beschrijven die de rijke dames van Bergmond droegen, van echte zijde en fluweel met kanten kraagjes. Misschien zou hij nog een zak Dennendalse pepermuntballen meenemen om ze te laten proeven. Hij wilde wel eens zien wie hem dan nog zou uitschelden voor duivelsoog!

Snel sprong hij uit bed en waste zich in de stenen kom die in een hoek stond. Toen hij de gelagkamer in kwam, stond Maartje al de tafels van de vroege ontbijtgasten af te ruimen.

'Ha, die Matthias!' riep ze vrolijk. 'Ik wist niet dat jij zo'n langslaper was.'

Matthias voelde dat hij een kleur kreeg.

'Tobias had me niet wakker gemaakt,' zei hij verontschuldigend.

Met een zwier zette Maartje een groot bord havermoutpap met pruimen voor hem neer, en maakte een speelse buiging.

'Jongeheer, uw maaltijd staat opgediend. Kan ik u nog ergens mee van dienst zijn of mag ik mij thans terugtrekken?'

Meteen deed Matthias het spelletje mee, en stak zijn neus in de lucht.

'Joffertje, je kunt gaan, ik schel wel wanneer ik iets nodig heb.' Met een losse pols wuifde hij haar weg.

Schaterend sloeg Maartje hem met haar poetsdoek op zijn hoofd, en stapte net vlug genoeg achteruit om aan zijn grijpende hand te ontkomen.

'Jij bent nét echt,' proestte ze. 'Als ik niet beter wist, zou ik zo denken dat je een of andere hooggeboren edelman bent.'

Nog nalachend verdween ze de keuken in.

Toen Matthias zijn ontbijt bijna ophad, kwam Tobias de herberg binnen. In zijn hand hield hij een opgerold stukje perkament. De grijze duif op zijn schouder pikte naar zijn oorlel.

'Zo jongen, ik heb je maar even goed laten doorslapen, want we hebben vandaag een lange tocht voor de boeg.'

'Gaan we vandaag al weg?'

Tobias knikte.

Matthias kon zijn teleurstelling niet helemaal verbergen. Hij wilde aan de ene kant wel verder reizen, maar hij vond het leven in De Vrolijke Baars ook wel erg gezellig.

Samen liepen ze naar boven om hun tassen in te pakken. Nadat ze hartelijk afscheid hadden genomen van de herbergier en zijn gezin vertrokken ze richting de stadspoort.

Tobias en Matthias hadden Bergmond al drie dagen geleden achter zich gelaten. Nu ze de berg waar de stad tegenaan was gebouwd, waren afgedaald, liepen ze weer gemakkelijk over vlak terrein.

De zon scheen en het gekwetter van vogels klonk uit de bomen. Hier en daar klauterden eekhoorns tegen de stammen op, en een paar keer zagen ze zelfs een hertje. Uit de heldere beekjes vulden ze hun veldflessen.

Al wandelend vertelde Tobias over alle verschillende planten en paddenstoelen die ze tegenkwamen.

'Het sap van de paardenbloem werkt goed tegen wratten en likdoorns,' zei de oude visser.

Hij liet Matthias zien hoe hij de melkachtige vloeistof uit de holle steel kon drukken.

'En ruik dit...'

Hij duwde Matthias een sprietige plant onder zijn neus.

'Dit is rozemarijn. Wanneer je dat samen met lavendel' – Tobias wees met zijn wandelstok op een struikje met paarse bloemetjes – 'in water kookt, kun je het gekoelde afgietsel gebruiken om wonden schoon te houden.'

Het verbaasde Matthias hoeveel Tobias hierover wist. Hij vermoedde dat de visser veel meer had gereisd dan de mensen dachten. Door de geheime tunnel kon dit gemakkelijk zonder dat hij lang werd gemist.

Met zijn mes sneed Tobias eetbare zwammen af om ze 's avonds boven een vuurtje te bakken met spek en de kruiden die ze hadden geplukt.

'Als we geluk hebben, komen we in het Westerwoud misschien een troep Steppenmensen tegen. Dan kunnen we meteen wat eten kopen,' peinsde Tobias kauwend. 'Rond deze tijd van het jaar reizen velen van hen tussen Bergmond en Venemonde om handel te drijven.'

'Ik dacht dat de Steppenmensen in Dragonië woonden,' zei Matthias verrast.

Tobias schudde zijn hoofd. 'De Vlakte van Ebe is hun gebied, maar voor het Steppenvolk bestaan er geen landsgrenzen. Ze zijn de enigen die nog ongehinderd over de grensbruggen mogen reizen. Daarom loopt bijna alle handel tussen Westenrijk en Dragonië via hen. Vroeger werden ze door Isgerias vervolgd. De koning wilde ze dwingen om in één gebied te blijven wonen, zodat hij ze beter kon controleren en beheersen. Maar Steppenmensen hebben zwerfbloed, en blijven nooit lang op dezelfde plek. Ook werd gezegd dat hij het op hun verborgen schat had gemunt. Uiteindelijk heeft de koning van het Steppenvolk een verbond met Isgerias gesloten. In ruil voor de hand van zijn dochter Zorah liet Isgerias de Steppenmensen met rust.'

Zoals Tobias had gehoopt, vonden ze de volgende dag inderdaad een klein woonwagenkamp.

Terwijl de visser over een beker wijn nieuws uitwisselde met de leider van de groep, slenterde Matthias het kamp rond. Waar gekookt werd, mocht hij van de vrouwen pas verder lopen als hij eerst een bord had meegegeten. Na drie dagen bijna alleen brood met paddenstoelen en spek te hebben gehad, schrokte hij een grote lepel bonenstoofpot naar binnen. Meteen moest hij naar lucht happen, en zijn mond en lippen gloeiden van het vurig gekruide eten. De kinderen schaterden terwijl hij een hele kan water naar binnen goot.

Die avond werd in het midden van het kamp een groot vuur gemaakt. Toen het donker werd en de vlammen hoog oplaaiden, hoorde Matthias de eerste tonen van een snaarinstrument. Alle stemmen vielen stil. Zelfs de kleinste kinderen hielden op met spelen, en kwamen rond het vuur zitten.

Een mannenstem begon in trillende tonen te zingen. Matthias kreeg er kippenvel van. Hij kon de woorden niet verstaan, maar aan de melodie was duidelijk te horen hoe treurig het lied was. Om hem heen zag hij hoe de vrouwen met hun schorten de ogen afdepten. Zelf moest hij ook slikken.

'Dit lied gaat over prinses Zorah,' fluisterde Tobias zachtjes in zijn oor. 'Het beschrijft hoe Zorah afscheid moet nemen van haar mensen en de jongen op wie ze verliefd is. Ze gaat weg om met koning Isgerias te trouwen en zich zo op te offeren voor de vrijheid van haar volk.'

Toen het lied was afgelopen, leek het alsof de laatste tonen nog doortrilden in de warme avondlucht.

Even bleef het doodstil rond het vuur. Toen begon iemand in zijn handen te klappen. Meteen hoorde Matthias van alle kanten geroep en geklap in een opzwepend ritme. Een paar jonge mannen sprongen op en begonnen met hun voeten op de maat te stampen. Ook het snaarinstrument deed nu mee met de wilde muziek. De open plek rond het vuur veranderde in een zee van stampende voeten en zwierende kleurige rokken. Matthias kon nauwelijks stil blijven zitten. Een paar meisjes trokken hem overeind, en hij danste geestdriftig mee. Het feest ging tot diep in de nacht door.

Toen Matthias de volgende dag wakker werd, klonk er uit alle hoeken van de huifkar nog luid gesnurk. Zachtjes kroop hij over de slapende kinderen naar buiten. Hij besloot op zoek te gaan naar een beekje om de slaap uit zijn ogen te wassen.

Een stuk buiten het kamp stond één woonwagen apart van de rest. Nieuwsgierig sloop hij dichterbij. Op de houten wanden waren sterren en manen geschilderd en allerlei vreemde tekens die hij niet kende. Hij schrok toen er ineens een krakende stem uit de deuropening klonk.

'Kom binnen, jonge vreemdeling. Jadvicka krijgt niet veel bezoek meer, alleen nog maar als de mensen haar hulp nodig hebben.'

Matthias keek achterom, maar in de rest van het kamp leek iedereen nog te slapen.

'Wees niet bang,' raspte de stem opnieuw. 'Toon Jadvicka je hand en zij zal je zeggen wat de toekomst brengt.'

Aan een kleine ronde tafel zat een oud vrouwtje. Haar gezicht was niet te zien door de schaduw en de lange hoofddoek die ze droeg. Toen ze haar gerimpelde hand uitstak, hoorde Matthias het gerinkel van armbanden.

Zijn nieuwsgierigheid won het van zijn schrik en aarzelend legde hij zijn hand met de palm naar boven in de hare. Hij had vaak horen praten over de waarzegsters van het Steppenvolk, en was benieuwd welke avonturen hem te wachten stonden.

Plotseling zoog de vrouw scherp lucht in, als een sissende slang. Haar hoofd schoot omhoog en ze keek Matthias recht aan. Ze had het oudste gezicht dat hij ooit had gezien. Ze moest wel honderd jaar zijn en had bijna geen tanden meer. Het leek alsof het vel elk moment van haar gezicht kon druipen. Maar haar ogen gloeiden als vurige kooltjes. Matthias was verstijfd van angst.

'Een onleesbare hand!' siste de vrouw.

Ze trok haar eigen hand terug alsof ze die had verbrand en deinsde achteruit.

'Maar dan ben je er één van... maar dat kán niet...'

Matthias draaide zich om en rende zo snel als hij kon de woonwagen weer uit. Pas toen hij de andere wagens had bereikt durfde hij te stoppen om op adem te komen.

Hij durfde Tobias niet te vertellen over zijn ontmoeting met de waarzegster. Hij wist niet zeker of hij wel alleen het kamp uit had mogen lopen. Achteraf schaamde hij zich ook een beetje dat hij zo bang was geweest voor een oud vrouwtje.

Toen hij de volgende dag van een afstand ging kijken was haar wagen spoorloos verdwenen.

Behalve deze gebeurtenis had Matthias het erg naar zijn zin tussen de vrolijke en gastvrije Steppenmensen. Hij was dan ook blij toen bleek dat ze dezelfde kant op gingen.

Maar een week later moest hij toch afscheid nemen. De troep trok verder noordwaarts naar kasteel Venemonde, terwijl Tobias en Matthias naar het oosten afbogen.

Na twee dagen bereikten ze de rand van het Westerwoud, waar een sombere vlakte zich voor hen uitstrekte.

'Hier houdt het bos op en begint het Veen,' zei Tobias. 'Alleen zij die het geheime pad kennen, kunnen daar veilig doorheen.'

Matthias zag hoe enorme bomen uit de drassige grond oprezen. De wortels staken als grijpgrage klauwen in de bodem. Aan de kale takken hingen sliertige groeisels en een mistige damp steeg op tussen de stammen. Het geheel maakte een weinig uitnodigende indruk, en Matthias huiverde.

Toen zag hij een hutje dat ingeklemd stond tussen reusachtige boomwortels. Er kwam rook uit de schoorsteen. Matthias vroeg zich af wat voor iemand in deze trieste omgeving kon wonen. Lang hoefde hij niet op een antwoord te wachten, want Tobias gaf een harde klop op de deur.

Handenwringend liep Alchior heen en weer door zijn huisje. Al de hele morgen probeerde hij met zijn gedachten bij zijn experimenten te blijven.

De kleine ruimte was gevuld met borrelende flessen, stenen vijzels en ontelbare potten en kruiken. Aan het plafond hingen de verschillende planten en kruiden voor zijn proeven. In het Veen groeiden de zwammen die hij gebruikte, en de meeste kruiden die hij nodig had kon hij in het bos vinden. Soms was Alchior zó geboeid door de uitwerkingen die de mengsels van verschillende stoffen hadden, dat hij dagenlang vergat te eten of te slapen. Overal stonden dan ook kommetjes met half aangeraakte maaltijden. Deze werden dankbaar opgegeten door de vele muizen die kriskras door het huisje renden. Zijn ontdekkingen schreef Alchior nauwkeurig op in het dikke boek waar hij nu al twintig jaar aan werkte.

Ook nu had hij al dagen niet gegeten of geslapen, alleen werd hij dit keer niet door zijn werk afgeleid. Het was of er een steen op zijn maag drukte, waardoor hij geen hap door zijn keel kon krijgen en geen moment rust kon vinden. Zijn papieren lagen al twee weken onaangeroerd op zijn schrijftafel, en de inkt in het stenen potje was tot een klont ingedroogd.

Sinds hij de laatste keer op het Runenplateau was geweest kon hij nog maar aan één ding denken: misschien bestond het boek van Zorah nog! Als Zafyra het boek van haar moeder had gevonden, zou ze dit zeker gebruiken om haar duivelse plannen uit te voeren. Hoe hadden ze ooit durven denken dat ze haar konden tegenhouden? Opnieuw voelde hij hoe zijn maag ineenkromp van angst. Toen er op dat moment een luide klop aan zijn voordeur klonk bestierf hij het dan ook bijna van schrik. Hij had al meer dan vijftien jaar geen bezoek gehad in zijn huisje op de rand van het Veen en het Westerwoud.

Matthias keek gespannen toe hoe de deur van het hutje krakend op een kier werd geopend.

'Alchior?' vroeg de oude visser aarzelend.

Meteen vloog de deur wijd open.

'Tobias!'

In de deuropening verscheen een klein dik mannetje met een bolrond hoofd, dat veel te groot leek voor de rest van zijn lichaam. Van opwinding verschenen twee rode vlekken op zijn wangen. Hij vloog de oude visser om de hals. Tobias moest zich aan de deurpost vastgrijpen om niet omvergeworpen te worden.

'Ho ho Alchior,' zei hij lachend. 'Ik ben niet meer zo jong als vijftien jaar geleden.'

Toen het kleine mannetje Matthias zag, sloeg hij beide handen voor de mond.

'Is dat het kind?' vroeg hij bijna eerbiedig.

Toen Tobias knikte, leek het even of Alchior een buiging zou maken. Maar de kleine man greep Matthias bij zijn schouders en keek hem ontroerd aan.

'Je bent het écht,' zei hij met omfloerste stem. 'Misschien komt alles nu toch nog goed! We moeten zo snel mogelijk naar Lupa!'

'Ik stel voor dat jullie morgen meteen vertrekken,' zei Tobias, 'de maan is bijna vol.'

Matthias wilde wel honderd vragen stellen, toen het ineens tot hem doordrong wat Tobias had gezegd.

'Jullie?' herhaalde hij verschrikt. 'Ga jij niet met ons mee, dan?'

'Ik kan niet verder mee. Ik heb mijn taak volbracht en moet weer terug naar het Klaverdal.'

Met tranen in zijn ogen schudde Matthias zijn hoofd.

'Maar ik wíl niet naar die Lupa, ik wil met jou mee terug naar huis.' Snikkend klampte hij zich vast aan de oude visser. Op dat moment leek Tobias nog de enige vertrouwde persoon in deze onbegrijpelijke wereld. Hij vond het helemaal niet meer spannend en avontuurlijk. En nu moest hij ook nog met dit vreemde mannetje dat enge moeras door.

Bezorgd keken Alchior en Tobias elkaar aan.

'Luister,' zei Tobias ten slotte, 'over een paar dagen zul je weten waarom het zo belangrijk is dat je meegaat naar Lupa. Als je daarna nog steeds met me mee wilt naar het Klaverdal, zal Lupa je terugbrengen. Ik zal hier een week op je wachten.'

Tobias klonk zó ernstig dat Matthias alleen maar beduusd kon knikken. Hij voelde zich ook wat geruster nu hij over een paar dagen weer naar huis mocht.

De volgende morgen vertrokken ze al vroeg. Tobias liep mee tot aan het begin van het geheime pad door het Veen. Na een vlugge omhelzing draaide hij zich om en verdween tussen de bomen.

Matthias had moeite om de vlugvoetige Alchior bij te houden. Tobias had hem gezegd dat hij precies in dezelfde voetstappen moest blijven lopen als Alchior. In plaats van recht op hun doel af te gaan, liepen ze een slingerend spoor – af en toe in een cirkel, en soms zelfs een heel stuk terug. Matthias begreep dat dit 'het veilige pad' was. Hij vroeg zich af wat er zou gebeuren als ze daarvan af zouden raken. Als om hem antwoord te geven brak een enorme vermolmde tak vlak naast hen met luid gekraak van een boom. Voordat hij besefte wat er gebeurde, was de tak in zijn geheel opgeslokt door het veen. Meteen sloot de bodem zich er naadloos boven.

Af en toe steeg een geborrel op uit de grond als er gassen uit de diepte ontsnapten. Matthias begon spijt te krijgen dat hij zich naar deze onheilspellende plek had laten lokken. Er leek geen einde te komen aan de vermoeiende tocht. Matthias' ogen prikten van de dampen en het ingespannen turen naar de voetsporen van Alchior.

Toen ze zo een paar uur hadden gelopen, voelde Matthias een

vreemde kracht in zich groeien. Het was net alsof hij werd gevuld met een soort warmte. Later was het meer of er een tinteling door zijn lichaam liep. Het begon in zijn hoofd en vloeide naar zijn ledematen tot in de puntjes van zijn vingers en tenen. Verwonderd keek hij naar zijn handen. Hij verwachtte bijna dat daar een schijnsel uit zou komen.

Vóór hen rees nu een stenen gevaarte op uit de mist, als een rots waarvan de punt was afgesleten. Toen ze wat dichter waren genaderd, zag Matthias dat er allerlei geheimzinnige tekens en figuren waren uitgehakt in de wand.

'Welkom bij het Runenplateau, Matthias.'

Bij het horen van zijn naam draaide Matthias zich om, maar daar zat alleen een grote grijze wolf.

Het klooster van Serti

'Vanaf hier kunnen we je niet verder helpen,' zei de gemaskerde man.

De barre tocht in het bootje had bijna de hele nacht geduurd. Malvezijn was uitgeput.

De man gaf hem een tas. 'Hier is wat eten. Wees er zuinig op, voedsel is schaars buiten de kasteelmuren.'

'Wie ben je? Hoe kan ik je ooit bedanken?' stamelde Malvezijn.

'Wij kennen elkaar van vroeger. Maar je bent nog niet veilig,' antwoordde de gemaskerde man. 'Als je opnieuw in de handen van de koningin mocht vallen, is het beter dat je zo min mogelijk over mij weet,' voegde hij hier grimmig aan toe.

Hij stak zijn hand in zijn zadeltas en haalde een klein pakje tevoorschijn.

'Hierin zit een ring. Als je Lupa ziet, geef deze dan aan haar. Wanneer jullie hulp nodig hebben aan deze kant van de grens, dan is deze ring ons herkenningsteken.'

Met deze woorden keerde hij het bootje en verdween.

Verbaasd bekeek Malvezijn de runentekens op de ring. Twee ineengevlochten driehoeken, een donkere en een lichte. Daaromheen liep een cirkel die de punten met elkaar verbond.

Het was nog donker, de maan lag verborgen achter dikke wolken. Hij had de kap van zijn grijze mantel ver over zijn hoofd getrokken. Schichtig keek hij af en toe achterom. Hij zou zich pas veilig voelen als hij de grensbrug over was.

Het verbaasde hem dat de soldaten van Zafyra hem nog niet hadden ingehaald. Hij begon te hopen dat ze niemand achter hem aan had gestuurd. Misschien dacht ze dat hij geen bedreiging meer voor haar was omdat hij geen toverkracht meer had. Wellicht was ze ook overmoedig geworden nu ze het boek van Zorah had.

De enige grensovergangen waren de drie bruggen over de Arge, en die werden zwaar bewaakt. Met het zeilbootje hadden ze al een flink stuk langs de kust afgelegd. Het kon niet meer dan enkele dagen te voet naar de Noorderbrug zijn, hooguit een week. Als Zafyra het ook niet de moeite waard had gevonden om een boodschapper naar de grens te sturen, zou hij misschien ongemerkt kunnen passeren.

Maar allereerst moest hij andere kleren zien te krijgen. Het blauwzijden gewaad dat onder zijn mantel uitstak, was veel te opvallend. Daarom leek het hem voor nu veiliger om 's nachts te reizen.

Na twee nachten lopen bereikte hij de bosrand. In de verte zag hij een verzameling schamele huisjes. Malvezijn was al meer dan tien jaar niet meer in deze buurt geweest. Het plaatsje Norrfell was toen nog een welvarend dorp. Nu was het niets meer dan een armzalig gehucht.

De zon was nog niet op, maar uit sommige schoorstenen kringelde al rook. Toen hij het eerste huisje naderde, zag hij een klein meisje met een stapel hout in haar armen. Hij besloot het erop te wagen en haar hulp te vragen. Kinderen kon hij misschien nog het meeste vertrouwen.

'Meisje,' fluisterde hij zo hard als hij durfde.

Het kind stond stokstijf stil en keek schichtig om zich heen. De oude tovenaar stapte uit de schaduw naar voren. Verschrikt deinsde ze achteruit. Eén blik op zijn blauwzijden gewaad, en ze liet de stapel hout vallen. Voordat Malvezijn nog iets kon zeggen, was ze weggerend en in het huisje verdwenen.

Even later zag hij hoe het versleten gordijn voorzichtig opzij werd geschoven. Zachtjes klopte hij aan de voordeur. Deze ging nu op een kiertje open, en hij zag het bange gezicht van een jonge vrouw.

'Heb medelijden, heer, we hebben helemaal niets meer om de belastingen van te betalen.'

Malvezijn schudde zijn hoofd en glimlachte zo vriendelijk als hij kon.

'Beste vrouw, ik kom niet in naam van de koningin.' Hij wees naar zijn gescheurde en bevlekte gewaad.

'Kijk naar mij, zie ik eruit als een boodschapper van Zafyra? Ik ben juist voor haar op de vlucht.'

Een zweem van opluchting trok over haar gezicht, maar die maakte meteen weer plaats voor een nieuwe angst.

'Op de vlucht voor de koningin!' fluisterde ze. 'Ga alstublieft weg voordat iemand u aan onze deur ziet!'

Ze probeerde de deur weer te sluiten, maar Malvezijn stak vlug zijn voet ertussen.

'Alstublieft,' smeekte ze, 'als de soldaten u hier vinden, is ons leven niet meer zeker.'

'Wacht, ik heb wat te eten meegebracht.'

Bij het woord 'eten' ging de deur een stukje verder open. Malvezijn zag hoe vijf hongerige gezichtjes vanachter hun moeder naar zijn tas gluurden. Zijn eigen honger was hij meteen vergeten. Onderweg in het bos had hij eieren, kruiden en eetbare wortels gevonden. En van het brood en de kaas die de gemaskerde man hem had gegeven was nog de helft over.

De kinderen keken begerig toe toen hij de inhoud van zijn tas op tafel uitstalde. Het kleine meisje slikte hoorbaar. Hun moeder keek aarzelend heen en weer van de tovenaar naar haar kinderen. Het was alsof ze probeerde te kiezen tussen hun honger en haar angst voor de soldaten van de koningin.

Malvezijn besloot haar beslissing niet af te wachten. Snel sneed hij het brood in plakken, en verdeelde het onder de kleintjes. Hij gaf de eieren aan de vrouw, en beduidde haar dat ze er met de kruiden en wortels een omelet van moest bakken.

Toen de kinderen zwijgend rond de tafel achter een vol bord zaten, werd ze wat spraakzamer.

'Vergeef onze ongastvrijheid, heer, maar tegenwoordig kun je niemand meer vertrouwen,' begon ze verlegen. 'De spionnen van de koningin zijn overal, en verraders...' Ze sloeg haar handen voor haar gezicht.

'Waar is je man?' vroeg Malvezijn.

'De soldaten hebben hem meegenomen,' fluisterde ze. 'Ik kon de kinderen nog net op tijd verstoppen...'

De tovenaar schudde treurig zijn hoofd.

'Luister goed,' zei hij. 'Vertel aan niemand dat je mij hebt gezien. Ik moet de grens over vluchten naar Westenrijk, vanwaar we proberen om Zafyra ten val te brengen. Daarvoor heb ik andere kleren nodig.'

De vrouw knikte en bracht hem een versleten broek en een tuniek.

'Dit is van mijn man, het spijt me dat ik niets beters heb...'

'Beter kan niet,' onderbrak Malvezijn haar. 'Wie in Dragonië tegenwoordig nog goede kleren kan dragen, valt veel te veel op. Nu heb ik alleen nog hulp nodig bij het knippen van mijn baard en mijn haren.'

Tevreden keek Malvezijn even later in de spiegelscherf die de vrouw hem voorhield. Met zijn kortgeknipte baard en halflange haar kon hij makkelijk doorgaan voor een gewone burger.

De volgende morgen nam hij het kleine meisje mee het bos in. Hij liet haar zien waar ze eieren kon vinden, en welke wortels en planten ze konden eten. Nadat hij ook haar had laten beloven niemand van zijn bezoek te vertellen, ging hij op pad.

Hij gunde zich nauwelijks tijd om te rusten of te eten. Hoe eerder hij de andere leden van het Genootschap kon berichten, hoe beter.

Toen hij op een regenachtige morgen eindelijk de grensrivier in de verte zag, was hij dan ook uitgeput. De Noorderbrug reikte fier in de hoogte. Tegen de tijd dat Malvezijn de brug bereikte, goot de regen uit de hemel. Met gebogen hoofd liep hij op de grenswachters af.

'Hé, jij daar, wat moet dat?'

De wachters kruisten hun speren zodat hij niet verder kon.

'Ik ben een oude man uit Norrfell en wil graag naar Westenrijk om mijn kleinkinderen te zien,' antwoordde Malvezijn.

Een van de soldaten duwde met het uiteinde van zijn speer het hoofd van Malvezijn omhoog.

'Niemand mag Dragonië zonder toestemming verlaten, maar dat weet een oude seniele uil als jij natuurlijk niet.'

Zijn maat bulderde van het lachen. 'Laat hem toch gaan,' zei hij. 'In Dragonië kunnen we jonge sterke mensen gebruiken. Deze ouwe dwaas kost alleen maar eten en drinken, die mogen ze in Westenrijk hebben.'

Het was duidelijk dat ze allebei zo snel mogelijk hun droge houten grenshokje weer in wilden.

'Volgens mij loopt hij toch al op zijn laatste eindje, hij ziet eruit als een dooie pier,' zei de eerste soldaat. En met een knik van zijn hoofd beduidde hij Malvezijn dat hij door kon lopen.

Broeder Lucas stelde met enige spijt vast dat de zak al bijna helemaal vol was met paddenstoelen. Hij vond het fijn om door het bos of over de heide te lopen, een welkome afwisseling van het afgesloten leven binnen de kloostermuren.

Het was een zonnige dag, en een warme kruidige geur steeg op van de mossige grond. Terwijl hij zachtjes een wijsje neuriede, sneed hij voorzichtig een grote oesterzwam af. Opeens zag hij iets dat zijn aandacht trok. Uit een struik staken twee voeten, waar een sneeuwwitte duif omheen trippelde.

Hij zette zijn zak neer en liep op de struik af. Meteen begon de vogel hevig te kwetteren en klapperde met de vleugels, alsof het iemand wilde beschermen. Broeder Lucas pakte de tegenstribbelende duif zo voorzichtig mogelijk op, en drukte het dier tegen zich aan. Al snel kalmeerde de vogel en kroop dicht tegen zijn pij. Met zijn vrije hand duwde hij het struikgewas opzij. Tot zijn schrik lag daar een oude man. Zo op het eerste gezicht kon broeder Lucas niet uitmaken of hij nog leefde. Hij zette de duif weer op de grond. Deze drentelde meteen naar het hoofd van de grijsaard en begon luid te koeren. Broeder Lucas knielde naast hem neer en stelde opgelucht vast dat de man ademde.

'De hemel zij geprezen,' mompelde hij bij zichzelf.

Hij opende zijn waterfles en maakte een punt van zijn pij nat. Nadat hij het gezicht van de man had schoongeveegd, tilde hij diens hoofd voorzichtig een stukje op en zette de fles aan zijn lippen. Eerst liep het water weg langs zijn mondhoeken, maar al snel begon hij smakkende bewegingen te maken en dronk.

Langzaam opende de oude man zijn ogen. Met de hulp van broeder Lucas lukte het hem om te gaan zitten.

'Waar ben ik? Wat is er gebeurd?'

De man schudde zijn hoofd alsof hij dacht dat daardoor zijn gedachten helderder zouden worden. Ineens keek hij broeder Lucas verschrikt aan en greep zijn arm.

'Wíé ben ik?' vroeg hij indringend.

Opnieuw schudde hij zijn hoofd.

'Ik weet niet meer wie ik ben,' zei hij zachtjes.

'U was bewusteloos,' zei broeder Lucas. 'Ga mee naar het klooster, daar kunt u rusten en wat aansterken.' Hij glimlachte tegen de versufte man. 'Als u bent uitgerust, zal uw geheugen vanzelf wel weer terugkomen,' voegde hij er bemoedigend aan toe.

Hij hielp de man verder overeind. Nadat deze de ergste stijfheid uit zijn benen had gestampt, begonnen ze langzaam te lopen. Af en toe wankelde de oude man en kon broeder Lucas hem nog net opvangen.

'Leun maar op mij,' zei hij, 'het is nu niet ver meer.'

Algauw kwam het klooster in zicht, gelegen op een heuvel waarop schapen en koeien graasden. Vlak bij het pad dat naar de poort leidde, zat een andere monnik een bruine koe te melken. Toen hij de twee mannen zag naderen, sprong hij op en kwam op hen afrennen.

'Broeder Lucas!' riep hij. 'Wat is er gebeurd?' Zonder op antwoord te wachten ondersteunde hij de oude man aan de andere kant. Gedrieën liepen ze zo het pad op naar het klooster.

Zodra ze binnen de poorten van het oude gebouw waren, kwamen van alle kanten monniken aansnellen. De oude man was te vermoeid om er veel van te merken. Uitgeput zonk hij neer op een bank in de kloostertuin. Ineens vloog de witte duif over de muur de tuin in. De vogel cirkelde driemaal rond het gezelschap, en daalde toen neer op het hoofd van de oude man.

'Een witte duif, het symbool van de vrede, een teken van de Heer,' hoorden ze achter zich de stem van de abt.

De monniken weken uiteen om hem door te laten.

'Deze bezoeker helpt de vrede te bewaren, en wij zullen hem daarbij helpen.'

De wolfsvrouw

Met open mond keek Matthias toe hoe de wolf op haar achterpoten ging staan en haar voorpoten spreidde. Voordat hij begreep wat er gebeurde, veranderde het dier in een oude vrouw met lange zilvergrijze haren.

Hij kon eerst van verbazing geen woord uitbrengen. Toen herkende hij haar gele ogen.

'U bent de wolf die ik in het Klaverdal heb gezien,' zei hij verrast.

'Dat klopt,' antwoordde de vrouw. 'Wij kennen elkaar al. Jij bent Matthias en ik ben Lupa.'

'Lupa?' herhaalde Matthias. 'Waar Tobias me heen moest brengen?' Hij vroeg zich af of dit het einde van zijn reis was. En wat deze wolfsvrouw van hem wilde.

'Ik geloof dat Tobias je nog niet veel heeft verteld,' zei Lupa, alsof ze zijn gedachten kon lezen. 'Wij moeten helpen om je voor te bereiden op je taak.'

'Taak? Welke taak?' Matthias was er helemaal niet zo zeker van of hij wel een taak wilde.

'Matthias,' zei Lupa geduldig, 'ik begrijp dat je veel vragen hebt, maar we moeten snel verder naar het Runenplateau.'

Ze zag hoe Matthias aarzelend naar Alchior keek en legde haar hand op zijn schouder.

'Je moet me vertrouwen, Matthias,' drong ze aan.

Matthias twijfelde nog steeds. Tenslotte had de wolf hém ook geholpen toen hij werd geplaagd door Ullrick en Sieger van de molenaar. Ze had hun een mooie streek geleverd. Wat wáren ze bang geweest, die jongens, die anders altijd zo'n grote mond hadden!

'Nou, goed dan,' gaf Matthias toe, 'dan ga ik wel met u mee naar dat Runenplateau.'

Lupa glimlachte opgelucht. 'Zeg maar "je".' Ze strekte haar hand naar hem uit. 'Kom, je kunt hier gewoon lopen, dit is geen drijfzand meer.'

Alchior werd onderweg afgeleid door de mossen die er groeiden. Mompelend snuffelde hij aan de bomen en af en toe sneed hij voorzichtig ergens een stukje af. Lupa en Matthias liepen daarentegen stevig door en al snel hadden ze hem ver achter zich gelaten.

Naarmate ze dichterbij het rotsplateau kwamen, werd ook het vreemde gevoel in Matthias sterker. Het drukte als een loden last op zijn borst en zijn schouders.

Net toen Matthias wilde vragen of ze even konden stoppen om op adem te komen, hield Lupa stil.

'Je voelt het, nietwaar?'

Matthias knikte vermoeid.

'Probeer het niet van je af te zetten, maar stel je er juist voor open.'

Matthias schudde zijn hoofd. Hij begreep niet wat ze bedoelde, maar was te uitgeput om nog te praten.

'Beeld je in dat het warme zonnestralen zijn, die je in je wilt opnemen.'

Matthias deed zijn ogen dicht, en stelde zich voor dat hij op een warme zomerdag in de weide in het Klaverdal lag. Meteen voelde hij hoe zijn moeheid verdween en plaatsmaakte voor een warme kracht. Het was alsof zonnestralen door zijn kruin binnenkwamen en zich door zijn hele lichaam verspreidden. Hij voelde zich ook weer helemaal uitgerust.

'Wat is het?' fluisterde hij.

'Het is de kracht van de runen,' antwoordde Lupa. 'Eeuwen en eeuwen geleden is deze plaats ontdekt door de druïden, die het als heilige offerplaats gebruikten. Het ligt precies op het krachtenveld van de aarde. Hoe voller de maan is, hoe sterker de kracht wordt.'

Samen begonnen ze de uitgehouwen trap naar het plateau te beklimmen. Het gevoel in Matthias werd steeds heviger. Het was eigenlijk geen echte warmte, maar meer alsof hij groeide zonder groter te worden. Toen ze een tijd hadden geklommen, moest hij dan ook gaan zitten omdat hij er duizelig van werd.

Lupa hurkte een traptrede lager.

'Het spijt me, ik had wat rustiger aan moeten lopen. Ik was even vergeten hoe sterk de krachten op jou kunnen werken.'

'Op míj, waarom juist op mij?' vroeg Matthias, maar Lupa was alweer opgestaan.

'Kom, we zullen wat langzamer lopen.'

Even later bereikten ze de top. Matthias keek uit over een grote vlakte. In het middelpunt lag een gladgeslepen stenen schijf. De zon was nu ondergegaan, en Matthias voelde zich onrustiger worden. Hij kon amper stil blijven zitten en bleef maar heen en weer lopen over het plateau. Het was alsof hij iets moest vinden, maar hij wist niet wát.

'Hij voelt het,' zei Lupa tegen Alchior, die veel later puffend de trap op kwam.

De kleine man klapte in zijn handen van opwinding. 'Voortreffelijk!' riep hij uit. 'Ik kan nauwelijks wachten tot vannacht!'

Het was een heldere nacht. Toen de volle maan hoog aan de zwarte hemel stond, voelde Matthias een bijna onhoudbare druk in zijn borst. Het was alsof hij uit elkaar zou spatten.

Lupa en Alchior namen hem mee naar het midden van het plateau. Alle drie hurkten ze rond de stenen schijf.

De wolfsvrouw sloot haar ogen en uit haar keel kwamen vreemde klanken. Zonder dat Matthias het kon helpen, werden zijn ogen vanzelf naar haar gesloten vuisten getrokken. Ineens maakte ze een snelle beweging met haar polsen. Uit haar open handen rolden twaalf stenen over de gladde schijf, die in een volmaakte cirkel tot stilstand kwamen. Eerst zag Matthias niets bijzonders. Maar toen begonnen vier stenen te gloeien. De warmte die ervan afstraalde begon nu zijn gezicht te schroeien. Hij zat als versteend en kon zijn lichaam niet meer bewegen. Tevergeefs probeerde hij weg te kijken. Steeds feller gloeiden de vier stenen, totdat het een verzengend vuur leek dat hem opslokte. Het enige wat hij nog zag, was het oogverblindende licht.

Nu maakte zich een nieuw gevoel van hem meester. Een gevoel van afgrijzen en absolute afschuw, vermengd met een onmetelijke angst. In hem groeide het besef van een verschrikkelijk kwaad. Een kwaad dat koste wat het kost moest worden bestreden. Hij wist dat dit anders het einde zou betekenen van alles – het einde van alles wat goed was.

Matthias voelde zich alsof hij uit een afschuwelijke nachtmerrie wakker werd. Zijn hele lichaam bonkte en hij trilde nog na van angst. Zijn hoofd lag in de schoot van Lupa, die voorzichtig zijn gezicht afbette met een natte doek. Ze tilde hem iets op en zette een beker aan zijn lippen. Hij proefde een bittere kruidensmaak en zijn gezicht vertrok. Hij probeerde zijn hoofd weg te draaien, maar Lupa drong aan.

'Drink het leeg, dan zul je je snel veel beter voelen,' beloofde ze.

Toen hij alles had opgedronken, merkte hij dat ze gelijk had. Lupa hielp hem overeind. Met zijn rug tegen het altaar bleef hij zitten.

De zon kwam al op over het Veen. Het laatste dat hij zich kon herinneren, was hoe ze bij volle maan hadden gezeten. Hoe dat verschrikkelijke gevoel hem had beheerst, dat onuitsprekelijke kwaad. Zijn lichaam begon opnieuw te rillen als hij eraan dacht.

'W... wat was dat...?' stamelde hij, nog steeds versuft. Hij was er niet helemaal zeker van of hij het wel wílde weten.

'Wat voelde je precies?' vroeg Lupa in plaats van antwoord te geven.

Matthias schudde zijn hoofd. Hij kon er niet over praten. Hij wilde het zo snel mogelijk vergeten.

Lupa legde haar hand op zijn schouder. 'Matthias,' drong ze aan, 'het is heel belangrijk dat je me probeert te vertellen wat je zag.'

Maar Matthias wendde zijn gezicht af. Ook al zou hij het wíllen vertellen, hij kon het gewoon niet. Het was zo onbeschrijfelijk gruwelijk geweest. Hij deed zijn mond open om iets te zeggen, maar barstte tot zijn eigen schrik in een onbedaarlijk snikken uit. Lupa sloeg haar armen om hem heen en trok hem tegen zich aan.

'Shu shu... jongen,' zei ze troostend en streek over zijn hoofd.

Matthias dacht dat hij nooit meer zou kunnen stoppen met huilen. Zijn lichaam schokte van de hevige snikken. Toen hij toch iets was bedaard, liet Lupa hem los. Als een angstig dier kroop hij in elkaar.

'Het was verschrikkelijk...' fluisterde hij. 'Het was net of er iets boosaardigs door me heen kroop. Iets wat het einde van alles zou veroorzaken. Het einde van alles wat... wat goed is.' Hij legde zijn hoofd op zijn knieën.

'En hoeveel stenen zag je oplichten?' vroeg ze hem verder.

'Vier,' mompelde Matthias, 'vier stenen gaven licht.'

Lupa knikte. Zelf had ze het ook gezien. En Alchior. Verward had de kleine man het plateau verlaten. Lupa had de tranen in de ogen van haar oude vriend gezien. Ze had zo gehoopt dat ze zich hadden vergist.

Ze nam het hoofd van Matthias tussen haar handen en keek hem ernstig aan.

'Wat je voelde, was de zwarte kracht van koningin Zafyra van Dragonië,' zei ze. 'Ik hoop dat je nu begrijpt dat zij tegen iedere prijs moet worden tegengehouden.'

Matthias knikte.

'Hoe méér stenen oplichten in de volle maan, hoe groter haar macht is,' ging Lupa verder. 'Wanneer alle twaalf stenen gloeien, zal Zafyra nooit meer overwonnen worden. Dan is de macht aan het kwaad en dan is alles verloren...'

Opnieuw knikte Matthias. Het was hem niet duidelijk waarom ze hem dit allemaal vertelde. Weer voelde hij die verstikkende angst. Maar de gedachte dat het kwade dat hij had gevoeld alles zou overwinnen, maakte hem nog veel banger.

'Ik wil best helpen,' zei hij daarom stellig.

Hij kon in elk geval niet meer zomaar met Tobias terug naar het Klaverdal.

Plotseling verstijfde Lupa en snoof in de lucht. Matthias zag haar neusvleugels bewegen. Ze kromde haar rug als een dier. Uit haar keel leek een licht gegrom te komen. Behoedzaam draaide ze zich in de rondte alsof ze probeerde een geur op te vangen. Toen richtte ze zich weer op en streek haar lange haren uit haar gezicht.

'Vreemd...' mompelde ze alleen maar.

Het geheugen van Servatio

'Alweer schaakmat!' riep de abt uit en klapte bewonderend in zijn handen.

De oude man keek triomfantelijk op van het bord waarop de stukken voor de derde keer zijn overwinning lieten zien. Maar de triomf op zijn gezicht maakte meteen weer plaats voor een verdrietige uitdrukking.

'Servatio, aan je spel is te zien dat je een intelligente man bent. Het kan niet lang meer duren voordat je je herinnert wie je werkelijk bent,' zei de abt bemoedigend. 'Ik heb het gevoel dat we nog veel van je kunnen leren wanneer het zover is,' voegde hij eraan toe.

Zolang de oude man zijn eigen naam niet wist, had de abt voorgesteld om hem Servatio te noemen. Deze stond nu op en begon heen en weer te ijsberen door de kamer.

'Vader Benedictus,' zei hij ten slotte, 'ik ben heel dankbaar voor de gastvrijheid van het klooster. Ik kan alleen het gevoel niet van me afzetten dat ik een belangrijke opdracht heb uit te voeren. Ik droom 's nachts van een onnoemelijk kwaad dat ik niet goed kan omschrijven. Ik vermoed dat ik een rol heb te vervullen om dit te bestrijden.' Wanhopig keek hij de abt aan. 'Daarbij heb ik ook de indruk dat er haast bij is.'

De abt leunde achterover in zijn stoel en wreef zich over zijn kale schedel.

'Ik begrijp je zorgen, maar ik denk dat je geheugen eerder terug zal komen wanneer je rust in jezelf vindt.'

Servatio knikte. 'Ik weet dat je gelijk hebt. Maar ik kan het gevoel niet van me afzetten dat er geen tijd meer is.' Vertwijfeld wrong hij zijn handen in elkaar. 'Eerst dacht ik dat die witte duif misschien een aanwijzing was.' Servatio aarzelde even. 'Ik weet dat het vreemd klinkt, maar ik geloof dat de duif me iets wil laten zien.'

De abt knikte.

'De andere broeders vertellen me dat je onrustig slaapt, en soms zelfs schreeuwt.'

De oude man stond verrast stil. 'Schreeuwen? Misschien heb ik iets gezegd waaruit blijkt wie ik werkelijk ben. Zeg me, wie slaapt in de kamer naast de mijne? Misschien kan hij me iets vertellen om me te helpen!'

'Dat is een goed idee, daar had ik nog helemaal niet aan gedacht,' gaf de abt toe. 'Ik meen dat broeder Pius naast je slaapt. We zouden hem kunnen vragen of hij iets heeft kunnen verstaan.'

'Broeder Pius? Waar kan ik hem vinden, dan vraag ik het hem meteen!'

'Ik denk dat hij deze week keukendienst heeft,' zei de abt. 'Hij doet de meeste keukendiensten omdat de broeders vinden dat hij het lekkerste kookt,' voegde hij er glimlachend aan toe en klopte op zijn bolle buik.

De oude man hoorde hem al niet meer. Snel liep hij de kamer uit richting de kloosterkeukens.

'Ha, broeder Servatio, je komt als geroepen!' riep broeder Pius uit toen hij binnenkwam. 'Kom even deze stoofpot proeven, ikzelf denk dat er nog een snufje tijm bij moet, maar broeder Carolus denkt dat een vleugje rozemarijn...'

Zijn woorden stokten toen Servatio hem bij de schouders vatte, en hem dringend aankeek.

'Broeder Pius, klopt het dat jij me 's nachts hebt horen spreken in mijn slaap?'

Broeder Pius keek wat beschaamd de andere kant op.

'Het is natuurlijk niet mijn bedoeling geweest om je af te luisteren...' begon hij.

Opnieuw werd hij door de oude man onderbroken. 'Je begrijpt me verkeerd. Ik hóóp juist dat je iets hebt kunnen verstaan wat me kan helpen om erachter te komen wie ik werkelijk ben!'

Hierop klaarde het gezicht van de monnik weer op. Hij zette zich aan de grote keukentafel.

'Eens even kijken,' zei hij nadenkend terwijl hij zich met de steel van de houten pollepel achter zijn oor krabde.

'Ik geloof zoiets te hebben gehoord als "Zoro".' Hij knikte nog eens overtuigd. 'Zoro. Ja, dat woord heb je zelfs een paar keer geroepen.'

Teleurgesteld ging de oude man bij hem aan tafel zitten en schudde zijn hoofd.

'Zoro?' herhaalde hij droevig. 'Dat zegt me helaas niets.'

Gretig om hem te kunnen helpen dacht broeder Pius diep na.

'O ja... je hebt ook nog iets gezegd over een kind,' herinnerde hij zich ineens. 'En stenen, je hebt het over sténen gehad.'

Servatio begreep er niets van. Verslagen stond hij weer op.

'Het spijt me dat ik zo ben komen binnenstormen,' zei hij zacht, 'maar ik had zo gehoopt...'

Broeder Pius legde een hand op zijn arm en knikte hem bemoedigend toe. Met een gebogen rug liep de oude man de keuken weer uit, toen broeder Pius plotseling iets te binnen schoot.

'Boek!' riep hij triomfantelijk uit. 'Het was het bóék van Zoro!'

Met een ruk draaide de oude man zich om in de deuropening.

'Zorah,' fluisterde hij, 'het boek van Zorah!' Langzaam begon hem iets te dagen.

'Het boek van Zorah,' mompelde Servatio voor de duizendste keer.

Steeds als hij deze woorden uitsprak, had hij het gevoel dat de opening naar zijn geheugen op een kiertje ging, maar meteen ook weer dichtsloeg. Hij pijnigde zijn hersens af om zich weer te kunnen herinneren wat hij wist. Maar steeds was het alsof zijn verleden wegglipte als een gladde aal, die hij bíjna bij de staart had. Zijn gedachten bleven als in een nevel gehuld en het lukte hem maar niet om deze van zich af te schudden. Tóch leek het soms zó dichtbij, alsof er maar een heel klein briesje nodig was om de mist uit zijn hoofd te blazen.

Als bij toverslag voelde hij nu een échte windvlaag. Toen hij opkeek, zag hij dat deze werd veroorzaakt door de vleugelslag van de witte duif.

'Dag mooie vogel, ben je daar weer?' sprak Servatio vriendelijk.

De duif daalde neer op het boek waarin hij had zitten lezen. Opgewonden fladderde hij met zijn vleugels. De oude man reikte een hand naar het dier uit om het wat te kalmeren, maar de vogel ontweek hem en steeg weer op. De man haalde zijn schouders op en pakte het boek op om verder te lezen. De duif bleef in rondjes om hem heen vliegen om zijn aandacht te trekken. Servatio werd nu een beetje geprikkeld en duwde de vogel in zijn vlucht van zich af.

'Mooie vogel, als je bij me wilt zitten vind ik dat best, maar dan moet je me wel rustig laten lezen.'

Als antwoord ontstak de duif in een driftig gekoer en vloog vlak langs zijn hoofd.

'Wel pótverdrie...' begon de oude man.

Maar toen de rechtervleugel langs zijn gezicht streek viel hem iets vreemds op. De duif ging nu op zijn schoot zitten. Nieuwsgierig tilde Servatio de vleugel op. Onder de veren zat een klein rolletje perkament gebonden, dat hij voorzichtig losmaakte. Toen hij het had opengerold, besefte hij dat hij dit handschrift eerder had gezien. Het moest van iemand zijn die hij kende!

Hij was zo opgewonden dat alle letters voor zijn ogen dansten. Toen hij iets gekalmeerd was, las hij het bericht.

Malvezijn, broeder van het Genootschap,

Vandaag keerde Bianca terug naar het Runenplateau, maar zonder jouw bericht. Ik durf niet langer te wachten en heb Tobias verzocht het kind vóór de volgende volle maan hierheen te brengen. Ik hoop dat deze boodschap je zal bereiken.

Lupa

Terwijl de oude man dit las, trok de nevel in zijn hoofd op. Malvezijn! Dat was zijn echte naam! Hij moest het kind voorbereiden. Zafyra moest worden tegengehouden.

Hij probeerde zich te herinneren hoe lang geleden hij uit haar kerker was gevlucht. Dat moest nu meer dan een maand zijn.

Met een zucht van verlichting las hij dat Lupa zijn orders niet had afgewacht. Ze had al opdracht gegeven om het kind te laten komen. Dit betekende dat ze vermoedde dat hem iets ernstigs was overkomen.

Hij draaide het stukje perkament om en schreef op de achterkant een nieuw bericht.

Lupa, zuster van het Genootschap,

Met een zwaar hart bericht ik je dat Zafyra het boek van Zorah heeft ontdekt. Ik heb uit Dragonië moeten vluchten en ben in het klooster van Serti. Stuur de jongen zo spoedig mogelijk hiernaartoe, zo gauw hij de proef heeft doorstaan.

Malvezijn

Nadat hij het stukje papier had opgerold, bond hij het onder de vleugel van Bianca.

'Bianca, mijn wijze duif, zonder jou was alles misschien verloren geweest. Het spijt me dat ik je als dank meteen op pad moet sturen. Deze boodschap moet snel naar Lupa.'

Bianca koerde zachtjes. Ze gaf Malvezijn een kopje, en spreidde toen haar vleugels weer uit.

Het groene licht

Huiverend slopen de bedienden door slot Dragon. De zomer had al moeten aanbreken, maar in en rondom het slot leek het steeds kouder te worden. Ze rilden niet alleen van de kilte, maar vooral voor de toorn van Zafyra.

De hele nacht had er een vreemd groen licht uit de ramen van haar torenkamer geschenen. Zelfs bij de heldere volle maan was het tot ver in de omtrek te zien geweest. Niemand durfde ernaar te gissen wat zich allemaal in deze verboden kamer afspeelde.

Nadat de tovenaar Malvezijn uit haar kerkers was ontsnapt, was Zafyra nog wreder dan daarvoor. De cipier was met uitpuilende ogen van angst weggevoerd. Wanneer haar voetstappen in de buurt klonken, drukten de mensen zich tegen de muren in de hoop niet te worden opgemerkt. Maar vandaag spoedde ze voorbij met haar blik strak vooruit. Haar spierwitte gezicht stond grimmig, en haar ogen gloeiden in het duister.

'De wolfsvrouw,' hoorden ze de koningin prevelen. 'Er is een nieuwe kracht in de buurt van het Runenplateau...'

Een van de meisjes trok haar grauwe sjaal strakker om haar magere lichaam.

'Ze lijkt wel behekst vandaag,' fluisterde ze toen Zafyra al ver buiten gehoorsafstand leek.

Langzaam draaide het hoofd van de koningin in haar richting. Het meisje kromp ineen. Met ingehouden adem wachtten de andere bedienden op het lot van het arme kind.

De ogen van Zafyra leken vuur te schieten. Kermend viel het meisje op de grond. Haar mond opende zich wijd van schrik. Vol afgrijzen zag iedereen hoe haar tong langzaam ineenschrompelde en verdween.

Zonder een woord te zeggen vervolgde de koningin haar weg. Niemand waagde het om zich te bewegen of het snikkende meisje overeind te helpen.

Even later voelde ze een hand op haar schouder.

'Tamara, je leeft nog!' klonk een opgeluchte stem.

Maar toen Tamara haar tweelingbroer gerust probeerde te stellen, merkte ze dat ze alleen nog maar klanken kon uitstoten.

'O, Tamara,' zei Tarek, 'ze heeft je stem weggenomen...' Hij drukte zijn zusje tegen zich aan en balde zijn vuisten. 'Die valse duivelin,' siste hij tussen zijn tanden.

Verschrikt hief Tamara haar gezicht op en gebaarde hem stil te zijn. Maar Tarek sprong woedend op en sloeg met zijn vlakke hand tegen de muur.

'Hoe lang moeten we het nog uithouden?' zei hij wanhopig. 'Soms denk ik dat het nog beter is om te verhongeren dan in de buurt van die helse vrouw te moeten leven!'

Tamara krabbelde snel overeind en sloeg haar hand voor zijn mond. Angstig keek ze over haar schouder, maar in de donkere gang was niets te zien.

Plotseling weerkaatste het geluid van marcherende laarzen. Wild keek Tamara om zich heen. Nergens was een deur te bekennen. Snel greep ze Tarek bij zijn hand, en samen renden ze zo hard als ze konden de andere kant op. Steeds smaller werden de gangen, maar de kinderen letten er niet meer op waar ze heen renden. Zolang het maar wegvoerde van het stampende ritme.

Tarek keek over zijn schouder. 'Sneller, het zijn soldaten van Zafyra!'

Ze kwamen nu in een deel van het kasteel waar ze nooit eerder waren geweest. De gangen liepen steeds steiler naar beneden. Ook werd de grond glibberiger onder hun blote voeten. Tamara moest zich aan Tarek vastklampen om niet uit te glijden. Een gil ontsnapte aan haar lippen toen een grote rat vlak langs haar benen stoof. Meteen hoorden ze hoe achter hen de soldaten hun pas versnelden.

'Halt!' riep een barse stem. 'Halt in naam van de koningin!'

De lange gang kronkelde voor hen uit. Nu hoorden ze een aanzwellend gerommel, net als onweer. Op het moment dat ze de bocht om renden, klonk een luide knal, gevolgd door een oogverblindende groene lichtflits.

Een ijzige kou stroomde de gangen in.

Broedend zat Zafyra op haar troon. Er was iets gaande op het Runenplateau. Ze had vannacht een duidelijke kracht gevoeld. De wolfsvrouw voerde iets in haar schild. Net nu ze zó dicht bij haar doel was. Het ergerde haar dat haar vader, Isgerias, dit niet meer mee zou maken. Toen hij een paar maanden geleden was gestorven, was ze vooral daar kwaad over geweest. Eindelijk zou ze hem de overwinning bezorgen: *De macht over de beide landen tussen zee en veen.*

En toen moest hij opeens sterven.

Zafyra had haar hele leven geweten dat Isgerias een zoon wilde. Tijdens haar kinderjaren had hij dan ook nauwelijks aandacht aan zijn dochter besteed. Zijzelf was de wrede sombere man zoveel mogelijk uit de weg gegaan. Toen ze tien jaar werd, was hier plotseling verandering in gekomen.

Op de dag van haar verjaardag had hij haar een paard gegeven. Ze was doodsbang van het grote rijdier geweest. Maar haar angst om hem te beschamen was nog veel groter. Daarom had ze haar tanden op elkaar gebeten toen de stalmeester haar in het zadel tilde. Haar vader had het dier met een harde klap in volle galop gestuurd. Met stijf dichtgeknepen ogen had ze zich aan de manen vastgegrepen. Haar benen had ze in de flanken van het paard gedrukt. Als door een wonder was het haar gelukt te blijven zitten. Isgerias zelf had haar er weer af getild.

'Je mag dan wel geen zoon zijn, maar voor een dochter kan ik misschien nog veel van je verwachten,' had hij gezegd. 'Het wordt tijd dat wij elkaar wat beter leren kennen.'

Zafyra had gegloeid van trots. Op dat moment had ze besloten dat ze haar vader nooit teleur zou stellen. Ze zou hem bewijzen dat ze net zo goed was als een zoon.

Isgerias had haar de voorspellingen van haar verre voorouder, koning Taragon, laten lezen. Het was haar nu duidelijk waarom een zoon zo belangrijk voor hem was. Ze had hem plechtig gezworen dat ze er alles aan zou doen om hem te helpen de macht over beide landen te krijgen.

Isgerias had haar peinzend aangekeken.

'Alles is nog niet verloren. Ik kan nog altijd een kléínzoon krijgen, een prins voor Dragonië.'

Daarom had ze acht jaar later een kind gekregen van de man die haar vader voor haar uitkoos. Ze had pas naar slot Dragon terug durven keren toen ze een kleinzoon kon laten zien. Isgerias was buiten zichzelf geweest van blijdschap, en had de jongen prompt naar zichzelf vernoemd met de naam Isgar.

Toen koning Belver van Westenrijk onverwachts overleed na een val van zijn paard, had haar vader haar voor het eerst in haar leven omhelsd van vreugde. Walian van Westenrijk zou hem nu opvolgen als koning. Daarmee kon hij de Voorspellingen van Taragon niet meer doen uitkomen: de enige príns in de beide rijken was nu zijn eigen kleinzoon. Háár zoon.

Maar wat een teleurstelling was Isgar van Dragonië gebleken. De jonge prins was dromerig en zwijgzaam. Hij toonde geen enkele belangstelling om aanvoerder van de Zwarte Rijders te worden.

Vorig jaar had ze hem naar het legerkamp gestuurd, waar hij op zijn toekomst als krijgsheer en koning van de beide landen kon worden voorbereid. Maar dit was niet de enige reden waarom ze hem had weggestuurd, ook al deed ze het zo vóórkomen.

De oude koning had al een paar keer zijn ontevredenheid over zijn kleinzoon laten blijken. Vastbesloten om haar vader niet teleur te stellen had Zafyra generaal Kali opdracht gegeven om van haar zoon een echte leider te maken. Het leek haar verstandiger om Isgar zolang uit de buurt van Isgerias te houden.

Maar ook generaal Kali had haar laten weten dat het soldatenleven hem niet in het bloed zat. Isgar begreep niets van de glorie van 'trouw' en 'discipline', zoals die bestond tussen generaal Kali en zijn mannen. In een van de wekelijkse verslagen werd de prins beschreven als een 'dromer die meer interesse had voor planten en dieren dan voor vechtsporten'.

Woedend had Zafyra het rapport door de troonzaal gesmeten. De bladeren waren in alle richtingen gevlogen. Toen ze weer bij zinnen was gekomen, schoot haar te binnen dat ze deze informatie voor haar vader geheim moest houden. Op handen en voeten was ze over de vloer gekropen om de vellen papier bij elkaar te rapen. Uiteindelijk dacht ze alles te hebben teruggevonden. Maar bij het natellen bleek dat ze één pagina miste. Hoe ze ook zocht, het blad bleef spoorloos.

Ineens zag ze een stukje papier tussen de zitting en de rugleuning van de troon. Het moest achter haar rug langs naar beneden zijn geglipt. Opgelucht trok ze de ontbrekende pagina uit de stoel. Het fluwelen kussen was nu wat verschoven. Het leek wel of een plank in de zitting losser zat dan de rest. Ze haalde haar kleine dolk uit haar gordel en wrikte.

'Ik zal het me wel verbeeld hebben,' mompelde ze bij zichzelf, en gaf nog een laatste krachtige stoot.

Op dat moment veerde de plank omhoog.

En toen had ze het boek gevonden.

Zodra ze het opensloeg, wist ze dat dit het boek van haar moeder was. Het boek van Zorah.

Malvezijn had haar verteld over de toverkunsten van haar moeder. Zorah had al haar ontdekkingen in dit boek opgeschreven. Omdat sommige formules gevaarlijk konden zijn, had Malvezijn haar overgehaald om het boek te vernietigen.

'Dácht hij,' mompelde Zafyra bij zichzelf. Ze barstte in lachen uit. Haar moeder had zijn raad dus in de wind geslagen, net zoals ze zelf altijd deed.

Toen ze als jong meisje ook bij zichzelf vreemde krachten had ontdekt, had ze besloten dit aan niemand te vertellen. Die saaie oude tovenaar zou haar vader vast en zeker hebben overreden om haar te verbieden ermee te oefenen. Daarom was ze zelf aan het uitproberen geslagen. Helaas was ze zonder goede leermeester niet veel opgeschoten, maar daar zou nu met het boek wel verandering in komen.

Opnieuw moest Zafyra lachen. Haar moeder had het boek verstopt op de enige plaats waar niemand het ooit zou wagen om te kijken: onder het zitvlak van koning Isgerias. Ze schaterde het nu uit. Wat zou haar vader er niet voor over hebben om zulke macht in handen te krijgen! En al die jaren had hij er pal bovenop gezeten.

Plotseling stopte ze met lachen. Ineens werd haar alles duidelijk. Ondanks alles was Isgar écht de prins uit de voorspellingen. Was het niet door hém dat ze zó kwaad was geweest dat ze het rapport door de troonzaal had gegooid? Isgar had haar zo naar het boek van Zorah geleid.

Zo was het voorbestemd!

Maar zíj was het, Zafyra, die uiteindelijk de macht zou veroveren over de beide rijken tussen zee en veen. Met het boek van Zorah zou ze onoverwinnelijk worden. Zelfs met die sul van een Isgar als aanvoerder van het leger zou niets hun meer in de weg staan.

Ze had besloten om haar vader nog niets over haar vondst te

vertellen. Eerst zou ze met de formules een machtig strijdwapen ontwikkelen. Dan pas kon ze Isgerias eindelijk laten zien waarom hij op haar net zo trots kon zijn als op een zoon. Ze had er niet op gerekend dat hij zou sterven voordat ze helemaal klaar was. Maar dit had haar zo mogelijk nóg vastberadener gemaakt.

Met koortsachtig brandende ogen staarde Zafyra de troonzaal in. Zij zou de laatste wens van haar vader in vervulling laten gaan. Maar ze kon het gevoel dat er iets broeide op het Runenplateau niet van zich afzetten.

Op datzelfde moment zaten Tamara en Tarek ver onder de troonzaal, samengekropen in een spelonk. Het kon niet lang meer duren voordat ze door de soldaten zouden worden ontdekt.

Tarek vouwde zijn handen tot een kommetje en drukte ze tegen het oor van zijn zusje.

'Luister goed,' fluisterde hij zacht. 'Ik zal de soldaten afleiden, zodat jij kunt ontsnappen.'

De ogen van Tamara sperden zich open, en ze schudde heftig met haar hoofd. Tevergeefs probeerde ze hem nog vast te grijpen, maar hij was al tevoorschijn gesprongen. Meteen hoorde ze tot haar schrik geschreeuw.

'Daar, recht vooruit!'

Vanuit haar schuilplaats zag Tamara door haar tranen de soldaten voorbij stormen. Ze drukte haar vuist in haar mond om het niet uit te schreeuwen.

De Dolle van Tolle

Lupa, zuster van het Genootschap,

Met een zwaar hart bericht ik je dat Zafyra het boek van Zorah heeft ontdekt. Ik heb uit Dragonië moeten vluchten en ben in het klooster van Serti. Stuur de jongen zo spoedig mogelijk hiernaartoe, zo gauw hij de proef heeft doorstaan.

Malvezijn

Lupa rolde het rolletje perkament weer op. Ze wist niet wat sterker was: haar afgrijzen over het nieuws dat ze zojuist had gelezen, of de blijdschap over het feit dat Malvezijn nog leefde.

In de week dat Matthias nu op het Runenplateau was, hadden ze weinig met elkaar gesproken. Lupa was nooit erg spraakzaam en Matthias was erg in zichzelf gekeerd. Lupa had hem maar met rust gelaten. Nu vertelde ze hem dat de tijd was gekomen om verder te reizen.

'Maar wat moet ik dan doen?'

'Daarop kan ik je geen antwoord geven. Ik weet alleen dat ik je naar Malvezijn moet brengen. Hij zal je voorbereiden.'

'Malvezijn...? Bedoel je Malvezijn de Tovenaar?'

Iedereen in Dragonië en Westenrijk kende de naam van de legendarische en machtige Malvezijn.

Lupa moest even glimlachen. 'Juist, díé Malvezijn.'

Matthias glunderde. Als de grote Malvezijn hem zou helpen, kon er niets meer misgaan. Misschien zou hij zelfs wel leren toveren!

Lupa stond op en pakte Matthias bij de hand.

'Kom nu mee, jongen, er is nog één ding dat ik je moet laten zien.'

Samen liepen ze naar de offersteen in het midden van het plateau. Matthias deinsde achteruit.

'Wees niet bang,' zei Lupa geruststellend, 'nu kan er niets gebeuren, alleen bij volle maan.'

De steen glansde in het zonlicht.

'Kijk goed. Concentreer je op het midden van de steen.'

Matthias tuurde ingespannen, maar er gebeurde niets.

'Zie je al iets?' vroeg Lupa.

Matthias schudde zijn hoofd. Maar ineens zag hij in het midden van het gladde oppervlak een teken ontstaan. Het bestond uit twee in elkaar gevlochten driehoeken, een zwarte en een witte. Daaromheen liep een ring die alle zes de punten met elkaar verbond.

'Ik geloof dat je het nu kunt zien,' fluisterde Lupa. 'De twee driehoeken symboliseren het goede en het kwade, en hoe die onlosmakelijk met elkaar zijn verbonden. In alle goede mensen schuilen ook slechte kanten, en andersom. Zoek de goede dingen in mensen die alleen slecht lijken, daar kun je oplossingen vinden. Wees aan de andere kant op je hoede voor mensen die je denkt te kunnen vertrouwen.'

Na deze woorden begonnen ze aan de afdaling naar het Veen.

Matthias klemde zich stevig aan Lupa vast om niet van haar rug te vallen. Zijn onderarmen waren rauw van het schuren tegen de ruwe nekharen van de wolf. Behendig volgde ze de onzichtbare route.

Op de heenweg naar het Runenplateau had hij het Veen naargeestig en onheilspellend gevonden. Nu schrok hij niet meer van de plotselinge borrelende geluiden en gasbellen die uit de grond opstegen. Ook de enorme spookachtige bomen met hun grillige vormen maakten hem niet meer bang. Zijn maag trok nog wel samen als hij aan 'het gevaar' dacht, maar daarover hoefde hij zich nu nog geen zorgen te maken. Eerst ging hij in de leer bij Malvezijn de Tovenaar, die hem zou voorbereiden. Alleen begreep hij niet zo goed waar ze hém eigenlijk voor nodig hadden. Malvezijn was tenslotte de machtigste tovenaar van de wereld.

Lupa leek onvermoeibaar. Pas toen ze de rand van het Veen bereikten, stond ze even stil.

'Het is lang geleden dat ik het Veen heb verlaten,' zei ze. 'Bijna vijftien jaar.' En met een laatste blik achterom zette ze weer een stevige draf in.

Nu ze het geheime pad niet meer hoefden te volgen, bewogen ze zich nog sneller voort. Matthias werd doorlopend heen en weer geslingerd. Het kostte hem de grootste moeite om zijn evenwicht te bewaren. Zijn handen deden zeer van het krampachtige grijpen. Uiteindelijk leunde hij maar helemaal voorover en sloeg zijn armen om de wolvennek. Alsof dit een teken was, versnelde Lupa haar pas. Algauw waren ze diep in het Westerwoud doorgedrongen.

Eindelijk hield Lupa haar pas in. Matthias was zó uitgeput dat hij zich vanzelf van haar rug liet rollen en met een plof op de mosgrond terechtkwam. Toen hij even later opkeek was Lupa alweer verdwenen, maar hij was te moe om zich daar druk over te maken.

Een paar uur later werd Matthias wakker. Lupa had haar menselijke gedaante aangenomen. Boven een vuur hing een haas te roosteren. Matthias begreep dat ze op jacht was geweest.

'Morgen vroeg verlaten we het Westerwoud, en kan ik niet meer jagen. We komen vlak langs het dorpje Tolle. In herberg Het Tolhuys kun je goed eten en overnachten.'

'Ik?' vroeg Matthias verbaasd. 'En jij dan?'

'Ik blijf veel liever buiten de dorpen,' zei Lupa. 'Na al die jaren in het Veen ben ik niet meer zo aan mensen gewend. Bovendien ben ik als oude vrouw veel te langzaam ter been. 's Nachts kan ik als wolf ongezien en sneller reizen. Ik zal je opwachten aan de rand van het Esmeraldse Bos.'

Matthias schrok even bij de gedachte dat hij nu voor het eerst helemaal alleen zou zijn buiten het veilige Klaverdal. Maar na drie dagen en een nacht op de rug van Lupa was hij blij om weer met zijn voeten op de grond te staan. Bovendien was het vooruitzicht op een écht bed bijna onweerstaanbaar. Met dit in gedachten wandelde hij vol goede moed in de richting die Lupa hem wees.

Bij Tolle kwamen de handelswegen samen en werd de tol geheven voor het gebruik van de wegen van de koning. Het plaatsje zelf was niet veel groter dan het dorp in het Klaverdal, maar lag aan een enorm plein. Rondom deze handelsplaats waren lage houten barakken gebouwd. De meeste werden gebruikt als opslagplaats, maar Matthias zag ook stallen, kleine koffiehuisjes en hokjes met loketten.

Het was nog vroeg in de morgen, maar de bedrijvigheid was overweldigend. Bod en tegenbod werden over en weer geschreeuwd, en aankopen werden met luid geklap afgesloten. Op een verhoging was een groot schoolbord te zien. Met wit krijt werden steeds nieuwe cijfers opgeschreven, die snel weer werden uitgewist wanneer een nieuw bedrag werd uitgeroepen. Knechtjes renden heen en weer tussen de barakken en het podium.

'Aardappelen zeven per mud!' hoorde Matthias vlak naast zich.

Een grote zeven werd op het bord gekalkt.

De man op het podium was witbestoven met krijtstof.

'Kapoenen naar elf!'

Een ander cijfer werd weggeveegd, en de man begon opnieuw te schrijven.

'Nee... kapoenen afslag op tien!'

Het was Matthias een raadsel hoe de deelnemers wijs konden worden uit deze warboel van lawaai en kreten.

Aan een grote tafel zat een voorname heer in een fluwelen pak. Achter hem hielden twee soldaten van de koning toezicht. Stapeltjes met munten en goudstukken werden voor hem uitgeteld. Zorgvuldig schreef hij de getallen op in een dik boek. Matthias vermoedde dat dit de belastingen voor koning Walian waren.

Nadat hij een paar uur had rondgelopen, lokte de gedachte aan een warme maaltijd en een bed hem naar Het Tolhuys. De klok op de toren tegenover de herberg stond vlak na half twaalf. Rond deze tijd zou de herberg nog wel leeg zijn, maar hij hoopte dat de keuken al open was.

Hij duwde de deur naar de gelagkamer open, en zag tot zijn verbazing dat het er bomvol was. Meerdere gasten draaiden zich om toen hij binnenkwam. Naast hem hoorde hij een vrouw fluisteren.

'Nee, dat is hem nog niet, de Dolle komt altijd precies om twaalf uur.'

Omdat er geen tafeltje meer vrij was, klom Matthias op een kruk aan de bar. Door de drukte duurde het even voordat hij de aandacht van de herbergier kon trekken, maar uiteindelijk kon hij een beker melk en een kom erwtensoep bestellen. Hij had de beker nog niet aan zijn lippen gezet of de klok van de dorpskapel begon te luiden en het geroezemoes in de herberg verstomde.

Precies op de twaalfde slag werd de deur opengegooid. In de opening verscheen een figuur in een donkere mantel. Met een dramatische beweging schudde hij de kap van zijn hoofd. Holle ogen priemden in een mager gezicht en langzaam gleed zijn blik over de aanwezigen.

Vol verwachting hielden de mensen hun adem in. Een jonge

meid naast Matthias slaakte een zucht van bange verrukking.

De knokige vinger van de man schoot in de lucht.

'Zondaars, bezint! De duivelin komt weldra naar hier! Zij brengt het groene vuur! Ik heb ze gezien, in de diepste krochten van Dragon. De groene vlammen die alle warmte opslokken. Ik heb het gevoeld, de ijzige kou die achterblijft na het vuur! De ijzige kou en de oneindige leegte...'

De laatste zinnen klonken met zo veel overtuiging door de gelagkamer dat het publiek begon te joelen.

'Ja, drijf maar de spot, gij ongelovige zielen.' De man wierp zijn toehoorders een hooghartige blik toe. 'Lach zolang u nog vreugde kunt voelen...'

Hij boog zich naar voren en de mensen aan de voorste tafeltjes deinsden achteruit. Zijn stem was nu nog slechts een gefluister, maar in de doodse stilte duidelijk te verstaan.

'Het groene licht doet het bloed in je aderen stollen...'

Het meisje naast Matthias rolde met haar ogen en hij dacht even dat ze flauw zou vallen.

'...en de ijzige kou erna...'

De man maakte zijn zin niet af, maar zijn ogen spraken boekdelen.

'Bezint!' galmde het opnieuw. 'Bezint, of u zult het nog berouwen, want *zij* zal komen...!'

Met een zwier sloeg hij de mantel weer over zijn magere schouders, draaide zich om en verliet de herberg.

'Bravo!' klonk het uit de menigte en een applaus barstte los.

De herbergier gaf Matthias een knipoog. 'Volslagen geschift. Hij komt iedere dag, ze noemen hem de Dolle van Tolle.'

'Maar wie is hij dan?' vroeg Matthias. 'En waar heeft hij het over?'

De herbergier haalde zijn schouders op. 'Geen idee. Ze zeggen dat hij uit Dragonië komt. Niemand begrijpt waar hij het over heeft. Maar hij is goed voor de zaken. Zo druk hebben we het hier vroeger nooit gehad.'

Matthias kreeg zijn erwtensoep voorgezet, en begon hongerig te lepelen. Nadat hij ook een stuk eendenpastei had gegeten was hij te moe om nog verder over de gebeurtenis na te denken. Hij had de hele nacht op de rug van Lupa gezeten, en viel in slaap zodra hij zijn hoofd op het kussen legde.

Goed uitgerust ging Matthias de volgende ochtend vroeg op pad. Lupa had gezegd dat hij de korte weg naar het Esmeraldse Bos moest volgen.

Het liep tegen de avond toen hij de driesprong bereikte. Een houten wegwijzer gaf de drie richtingen aan. Op de pijl die terug naar Tolle wees, stond: *Tolle, één dagtocht te voet.* Naar het noorden gaf de wijzer aan: *Esmeraldrië, drie dagtochten te voet.* En de laatste wees westwaarts: *Klooster van Serti, vier dagtochten te voet.*

Matthias negeerde alle drie en liep rechtdoor het bos in. Het was er veel lichter dan in het Westerwoud. Vogels kwetterden en vlekken zonlicht vielen tussen de bladeren door.

Toen hij tien minuten had gelopen, hoorde hij een zacht geritsel. Tussen de bomen verscheen de grijze wolvin.

'Ha, daar ben je,' sprak de stem van Lupa. 'Als we opschieten, denk ik dat we met een dag of twee in Serti zijn.'

Matthias vertelde haar over de Dolle van Tolle.

Met haar kop scheef leek ze aandachtig te luisteren, maar Matthias kon op het wolvengezicht niet aflezen wat ze ervan dacht.

De twijfel van Taragon

Dagenlang zat Malvezijn al in de kloosterbibliotheek. Deze beroemde librije van Serti was de trots van vader Benedictus. Eeuwenlang hadden monniken boeken overgeschreven voor de indrukwekkende verzameling. Ook nu nog besteedden de broeders veel tijd aan het kopiëren van geschriften die uit de hele wereld werden geleend.

Malvezijn staarde naar de lange rijen boekbanden langs de hoge muren. Boek na boek had hij uit de houten rekken genomen. Eindeloze geschriften en manuscripten had hij bestudeerd. Het probleem was dat hij geen idee had waar hij naar zocht...

Niemand had kunnen vermoeden dat Zafyra het boek van Zorah zou vinden. Nu had Lupa hem ook nog geschreven dat al twee van de twaalf stenen oplichtten. En dat was alweer weken geleden. Wat kon hij de jongen in zo weinig tijd nog leren?

Doelloos slenterde hij opnieuw langs de kasten. Hij liet zijn wijsvinger over de titels glijden. Niets van het geschrevene leek hem te kunnen helpen. Zijn vinger bleef nu rusten op een heel oud boek. De leren band was bijna vergaan, en het opschrift nauwelijks meer leesbaar. Voorzichtig veegde hij het stof van de rug en las de titel: *De Twijfel.*

'De Twijfel,' sprak de tovenaar bij zichzelf. 'Dat past wel bij mij op dit moment.'

Voorzichtig trok hij het boek van de plank en blies er de rest van het stof af. Op de grote houten tafel sloeg hij het open en begon te lezen. Door de jaren heen was de inkt vervaagd, waardoor hij de letters niet meer kon ontcijferen. Hij kneep zijn ogen tot spleetjes, maar besloot dat hij zijn pogingen op moest geven.

Toen ontdekte hij een stukje perkament dat tussen de bladzijden lag opgevouwen.

'Ach, nóg een twijfelaar,' mompelde hij. 'Hopelijk had hij meer geluk dan ik.'

Het perkament was zó oud dat het papier in de vouwen was gebroken. Als een puzzel legde hij de stukken plat op tafel. Tot zijn verbazing meende hij het handschrift te herkennen. Het was geschreven in de oude Dragoniaanse taal.

Plotseling drong het tot hem door wat hij had gevonden. Zijn handen begonnen te trillen van opwinding, en hij drukte ze tegen zijn lippen.

Het was het handschrift van Taragon van Dragonië!

'Een deel van het Zwerfdagboek!' sprak hij hardop en hij hoorde dat ook zijn stem trilde. Dit was een ongelooflijke ontdekking.

Taragon van Dragonië was de machtigste koning van zijn tijd geweest. Zijn legers hadden alle gebieden ten oosten van de rivier de Arge veroverd, en verenigd tot het huidige Dragonië. De eerzucht van de jonge Taragon kende geen grenzen. Op het hoogtepunt van zijn roem verwachtte iedereen daarom dat hij ook Westenrijk zou binnenvallen. Maar van de ene op de andere dag was de koning helemaal veranderd. In plaats van nog mee te doen aan de riddertoernooien en andere wapenspelen, zonderde hij zich steeds meer af. Op een dag maakte hij tot ieders verbazing bekend dat hij wilde aftreden als koning. Niemand had ooit begrepen waardoor deze verandering in Taragon was veroorzaakt. Als arme bedelmonnik was hij daarna maandenlang door de beide landen getrokken. Tijdens zijn reis had hij een dagboek bijgehouden, geschreven op van alles wat hij onderweg tegenkwam: losse stukken perkament, lappen leer of kleitabletten. Sommige delen waren zelfs in rotswanden gekrast. Omdat een bedelmonnik buiten de kleren die hij aanhad en zijn bedelnap niets mocht meenemen, was het dagboek verspreid over de streken die Taragon had bezocht. Waarschijnlijk waren nog niet alle stukken gevonden, maar deze geschriften stonden bekend als *Het Zwerfdagboek van Taragon*. Regelmatig dacht iemand weer een nieuw deel te hebben ontdekt. Maar de geleerden moesten dan meestal vaststellen dat de vondst niet van de hand van Taragon was.

Ten slotte had Taragon zich als kluizenaar teruggetrokken in het Drakengebergte. Daar had hij zijn beroemde voorspellingen geschreven.

Malvezijn had zijn geschriften uitvoerig bestudeerd. Daarom kende hij het handschrift als geen ander. Hij had hier onmiskenbaar een stuk van Taragon van Dragonië voor zich. Er was geen twijfel mogelijk.

Zijn hart klopte in zijn keel, hij moest eerst tot bedaren komen voordat hij kon lezen.

Het koninkrijk en alle macht
veroverd door mijn wapenkracht.
Eerst gestreden, dan bezonnen:
meer verloren dan gewonnen.
In de vijand die ik overwin,
smoor ik een stem, een wil, een zin –
onderworpen, onder dwang
als een vogel zonder zang.
Macht voor de prijs van de eigen wil,
is lege macht, zo star en stil.
Overwinning zonder Rede verkregen
brengt daarom alleen aan het kwade zege.
Overwinning in vrijheid, met de kracht van Rede
brengt geluk, voorspoed, harmonie en vrede.
Bevrijd leg ik mijn wapenen neer:
dit brengt mij niet mínder macht, maar méér.

De oude tovenaar merkte niet hoe de tranen over zijn wangen in zijn baard stroomden. In zijn handen had hij niet alleen een nieuw stukje van het Zwerfdagboek, maar ook het deel waar het meeste naar werd gezocht: de verklaring waarom koning Taragon van Dragonië al zijn macht en rijkdom had opgegeven voor een leven van armoede en wijsbegeerte! Uit dit kleine stukje schrift werd alles duidelijk. Door landen met zijn machtige legers te veroveren had hij ook de inwoners hun vrije wil afgenomen.

Plotseling schoot Malvezijn te binnen dat hij een boek over het Zwerfdagboek in de bibliotheek had gezien. Daarin had hij iets soortgelijks gelezen.

Kopieën van de gevonden geschriften van het Zwerfdagboek van Taragon stond in gouden letters op de band. Het boek zelf was oeroud, maar de laatste delen waren er niet langer dan een paar jaar geleden bijgeschreven. Ook op de eerste bladzijde was de inkt nog vrij vers: deze pagina was later vóór de rest geplakt. Toen Malvezijn dit deel las, begreep hij waarom.

'In vrijheid te kunnen leven en denken. Dit is het waardevolste goed van de mens. Tijdens mijn zoektocht naar het geluk zal ik daarom mijn gedachten vastleggen waar ik maar kan.'

(Gevonden in het Bos van Serti door de houtvester Julius. Deze tekst is geschreven op een lap leer die was gestoken in een kruik. Aangenomen wordt dat dit het eerste stuk van het Zwerfdagboek is. De overige delen zijn moeilijk in tijd en volgorde te plaatsten.)

'Dus zó is de twijfel van Taragon ontstaan,' mijmerde Malvezijn hardop. 'Door mensen te onderwerpen met zijn legermacht, nam hij tegelijkertijd hun vrijheid weg. En dit vond hij nu net het waardevolste. Dáárom was zijn koningschap voor hem onbelangrijk geworden...'

Malvezijn popelde om zijn vondst met andere wetenschappers te bespreken. Maar als bekend werd dat hier een deel van het Zwerfdagboek was opgedoken, zou het klooster al snel worden overspoeld door schriftgeleerden, pelgrims en andere bezoekers. Het was nu van het allergrootste belang dat zijn ontdekking geheim zou blijven. Hoe minder mensen van zijn verblijf hier af wisten, hoe veiliger.

Malvezijn was zo diep in gedachten verzonken dat hij niet hoorde hoe de deur van de bibliotheek openging.

'Broeder Malvezijn, kom vlug, er staat een jongen aan de poort die naar je vraagt!'

Malvezijn moffelde het perkament in zijn mouw en volgde de monnik.

Bij de poort stond een jongen die er nog zó jong uitzag dat hij begon te twijfelen. Maar toen hij zijn hoofd oprichtte en hem aankeek, wist Malvezijn het zeker. Met een schok herkende hij de ogen. Dit was het kind dat hij verwachtte.

'Bent u Malvezijn?' vroeg de jongen bedeesd. 'Ik moest vragen naar Malvezijn.'

'Van wie moest je dat vragen?' vroeg de tovenaar in plaats van antwoord te geven.

'Van Lupa, zij heeft me gebracht.'

'Lupa...? Is Lupa hier?' vroeg Malvezijn verrast.

'Ik moest zeggen dat ze in het bos wacht.'

Malvezijn knikte. 'Ik ben Malvezijn, wacht hier tot ik terugkom.'

Snel liep hij de poort uit richting het bos.

'Malvezijn!'

Lupa zat op een boomstronk met haar neus in de lucht. Malvezijn vermoedde dat ze hem eerder had geroken dan gezien.

De tovenaar en de wolfsvrouw omklemden elkaars handen.

'Hoe lang is het geleden? Dertig jaar?'

'Drieëndertig,' antwoordde Lupa. 'Drieëndertig jaar geleden ben ik uit Dragonië gevlucht.'

Zoals Lupa zo vaak deed gaf ze al antwoord voordat hij zijn volgende vraag kon stellen: 'Hij zag vier stenen oplichten bij de laatste volle maan.'

Malvezijn sloot zijn ogen. 'Vier stenen,' herhaalde hij schor. Hij hoopte vurig dat hij haar verkeerd had verstaan.

Maar Lupa verbeterde hem niet en bleef zwijgend voor zich uit staren.

'Nog maar acht stenen te gaan. Dan hebben we helemaal geen tijd meer. Het boek moet nú worden vernietigd,' zei hij.

'We kunnen hem nog niet sturen, het is nog maar een kind.'

De oude man voelde zich ineens uitgeput, en zakte naast haar neer op de stronk.

'Waarom heb ik Zorah vertrouwd?' vroeg hij zich voor de zoveelste maal wanhopig af. 'Ik had het boek bijna te pakken, maar Zafyra betrapte me in de torenkamer.'

Hij voelde zelfs geen vreugde meer over zijn ontdekking van die morgen. Met een somber gezicht haalde hij het perkament uit zijn mouw.

'Ik heb dit gevonden in de librije van Serti.'

Lupa bestudeerde het geschrift. Haar gele ogen werden groot van verbazing.

'Is dit... is dit... het Zwerfdagboek?' stamelde ze.

De oude man knikte.

'Maar Malvezijn, lees dan toch wat hier staat!' Haar stem klonk schril van opwinding.

Samen lazen ze het perkament nog eens aandachtig door, waarbij Lupa met haar vinger sommige zinnen onderstreepte.

Overwinning in vrijheid, met de kracht van Rede
brengt geluk, voorspoed, harmonie en vrede.
Bevrijd leg ik mijn wapenen neer:
dit brengt mij niet mínder macht, maar méér.

'Zie je het nu?' Met haar lange nagel tikte ze op het geschrift. 'Er staat duidelijk hoe Matthias de wapens van Zafyra kan bestrijden. Taragon heeft hier geschreven dat de macht van Rede sterker is dan de macht van wapens!'

'Je bedoelt dat hij Zafyra met "de kracht van Rede" moet tegenhouden?' Ondanks alles moest Malvezijn hier bijna om lachen. 'Zafyra is de meest onredelijke persoon op aarde! Rede is wel het laatste waarvoor ze gevoelig is! Zafyra luistert naar niemand.'

'Daarom is dat tegelijkertijd haar zwakke punt. Het is onze enige hoop.

En als we onze laatste hoop verliezen, verliezen we alles,' voegde ze eraan toe.

De tovenaar stond op en rechtte zijn rug. 'Je hebt gelijk, we mogen geen tijd meer verspillen.'

De wolfsvrouw staarde naar de lucht en dacht na.

'Ik heb een plan,' sprak ze ten slotte.

Malvezijn luisterde aandachtig. Aan het einde van haar verhaal knikte hij langzaam.

Plotseling schoot hem nog iets te binnen. Hij haalde de ring tevoorschijn die hij van zijn redder had gekregen.

'Nadat Zafyra me had betrapt in haar toren, heeft ze me in de kerkers laten gooien. Een onbekende heeft me helpen ontsnappen. Hij gaf me dit.'

'Het teken van het Runenplateau,' zei Lupa. 'Ik heb het een paar dagen geleden nog aan Matthias laten zien.' Ze herhaalde de woorden die ze toen tegen Matthias had gesproken: 'De twee driehoeken symboliseren het goede en het kwade, en hoe die onlosmakelijk met elkaar zijn verbonden. In alle goede mensen schuilen ook slechte kanten, en andersom. Zoek de goede dingen in mensen die alleen slecht lijken, daar kun je oplossingen vinden. Wees aan de andere kant op je hoede voor mensen die je denkt te kunnen vertrouwen.'

Malvezijn knikte.

'Zo is het goed,' zei Lupa nu. 'Ik had gehoopt dat we nog hulp zouden hebben aan de andere kant van de grens. Geef Matthias de ring mee.'

Lupa nam weer haar wolvengedaante aan, en verdween tussen de bomen.

Malvezijn bleef nog even verwonderd staan. Graag had hij willen vragen wie zijn bevrijder was geweest.

Geen van beiden zagen ze de schim die zich achter een boom verscholen hield.

Op het Runenplateau

Het zou nog meer dan een week duren voordat de maan weer vol was en de stenen gelezen konden worden. Lupa hield van de rust en de stille nachten.

Met haar gele ogen bekeek ze de wassende maan. Ze voelde hoe de krachten rondom het plateau groeiden totdat deze eenmaal per maand hun hoogtepunt bereikten. Het werpen van de stenen kwam dan bijna als een verlossing. Met het afnemen van de maan werd de geladen sfeer op het plateau steeds minder. Een kalmte kwam dan over alle wezens van het Veen. Dan kon Lupa haar oude lichaam tot rust laten komen. Tot de middelste nacht, wanneer de maan niet eens meer als een sikkeltje te zien was. Ze noemde dit bij zichzelf de Fluwelen Nacht, de nacht voordat de tijdkring opnieuw begon.

Lupa leefde bij deze steeds terugkerende maancirkel van krachtenopbouw, ontlading en rust.

Plotseling voelde ze een vreemde drang in zich opkomen. Of nee, het was juist een bekende drang. Maar het was nog een week te vroeg. Om zeker te zijn keek ze nog eens naar de maan. Die was écht pas halfvol. Toch kon ze de behoefte niet meer onderdrukken. Ze móést de stenen werpen.

Als vanzelf werd ze naar de offerplaats getrokken. De stenen lagen nog steeds in dezelfde cirkel als drie weken geleden. Zo leken het twaalf normale kiezels, maar ze hadden een onweerstaanbare aantrekkingskracht op Lupa.

Ze veegde de stenen bij elkaar en hield ze in beide handen voor zich uit. Ze sloot haar ogen en richtte haar gedachten. Met een snelle beweging wierp ze de kiezels op de offersteen. Ze kon ze horen rollen en wachtte tot ze tot stilstand kwamen.

Het was doodstil om haar heen. Alsof het Veen samen met haar de adem inhield.

Toen ze eindelijk haar ogen opende, staarde ze naar de stenen. Een ijskoude hand greep om haar hart. Even dacht ze dat haar benen het onder haar zouden begeven, en ze liet zich op haar hurken zakken.

Zes van de twaalf runenstenen straalden onmiskenbaar in het maanlicht.

Lange tijd bleef Lupa roerloos zitten.

Gesprekken met Malvezijn

'De waarheid is dat de waarheid vaak niet bestaat.'

Eerst had Matthias zich enorm geërgerd aan dit soort raadselachtige uitspraken van Malvezijn. Maar de laatste tijd vond hij het steeds leuker om de problemen op te lossen die de tovenaar hem voorlegde.

'Veel mensen noemen iets "De Waarheid", alleen maar omdat ze het tegenovergestelde nog nooit hebben gezien,' ging Malvezijn verder. 'Ik zal je hiervan een voorbeeld geven: als ik zeg dat het elke dag opnieuw licht wordt, spreek ik dan de waarheid?'

Matthias knikte beslist.

'Denk goed na, weet je helemaal zeker dat ik geen leugenaar ben?'

'Natuurlijk, de zon komt toch elke dag op?'

'Aha, dus omdat je nog nooit een dag hebt gezien waarop de zon niet opkwam, weet je zeker dat ik de waarheid vertel!'

De tovenaar haalde nu een boek uit de kast. *Vreemde natuurverschijnselen in Westenrijk en Dragonië* stond erop. Hij bladerde totdat hij was gekomen bij het gedeelte dat hij zocht.

'Het moet een paar maanden na Derkoningendag zijn geweest...' sprak hij bij zichzelf. 'Ha, hier staat het!'

Hij schoof het boek naar Matthias.

Een fenomeen dat nog niet eerder was gezien in Westenrijk en Dragonië vond drie maanden na Derkoningendag plaats. Een zonsverduistering zó intens dat het daglicht de hele dag uitbleef. Omdat het de voorgaande nacht volle maan was, geloven verschillende geleerden dat deze gebeurtenis beschreven staat in de zogenaamde 'Voorspellin-

gen van Taragon'. (Citaat: 'Wanneer de nacht licht is, en de dag in duister gehuld, dan wordt deze voorspelling vervuld.') De meningen hierover lopen echter uiteen.

Matthias trok een pruillip. Een zonsverduistering! Opnieuw was Malvezijn hem te slim af geweest.

Toen Malvezijn het boek dicht wilde slaan, viel zijn oog op een nieuw geschreven stuk op de laatste bladzijde.

Sinds een aantal weken wordt melding gemaakt van een onverklaarbare temperatuurdaling in Dragonië. Of hier sprake is van een natuurfenomeen is nog niet duidelijk...

'Vreemd,' hoorde Matthias de tovenaar mompelen, terwijl hij het boek weer dichtsloeg. 'Ik heb het me dus toch niet verbeeld.'

Matthias was nu al bijna drie weken in het klooster van Serti. Hij voelde zich niet meer zo onzeker in het gezelschap van Malvezijn, en durfde hem inmiddels met 'je' en 'jij' aan te spreken. Maar van toveren was nog niets gekomen. Zijn lessen bestonden vooral uit raadsels. In het begin dacht Matthias meestal dat de oplossingen voor de hand lagen. Inmiddels had hij geleerd dat de vragen van Malvezijn nooit zo eenvoudig te beantwoorden waren als op het eerste gezicht leek.

Malvezijn zette een wit blokje voor Matthias neer en ging tegenover hem aan tafel zitten.

'Vertel me, welke kleur heeft dit blokje?'

Matthias aarzelde. Hier kon toch écht geen twijfel mogelijk zijn.

'Wit, natuurlijk,' zei hij daarom.

'Wat als ik je nu stellig zeg dat dit blokje zwart is?'

'Dan vertel je me niet de waarheid,' durfde Matthias te antwoorden.

'Je noemt mij een leugenaar?'

Matthias begon te blozen, maar besloot voet bij stuk te houden
'Het blokje is wit!' hield hij koppig vol.

De tovenaar stond op en liep om de tafel heen naar Matthias. Even verwachtte deze nu een draai om zijn oren voor zijn onbeschaamdheid, maar de tovenaar glimlachte.

'Je hebt gelijk, van jouw kant bekeken is het wit.'

Malvezijn liep terug naar de andere kant van de tafel en wenkte Matthias hem te volgen.

Tot zijn verbazing was het blokje aan de achterkant inderdaad zwart.

'O,' zei hij alleen maar onnozel.

'Je ziet, we beweerden allebei iets anders,' benadrukte Malvezijn. 'Tóch spraken we allebei de waarheid.'

'Ja, maar jij zat aan de andere kant.'

'Juist! Vanuit de verschillende gezichtspunten konden we dus allebei gelijk hebben, zelfs al meenden we ieder precies het tegenovergestelde.'

Malvezijn leunde achterover in zijn stoel.

'Zó ontstaan strijd en oorlogen. We hadden allebei koppig aan onze mening kunnen blijven vasthouden, en dan waren we geen fluit opgeschoten. We kregen zelfs bijna ruzie hierover. Ik noem dat zwart-wit-denken, héél gevaarlijk. Maar door eenvoudig te kijken vanuit het gezichtspunt van de ander, hebben we geleerd dat er meerdere waarheden bestaan. Het blokje is tegelijkertijd zwart én wit.'

Hij zette het blokje nu op een van de hoeken en gaf het een draai. Terwijl het over de tafel tolde vermengden zich voor het oog de beide kleuren tot grijs.

'Dit noem ik grijs-denken: we hebben beide meningen bekeken vanuit elkaars standpunt, we zijn het eens geworden én we hebben allebei van elkaar geleerd.' Hij greep het blokje en hield het omhoog. 'Grijs-denken levert altijd méér op dan zwart-wit-denken. Je opdracht voor vanmiddag is om van allebei een voorbeeld te verzinnen.'

De tovenaar zette het blokje weer voor zijn neus en liep de bibliotheek uit.

Matthias zuchtte. Het was buiten prachtig zomerweer. Hij had gehoopt met broeder Lucas mee het bos in te mogen. Nu zat hij de hele middag opgesloten in de stoffige bibliotheek.

Mijmerend staarde hij naar het zwarte vlakje.

Mening 1, schreef hij op. *Malvezijn vindt dat ik een opdracht moet schrijven in de bibliotheek.*

Hij draaide het blokje om en kietelde zichzelf met de ganzenveer onder zijn neus.

Mening 2: Ik vind dat ik met dit mooie weer beter met broeder Lucas in het bos kan wandelen. Zwart-wit-denken: we houden allebei voet bij stuk over onze mening.

'Wat kan er allemaal gebeuren als ik mijn mening doorzet?' zei Matthias tegen zichzelf.

1: Als ik tóch ga wandelen met broeder Lucas, krijg ik vast en zeker op mijn kop van Malvezijn. 'Dan heb ik er ook geen plezier aan,' voegde hij hier hardop aan toe. Hij sabbelde nu aan het uiteinde van zijn veer.

2: Als Malvezijn aan zijn mening vast blijft houden, moet ik de hele middag in de bibliotheek zitten. Dan heb ik ook geen plezier. (En het duurt weer een hele week voordat broeder Lucas weer paddenstoelen gaat zoeken.)

'Het is niet eerlijk!' zei hij weer hardop.

'Zo, vind je dat,' hoorde hij ineens de stem van Malvezijn achter zich.

Matthias sprong bijna uit zijn vel. Verschrikt vroeg hij zich af hoe lang de tovenaar al over zijn schouder had staan meelezen. Zijn wangen werden rood terwijl Malvezijn hardop las wat hij had geschreven.

'Ik bedoelde niet om...' stamelde hij. 'Ik wilde alleen maar... Ik ben nog niet klaar.'

Maar de tovenaar negeerde hem. 'Met je voorbeeld van zwart-wit-denken is in elk geval een van ons boos en ontevreden. Als je gaat wandelen, dan ben ík boos. Maar als je hier blijft, heb jíj het nare gevoel dat het niet eerlijk is.' De tovenaar nam tegenover hem plaats. 'Hoe pakken we dit probleem nu aan met grijsdenken?'

Matthias keek naar het blokje dat tussen hen in op tafel stond. 'Ik moet het eerst van jou kant bekijken?' opperde hij voorzichtig.

'Probeer het maar eens.' Malvezijn tikte met zijn vinger op de zwarte kant van het blokje. 'Waarom denk je dat ik wil dat je hier in de bibliotheek blijft werken?'

'Omdat je denkt dat ik er iets belangrijks van leer?'

'Dat denk ik zeker. Je moet mij nu overtuigen van jouw kant van het blokje: waarom ik je in het bos zou laten wandelen in plaats van deze belangrijke les leren.'

Hij draaide het blokje om met de witte kant naar Matthias.

'Het is zulk mooi weer...' begon Matthias. 'Ik begrijp heus wel dat ik moet leren,' ging hij verontschuldigend verder, 'maar moet dat uitgerekend vandáág als broeder Lucas...'

'Stel dat ik toch écht wil dat je de opdracht doet, kun je dan een oplossing bedenken? Een oplossing waarmee we allebéí tevreden zijn?'

'Mag ik alsjeblieft met broeder Lucas meegaan?' vroeg Matthias hoopvol. 'Dan bedenk ik vanavond nog een nieuw voorbeeld.'

'Dat vind ik een redelijk voorstel,' zei Malvezijn tevreden. 'Je hebt me met rede overtuigd. Ik denk dat we ons allebei kunnen vinden in deze oplossing.' Hij leunde achterover in zijn stoel en glimlachte. 'Ga maar gauw. Ik heb net met broeder Lucas afgesproken dat hij op je zal wachten.'

Matthias sprong op en wilde de bibliotheek al uitrennen. Hij was halverwege de deur toen nogmaals de stem van Malvezijn klonk.

'Rede en overtuiging zijn je sterkste kracht, Matthias. Het is belangrijk dat je dat onthoudt.'

Het was een paar dagen later toen Matthias had besloten om eindelijk de vraag te stellen. Hij vond Malvezijn op de binnenplaats van het klooster. De tovenaar keek vragend op van zijn boek.

'Ben je nu al klaar met je werk?'

'Nee, nog niet.' Matthias aarzelde even. 'Maar ik wilde je iets anders vragen.'

Malvezijn legde zijn boek opzij en wachtte af.

'Ik wil niet... ik bedoel niet om ongeduldig te zijn of zo...' stamelde Matthias verlegen.

'Maar?'

Matthias haalde diep adem. 'Ik zou zo graag willen weten wanneer ik nou ga leren toveren,' zei hij zo snel als hij kon. Hij durfde niet op te kijken, maar bleef strak naar zijn voeten staren. Het duurde even voordat hij antwoord kreeg.

'Stel dat je kon toveren, zou je dan goede of slechte dingen doen?'

'Goede, natuurlijk.'

'En denk je dat je altijd het verschil weet tussen goed en slecht?'

Matthias waagde het nu om op te kijken. Hij vond dat Malvezijn vandaag maar domme vragen stelde.

'Dat weet toch iedereen?'

'Is bijvoorbeeld iemand die een onschuldig persoon kwaad doet, altijd slecht?'

Matthias dacht goed na. Hij wilde niet wéér in de val lopen.

'Wéét hij dat die persoon onschuldig is?' vroeg hij ten slotte.

'Hmm... heel goed,' antwoordde Malvezijn. 'Dat is een belangrijk punt. Ja, hij weet dat zijn slachtoffer onschuldig is, en tóch doet hij hem kwaad.'

'Dan is hij slecht,' antwoordde Matthias stellig.

'Stel je een soldaat voor in het leger. Die móét altijd gehoorzamen aan wat de generaal hem beveelt. Als hij dat niet doet weigert hij een bevel, waarop de doodstraf staat. Als de generaal het hem heeft opgedragen, is die soldaat dan een slecht mens?'

Matthias wilde antwoord geven, maar klapte zijn mond dicht. De tovenaar was hem opnieuw te slim af geweest.

'Het punt in dit voorbeeld is dat de soldaat geen keuze heeft,' ging Malvezijn verder. 'Hij heeft geen vrije wil. Zonder vrije wil kun je geen beslissingen nemen of schuld hebben voor je daden, en dus ook niet "goed" of "slecht" zijn. De manier waarop iemand zijn vrije wil gebruikt, bepaalt voor ieder mens wie hij of zij werkelijk is.' Hij dacht even na voordat hij verder sprak. 'Ik zou zelfs durven stellen dat je zonder de vrije wil geen compleet mens bent,' voegde hij er toen aan toe. Uit zijn zak haalde hij nu de Runenring. 'Herinner je je dit teken? Je hebt het al eens gezien op het Runenplateau.'

Matthias bekeek de zwarte en witte in elkaar gevlochten driehoeken en knikte.

'Weet je nog wat Lupa hierover zei?'

Matthias sloot zijn ogen en herinnerde zich wat de wolfsvrouw had gezegd.

'De twee driehoeken zijn goed en kwaad. En die zijn weer met elkaar verbonden. Alle goede mensen hebben ook slechte kanten, en slechte mensen hebben ook goede kanten. Lupa zei dat ik de goede dingen in mensen moet zoeken om de beste oplossingen te vinden. Maar ik moet ook op mijn hoede zijn voor mensen die ik denk te kunnen vertrouwen.'

Malvezijn knikte. 'Om een oordeel te vormen over goed en slecht heb je kennis en wijsheid nodig. Die moet je eerst hebben voordat je je met zaken als toveren kunt gaan bezighouden.' De tovenaar pakte zijn boek weer op. 'Meestal is er helemaal geen goed of slecht en ligt het beste in het midden.'

Hij stond op en liep richting de keukens. 'Altijd grijs-denken...' mompelde hij nog.

Met deze woorden liet hij Matthias beteuterd achter op de binnenplaats.

In de dagen die volgden, zei Malvezijn niets meer over toveren en Matthias besloot het onderwerp voorlopig maar te laten rusten.

'Malvezijn, moet je horen!' Buiten adem kwam hij een week later de kamer van de oude tovenaar binnenrennen.

'Malvezijn, broeder Pius heeft me beloofd dat ik...' Hij stokte midden in zijn zin toen hij Malvezijn met zijn hoofd in zijn handen op de rand van zijn bed zag zitten. 'Malvezijn, wat is er... Je bent toch niet ziek?'

Matthias viel op zijn knieën voor de oude man op de grond. Toen zag hij op de vloer een piepklein rolletje perkament liggen. Het moest uit de hand van de tovenaar zijn gevallen. Hij raapte het op en rolde het voorzichtig open. Het kostte hem moeite om de kleine lettertjes te lezen die er haastig op waren gekrabbeld.

Malvezijn, broeder van het Genootschap. Vannacht zijn zes stenen opgelicht bij halve maan. Ik weet niet hoe ik dit teken moet duiden. Lupa.

'Wat betekent dit?'

Malvezijn schudde zijn hoofd. 'Ik weet het niet,' antwoordde hij verslagen. 'Het lijkt wel alsof de stenen een soort extra waarschuwing geven.'

De rustige weken in het klooster hadden de gedachte aan koningin Zafyra naar de achtergrond gedrongen. Maar nu doemde het schrikbeeld weer op. Het afschuwelijke gevaar dat hij op het Runenplateau had gevoeld.

'Betekent dit dat ik nu al weg moet?' vroeg Matthias zachtjes.

De tovenaar legde zijn handen op de schouders van Matthias.

'Weet je nog dat je wilde leren toveren? En dat ik zei dat je daarvoor kennis en wijsheid nodig hebt?'

Matthias knikte. 'Kennis en wijsheid zijn nodig om het verschil te weten tussen goed en kwaad,' herinnerde hij zich uit het gesprek op de binnenplaats. 'En pas als ik dát weet, mag ik leren toveren.'

Malvezijn knikte. 'Ik had gehoopt om je genoeg kennis en wijsheid bij te brengen. Maar de tijd hiervoor ontbreekt ons nu. Daarom stuur ik je op weg. Je zult alléén naar Dragonië moeten reizen, naar het Drakengebergte. Je mag aan niemand het doel van je tocht vertellen. In het Drakengebergte staat de Duivelspiek, de allerhoogste top. Deze top zul je moeten beklimmen. Daar woont Emu.'

'Emu? Wie is Emu?'

'Emu is de bewaker van de Steen van Kennis en Wijsheid. Daarin vind je de kracht die je nodig hebt.'

Opgelucht ging Matthias naast hem op het bed zitten. Hij had even gedacht dat hij het allemaal zonder toverkracht zou moeten doen. Maar met de Steen van Kennis en Wijsheid zou hij eindelijk leren toveren. Weer vol goede moed had hij de oude man bijna een opbeurende klap op zijn schouder gegeven. Maar op het laatste moment bedacht hij dat de tovenaar dit waarschijnlijk niet gepast zou vinden.

'Wanneer moet ik gaan?' vroeg hij daarom alleen maar.

'Zo snel mogelijk, vanavond al.'

'Vanávond?' herhaalde Matthias verbouwereerd. 'Een paar dagen maken toch niet zo veel uit?'

'Ik durf het niet meer te zeggen,' mompelde de tovenaar. 'De maanstenen zijn zo onvoorspelbaar geworden...'

Die avond verlieten Matthias en Malvezijn in alle stilte het klooster.

Het speet Matthias dat hij geen afscheid kon nemen van de monniken. Malvezijn vond het veiliger wanneer niemand wist in welke richting hij reisde.

De tovenaar zou hem tot aan de rivier de Arge brengen. Matthias wist dat de Arge de grens vormde tussen Westenrijk en Dragonië. Door de sterke stroming was de rivier ondoorwaadbaar en onbevaarbaar. De enige manier om naar de overkant te komen waren dan ook de grensbruggen.

Tussen de bomen door zagen ze het water van de Arge glinsteren in het maanlicht. Matthias hoorde ook al het geruis van de stroomversnellingen.

'Vanaf hier zul je alleen verder moeten,' sprak de oude tovenaar. 'Blijf de rivier volgen en je zult vanzelf bij de grensbrug van De midborgh komen. Als je flink doorloopt, kun je deze nog vóór zonsopgang bereiken.'

Matthias schuifelde ongemakkelijk met zijn voeten in de grond. Hij wist niet goed wat hij moest zeggen nu het moment van afscheid was gekomen. In een spontane opwelling sloeg hij zijn armen om Malvezijn heen en drukte hem stevig tegen zich aan. Voordat Malvezijn kon reageren draaide hij zich alweer om en rende het pad langs de rivier af. Hij zag dan ook niet meer hoe de tranen over het gerimpelde gezicht van de tovenaar liepen.

'Het ga je goed, jongen,' fluisterde deze zachtjes.

Als het hem al zou lukken de Arge over te komen, zou het een wonder zijn als men hem ooit nog aan deze kant terug zou zien.

Een echte prins

Isgar van Dragonië kwam met een verbeten gezicht de troonzaal uit lopen, en trok met een harde klap de deuren achter zich dicht.

De wachters bogen hun hoofd. Ze hadden al vaker meegemaakt hoe humeurig de jonge prins kon zijn na een gesprek met zijn moeder. Maar Isgar keek niet op of om. Verzonken in zijn eigen gedachten beende hij de gang door. Het leek alsof hij in de ogen van Zafyra nooit iets goed kon doen.

Sinds Isgerias was gestorven, liet ze hem steeds vaker naar het kasteel komen om de toekomst van Dragonië met hem te bespreken. Meestal begreep hij helemaal niets van haar plannen. Bovendien kon het hem allemaal weinig schelen.

Met grote tegenzin woonde hij nu bijna een jaar in het legerkamp van de Zwarte Rijders. Zijn moeder had hem onder de hoede van de gevreesde generaal Kali geplaatst. Deze moest een goede legeraanvoerder van hem maken. Zafyra vergeleek hem telkens met zijn verre voorvader, Taragon van Dragonië. Steeds opnieuw herinnerde ze hem eraan hoe Taragon met zijn legers de gebieden had veroverd die nu samen het land Dragonië vormden.

'Dat was nog eens een echte krijgsheer,' zei ze dan, 'een fiere vorst voor het land en een ware leider van zijn mannen.' Naast bewondering voor Taragon klonk in haar stem ook duidelijk een scherp verwijt naar hemzelf door.

Isgar voelde zich helemaal niet op zijn gemak tussen de Zwarte Rijders die hij zou moeten aanvoeren. Hij kon niet wennen aan hun ruwe manieren en wrede grappen. Voor de oefeningen en vechtsporten had hij weinig aanleg. Door zijn logge lichaamsbouw lukte het hem niet goed om het vlugge voetenwerk onder de knie te krijgen. Hij had er ook een afkeer van om zijn tegenstanders met wapens te lijf te gaan. Isgar hield juist van leven en van dingen die groeien. Onder zijn grote handen werden de paarden altijd kalm en kreeg hij vaak de meest verpieterde plant weer in bloei.

Hij wist dat de mannen hem achter zijn rug een zwakkeling noemden. Omdat hij de prins was, werd dit natuurlijk niet hardop uitgesproken. In het kamp was hij daarom een eenling die zich meestal afzijdig hield van de rest. Het meeste voelde hij zich nog thuis in de stallen.

Met zijn spottende ogen hield Kali hem als een havik in de gaten. Isgar wist dat de generaal zijn gebrekkige vorderingen aan zijn moeder rapporteerde. Zafyra had de verslagen vaak genoeg onder zijn neus gedrukt.

Ook vandaag had ze weer briesend voor hem gestaan, de laatste berichten van generaal Kali in haar hand.

Zijne Koninklijke Hoogheid de prins toont nog steeds weinig interesse voor algemene krijgskunst en strategie.
Zijn bedrevenheid in het zwaardvechten laat nog aanzienlijk te wensen over, evenals zijn vaardigheden in worstelen en andere vormen van handgemeen.
Het spijt mij hierbij te moeten vermelden dat dit mijns inziens vooral te maken heeft met de gebrekkige inzet van Zijne Koninklijke Hoogheid tijdens de oefeningen.

Terwijl Zafyra de titel 'Zijne Koninklijke Hoogheid' oplas, kon Isgar in gedachten de sarcastische toon horen waarop de generaal deze woorden meestal uitsprak.

Naar de manschappen toe lijkt hij zich niet als een leider te ontwikkelen. Meestal trekt de prins zich alleen terug en is weinig spraakzaam.

Na het papier hardop te hebben voorgelezen had zijn moeder het in zijn gezicht gesmeten.

Met gebogen schouders had Isgar haar getier over zich heen laten komen en geen moeite gedaan om zich te verdedigen. Door zijn nukkige stilzwijgen leek zijn moeder alleen maar nóg kwader te worden.

'Ik verwacht de volgende keer een rapport dat waardig is aan een prins van Dragonië!' had ze hem ziedend toegeschreeuwd. 'En ik wil niets meer horen over gebrekkige inzet, is dat duidelijk?'

Wat hij zélf wilde, had niemand hem ooit gevraagd. Het liefst wilde hij gewoon met rust gelaten worden. Hij had er helemaal geen behoefte aan om landen met elkaar te verenigen, hij vond het best zoals het was. Het stoorde hem alleen hoe het land verkommerde. Door de ijzige kou verschrompelden de gewassen in de velden. De knoppen van de bloemen en de fruitbomen bevroren voordat ze tot bloei konden komen.

Hij wist dat de vreemde kou iets te maken had met een macht die Zafyra aan het opbouwen was. Een wapen dat haar onoverwinnelijk zou maken. Isgar begreep niet goed hoe dat belangrijker kon zijn dan het groeien van de planten en de bomen.

Hij liep over de binnenplaats waar een groep grimmige Zwarte Rijders op hem wachtte. Hun zwarte mantels wapperden in de windvlagen die tussen de hoge slotmuren bliezen. Hun gezichten waren verborgen achter donkere maskers. Dit was de elite-eenheid, de door zijn moeder uitgekozen krijgers die hem altijd vergezelden. Ze stonden direct onder gezag van generaal Kali.

De rest van de binnenplaats was verlaten – bij hun komst waren de kasteelbewoners naar binnen gevlucht. Het gaf Isgar altijd een ongemakkelijk gevoel wanneer hij merkte hoe bang de mensen voor hen waren.

Hij besteeg zijn zwarte hengst, knikte de mannen toe en gaf het paard de sporen. In volle galop reden ze door de slotpoort over de houten ophaalbrug.

De Zwarte Rijders stormden over het open veld dat het kasteel omringde zonder erop te letten wie of wat er in hun weg stond. Een oude vrouw kon zich nog net op tijd uit de voeten maken, om niet door de zware hoeven te worden vertrappeld. Haar zorgvuldig bijeengebonden bos takken vloog uit elkaar. Over zijn schouder zag Isgar haar op haar knieën kruipen om de twijgen weer bij elkaar te sprokkelen.

De andere Rijders keken niet op of om. Zonder acht te slaan op de gewassen galoppeerden ze verder over de akkers. De mensen die in de velden werkten stoven uiteen. Verbouwereerd staarden ze naar de vernielingen die de paarden hadden achtergelaten, maar niemand durfde er iets van te zeggen. Daarvoor waren de Zwarte Rijders te gevreesd.

Bij een afgelegen boerderijtje hield het sombere gezelschap de paarden in. Een van de mannen stapte af en liep naar de voordeur. Met een harde trap van zijn laars vloog de schamele deur uit de sponning. Hij moest zich buigen om door de lage opening te komen.

Even later verscheen hij weer met aan iedere hand een spartelend kind. Achter hem verscheen hun moeder. Wanhopig wrong ze haar handen in elkaar.

'Alstublieft heer, door de kou is de oogst nu al tweemaal mislukt...' Met een gebaar van haar arm wees ze op het verdorde land dat rondom het huisje lag. 'Neem alles wat we nog hebben, maar niet de kinderen...'

Haar oog viel nu op Isgar, die zwijgend toekeek. Ze liet zich voor zijn paard op de grond vallen.

'Ach prins, hebt genade,' smeekte ze, 'ze zijn nog zo jong...'

De soldaat smeet de twee kleine jongens naast haar op de grond. Meteen kropen ze angstig tegen hun moeder aan.

Generaal Kali keek minachtend op hen neer. 'Is dat de manier waarop je de zonen van Dragonië grootbrengt, vrouw?' beet hij haar toe. 'Het ziet ernaar uit dat wij net op tijd komen om ervoor te zorgen dat dit niet twee papjongetjes zullen worden. Wij zullen ze meenemen en zorgen dat het échte mannen worden.'

De twee bevende kinderen werden van hun huilende moeder weggerukt. Zonder zich verder aan haar te storen, wendden de mannen hun paarden.

Nadat ze een paar honderd meter van het huisje verwijderd waren hield Kali plotseling zijn paard in, alsof hij iets was vergeten. Hij nam een brandende fakkel van een van de soldaten over en reed in volle galop terug naar de boerderij. Zijn mannen volgden zonder te aarzelen.

De vrouw lag op de grond zoals ze haar hadden achtergelaten. Haar lichaam schokte van het snikken.

'Je zou trots moeten zijn dat je zoons nu een waardevolle bijdrage aan het nieuwe Dragonië kunnen leveren!' riep de generaal. 'Ik vind dat je weinig vaderlandsliefde toont.' En met deze woorden wilde hij de brandende toorts tegen het rieten dak zetten.

'Halt!' hoorde hij ineens achter zich.

Smalend draaide generaal Kali zich om naar Isgar.

'Hoogheid?' vroeg hij op een geveinsd eerbiedige toon.

Het hart klopte Isgar in de keel. Net als iedereen was hij bang voor de wrede generaal. Maar de schaamte die hij op dat moment voelde voor de naam van het koningshuis van Dragonië was veel groter dan zijn angst voor Kali. Hij galoppeerde op hem af en rukte de toorts uit zijn hand.

'Laat die kinderen onmiddellijk gaan!'

De soldaat die de kinderen vasthad keek aarzelend heen en weer van de prins naar de generaal.

'U ondermijnt mijn gezag als aanvoerder?' vroeg deze laatste met zachte stem.

De soldaten huiverden. Het was bekend dat als de stem van de generaal zachter werd, hij niet veel goeds in de zin had.

Maar Isgar haalde diep adem. 'Ik ben nog altijd de prins van Dragonië. Daarmee sta ook jij onder mijn bevel!'

Met een van woede verbeten gezicht knikte de generaal de soldaat toe.

De twee jongetjes renden naar hun moeder, die ze in één greep in haar armen sloot. Met haar betraande gezicht keek ze op naar Isgar.

'Heb dank, Hoogheid. Ondanks alles heeft Dragonië toch nog een prins om trots op te zijn. Een echte prins. Misschien is er nog hoop...'

De jonge prins had het gevoel alsof haar woorden het doffe gevoel dat hij al de hele morgen op zijn borst had voelen drukken, wegvaagden. Het kon hem niet schelen wat zijn moeder die morgen allemaal had gezegd. Hij wist zeker dat hij nóóit soldaat of aanvoerder van dit soort mannen wilde worden. Maar toen hij het gezicht van generaal Kali zag kromp zijn maag ineen.

'Ik zal dit niet licht vergeten, Hoogheid,' zei deze alleen maar stroef en keerde zijn paard.

Aardwurm

Matthias had de hele nacht gelopen. Hij piekerde hoe hij langs de grenswachters van Dragonië zou kunnen komen. Het was al licht aan het worden toen hij bij De midborgh kwam.

Voor de brug wachtte al een lange rij karren op toestemming om de grens te passeren. De meeste waren volgeladen met handelswaar die in Dragonië zou worden verkocht.

Vlak bij Matthias stond een ossenkar waarop een enorme stapel huiden lag. Dat bracht hem op een idee. Zo onopvallend mogelijk keek hij om zich heen. In de drukte was er niemand die op hem lette. Snel glipte hij onder de stapel en drukte zich zo plat mogelijk neer. De vellen stonken naar zuur en prikten in zijn gezicht. Het wachten leek uren te duren.

Eindelijk voelde hij hoe de kar in beweging kwam. Vlak voor de brug hielden ze weer stil.

'Hé voerman, waar moet dat naartoe?' hoorde hij een stem roepen.

'Naar Dragonië, huiden voor de verkoop,' klonk het antwoord.

'Je weet dat niemand Dragonië in komt zonder speciale toestemming,' zei de eerste stem weer.

'Ik weet het, ik ga ook alleen tot de handelspost. Zodra ik mijn waar heb gelost keer ik weer terug,' antwoordde de voerman. 'En ook al had ik speciale toestemming, ik zou voor geen goud verder het land in willen,' voegde hij eraan toe.

Matthias hoorde de ander kort lachen.

'Nee, ik blijf ook liever aan deze kant van de brug. Akkoord, rij maar door.'

Matthias hoorde de hefboom kraken, en even later ratelden de wielen over de houten brug. Hij kreeg het nu behoorlijk benauwd onder de stapel, maar durfde zich niet te bewegen. Van hoe ver het was naar de overkant van de rivier had hij geen idee, maar als het nog lang duurde, zou hij vast stikken.

Met een schok kwam de kar opnieuw tot stilstand.

'Wat moet je in Dragonië?' klonk het nors.

'Huiden voor de handelspost,' klonk de inmiddels bekende stem van de voerman.

'Alleen huiden of voer je nog iets anders mee?'

Matthias hield nu zijn adem in. De haren op de dierenvellen kriebelden in zijn neus.

'Alleen huiden.'

'We moeten de lading doorzoeken, en wee je gebeente als we nog iets anders vinden!'

Matthias voelde hoe de wachters op de kar sprongen en in de huiden begonnen te prikken.

Het zweet brak hem uit. Elk moment zou hij ontdekt worden en was alles voor niets geweest. Hij kon zich beter meteen overgeven, voordat hij aan een van de zoekende speren werd geregen...

Op dat moment klonk opnieuw de stem van de voerman.

'Hé, willen jullie mijn lading soms naar de maan helpen? Met al die gaten zijn de vellen waardeloos. Als jullie ze willen doorzoeken moeten ze eerst afgeladen worden.'

'Wat kan ons je lading schelen?' snauwde een van de wachters en prikte zijn speer vlak langs Matthias' hoofd.

'De meeste vellen zijn voor het leger om leer van te maken,' antwoordde de voerman. 'Ze zullen niet blij zijn als de waar beschadigd is.'

'Ik heb geen zin om die hele kar af te laden,' hoorde Matthias de ene wachter aarzelend zeggen. 'Laat hem maar passeren, het zal wel in orde zijn.'

Matthias' hart bonkte nu zó hard dat hij bang was dat het door de stapel huiden heen te horen was. Tot zijn enorme opluchting voelde hij hoe de kar weer begon te rijden.

Het duurde nog een hele tijd voordat hij zich durfde te bewegen. Langzaam duwde hij een punt van de stapel een stukje omhoog en stak zijn neus naar buiten. Gretig snoof hij de frisse lucht op. Het enige geluid dat hij hoorde, was het gekraak van de kar. Voorzichtig waagde hij het om zijn hoofd wat verder naar buiten te steken. Ze reden over een modderig pad door een open veld. Vóór hem zag hij de rug van de voerman, die op de bok zat. In de verte stond een houten gebouw waar mensen af en aan liepen. Matthias begreep dat het de handelspost moest zijn waarover de voerman had gesproken. Dat betekende dat de kar daar zou worden uitgeladen en hij zou worden ontdekt.

Matthias werd misselijk van paniek. Hij kon onmogelijk over de open vlakte ontsnappen zonder gezien te worden door zowel de grenswachter achter hem als de mensen bij de handelspost vóór hem. Toen zag hij aan de zijkant van het veld zijn kans. Een paar meter van het pad begon een struikgewas van kreupelhout, dat ver voorbij het gebouw tot aan de rand van het bos leidde. Als het hem lukte om in de dichte begroeiing te komen, kon hij misschien zelfs ongemerkt voorbij de handelspost kruipen.

Geruisloos liet hij zich onder de huiden vandaan glijden, en langs de achterkant van de wagen glipte hij op de grond. Hij drukte zich diep in de modder van de karrensporen en wachtte tot de wagen een flink stuk verder was. Maar erg lang durfde hij niet te wachten. Elk moment kon er een andere kar langskomen. Op zijn buik schoof hij door het hoge gras naar de rand van het veld.

'Hé, jij daar!' hoorde hij ineens schreeuwen. 'Waar denk jij dat je naartoe gaat?'

Matthias kromp ineen en voelde het koude zweet langs zijn rug lopen. Wanhopig besloot hij om het maar op een rennen te zetten en begon op te staan.

Toen hoorde hij de stem van de voerman.

'Waar dénk je dat ik naartoe ga, of heb je liever dat ik hier midden op het pad mijn behoefte doe?'

Opgelucht sloot Matthias zijn ogen. Hij legde even zijn hoofd neer totdat het bonken in zijn keel wat minder was geworden. Met een slakkengang kroop hij verder en bereikte ongezien het dichte kreupelhout. Beschermd door de begroeiing liet hij zich op zijn rug vallen om op adem te komen.

De modder begon op te drogen en viel in korreltjes van zijn gezicht. Hij besloot dat hij beter kon wachten tot het donker werd. Als hij dan eenmaal de bosrand had bereikt, kon hij hopelijk sneller reizen zonder te worden gezien. Voorzichtig kroop hij wat dieper het kreupelhout in. Misschien zou het hem lukken om nog wat te slapen, dan ging de tijd ook sneller voorbij. Een stukje verder zag hij een mossig open plekje. Het mos voelde zacht aan onder zijn knieën. Hij verbeeldde zich zelfs dat de grond onder hem meeveerde als een matras. Hij probeerde het nog eens, en voelde de grond nu duidelijk bewegen. Ineens week de bodem onder hem en viel hij in een diep gat.

'Een deel van de gang is ingestort!' hoorde Matthias uit de verte roepen.

Nog beduusd van zijn val probeerde hij rechtop te gaan zitten. Zijn mond en neus zaten vol met aarde. Toen hij zijn ogen had uitgewreven, zag hij uit de verte brandende fakkels op hem afkomen. Hij keek omhoog. Het gat waar hij doorheen was gevallen, was te hoog. Er was geen mogelijkheid om weer naar buiten te klimmen. Achter hem lag een berg van stenen en aarde door de instorting. Matthias besefte dat hij in de val zat.

Hij maakte zich zo klein mogelijk, maar de aarde begon nu flink in zijn neus te kriebelen.

Alsjeblieft, laat ik niet niezen, smeekte hij in gedachten. Zachtjes wreef hij onder zijn neus.

De stemmen kwamen dichterbij. Matthias kneep zijn ogen stijf dicht.

'Gorak, jij waardeloos stuk vuil, ik dacht dat ik je had bevolen om dit deel van de gangen te controleren!'

'Heb ik ook gedaan, baas, alles was in orde.'

'Noem je dit in orde!' bulderde de eerste stem weer. 'Reken maar dat je het met je blote handen weer zult repareren, jij zoon van een wrattenzwijn!'

Matthias kromp ineen bij het horen van de ruwe stemmen. Het waren vast en zeker de soldaten van Zafyra. De kriebel in zijn neus werd steeds erger. Hij kon de behoefte om te niezen niet meer bedwingen.

'Hatsjoe...!' Proestend schudde hij de aarde uit zijn neusgaten.

'Wel verduveld, er is iemand in de gang!' hoorde hij. 'Mannen, grijp hem!'

Voordat Matthias nog iets kon doen, werd hij aan zijn haar overeind getrokken.

'Au!' riep hij uit, terwijl de tranen in zijn ogen sprongen. 'Laat me los!'

'Wel alle hellebaarden, wat hebben we hier?'

Een fakkel werd dicht bij het gezicht van Matthias gehouden.

'Ha, het is maar een kleine aardwurm!'

Hij hoorde een bulderend gelach.

'Neem hem mee naar het hol. We zien later wel wat we met hem doen.'

Matthias werd opgepakt en over een schouder gegooid. Hij was te versuft om zich te verzetten. Even later werd hij weer op de grond gesmeten.

Toen zijn ogen aan het donker waren gewend, durfde hij voorzichtig op te kijken. Hij lag in een enorm onderaards hol. Langs de muren brandden fakkels en de grond was bezaaid met huiden.

Langzaam draaide hij zich op zijn rug, en keek tegen een paar grote laarzen aan. Hij liet zijn blik langs de benen omhoog glijden. Een groep ruw uitziende mannen stond om hem heen. Verschrikt schoof Matthias achteruit, totdat hij met zijn rug tegen de muur zat en niet verder kon.

Een van de mannen deed een stap naar voren en bleef wijdbeens met zijn armen over elkaar voor hem staan. Zijn tanden flikkerden in zijn zwarte baard. Matthias zag een lang litteken over zijn gezicht lopen, waardoor zijn rechteroog scheef werd getrokken.

'Zo, en wat voor een aardwurm ben jij dan wel?'

Matthias herkende de stem van de man die Gorak 'baas' had genoemd.

'Ik ben M... Ma... Matthias,' stamelde hij.

'Waar kom je vandaan, en wat deed je in onze gang?' vroeg de barse stem verder.

'Ik k... kom uit We...Westenrijk, ik b... ben we... weggelopen.'

'Uit Westenrijk!?' De man hurkte neer en greep Matthias bij zijn kraag. 'Jij wilt ons vertellen dat een kleine aardwurm als jij in zijn eentje helemaal uit Westenrijk is komen kruipen?'

Matthias knikte. 'Ik... ik... had me ver... verstopt in een w... wagen, en ben v... vlak voor de ha... handelspost eruit gekropen.'

De man bracht zijn gezicht heel dicht bij dat van de rillende Matthias en keek hem strak in de ogen.

'En hoe weet ik dat jij niet een spion van de Zwarte Rijders bent? Of een verkenner van de soldaten van Zafyra?'

Ondanks de hachelijke situatie voelde Matthias een zweem van opluchting over zich heen komen.

‘Dus jullie zijn geen soldaten van Zafyra?’ vroeg hij bedeesd.
De man gooide zijn hoofd achterover in een bulderende lach.
‘Horen jullie dat, mannen? We worden aangezien voor soldaten van Zafyra!’
Een luid geschater steeg op in het hol. De hoofdman stond weer op en knikte naar een van de mannen.
‘Bind hem stevig vast. We besluiten morgen wel wat we met hem doen.’
Matthias’ handen en voeten werden aan elkaar gebonden, en hij werd op een berenvel in een hoek achtergelaten. Al snel besteedde niemand meer aandacht aan hem.
Het hol was ongeveer drie meter hoog en tien meter diep. Aan drie kanten kwamen gangen uit in de grote ruimte. Het dak werd bij elkaar gehouden door enorme boomwortels, waaraan stukken vlees hingen te drogen. Tussen de fakkels waren nissen in de wanden, waarin Matthias verschillende kisten en stenen kruiken zag staan.
‘Kaya, nutteloos stuk loeder dat je bent! Waar zit je?’ riep de hoofdman.
Uit een van de gangen kwam een groezelig meisje met een kookpot tegen zich aangedrukt. Haar vieze haren hingen in pieken voor haar gezicht en over haar schouders, en haar blote voeten waren zwart van de aarde. Ze droeg een veel te grote jurk, die met een stuk touw om haar middel zat vastgesnoerd.
‘Het eten is nu koud,’ zei ze stug. ‘En denk maar niet dat ik het opnieuw ga opwarmen.’ Met een klap zette ze de ketel tussen de mannen neer, die er meteen op af doken.
‘Kaya, breng ons ook wijn!’ riep de hoofdman met volle mond.
‘Pak het zelf maar, ouwe zuiplap,’ antwoordde het meisje.
Behendig ontweek ze de beker die hij naar haar hoofd gooide.
‘Dochters!’ gromde de man in zijn baard.
Hij stond op om een van de kruiken uit een nis te pakken. Zijn

oog viel op Matthias die zich in zijn hoekje muisstil hield.

'Ha, ik denk al dat ik weet hoe we jou kunnen gebruiken, aardwurm,' zei hij, terwijl hij de stop uit de kruik trok.

'Zoals je ziet is mijn dochter een waardeloos mormel, dat nog te lui is om d'r eigen vader te verzorgen. Daarom moeten we van jou maar een huisknechtje maken.' Tevreden knikte hij over zijn eigen idee, en zette de kruik aan zijn mond. Met een vettige mouw veegde hij even later zijn lippen af. 'Kaya, breng die wurm straks ook maar iets te eten. Als we hem laten verhongeren, hebben we helemaal niks aan hem.'

Het meisje wierp een ongeïnteresseerde blik op Matthias en verdween weer in de gang.

De waarzegster

Zafyra beende heen en weer door de troonzaal van het oude kasteel. Slot Dragon was gebouwd door haar verre voorvader, Taragon van Dragonië. De dikke muren bestonden uit enorme blokken zwart graniet. Het was een van de vele mysteriën rond Taragon hoe die helemaal de hoge klip op waren gekomen. Nu, honderden jaren later, torende het kasteel nog altijd even indrukwekkend uit boven de zee.

Ook de troonzaal van het kasteel was nauwelijks veranderd. De hoge donkere muren met de zware balken stonden nog even stevig als toen het slot pas was gebouwd. Behalve de ebbenhouten troon was de ruimte vrijwel helemaal leeg. Langs de wanden hingen de wapenschilden van dappere krijgsheren en op enorme wandkleden waren de daden van de Dragoniërs afgebeeld. Zafyra stond stil onder het schild van Taragon. De flakkerende toortsen gaven weinig licht, maar ze kende het blazoen vanbuiten: een bloedrode draak op een zwarte achtergrond. Onder dit schild had Taragon het ene gebied na het andere veroverd. Als laatste had hij de Troggl uit de Fjellen verdreven, en zo Dragonië gesticht.

En nu was de tijd bijna rijp om het rijk nog verder uit te breiden, zoals haar vader dat had gewild. Met haar Zwarte Rijders en het boek van Zorah stond niemand haar nog in de weg. En Isgar zou haar legers aanvoeren.

Zafyra balde haar vuisten bij de gedachte aan haar zoon. Er was net een nieuw rapport van generaal Kali over hem gekomen. Het maakte haar razend dat Isgar maar niet wilde begrijpen dat hij geboren was om een nieuw Dragonië te stichten. Een machtig rijk dat zich uitstrekte van de zee tot aan het veen. Zo was het in de Voorspellingen van Taragon beschreven, en haar eigen krachten alléén waren daarom niet voldoende. Tot haar teleurstelling kon ze geen enkele magische kracht in Isgar ontdekken.

Toen haar vader, Isgerias de Wrede, was begonnen met het vervolgen van de Steppenmensen, waren alle heksen, magiërs, tovenaars en waarzeggers van dit volk samengekomen op de Vlakte van Ebe. Voor één keer hadden ze hun onderlinge geschillen en kibbelarijen laten varen. Allereerst moest de Heilige Bergplaats van het Steppenvolk worden beschermd. De rondtrekkende nomaden droegen zo min mogelijk bezittingen met zich mee. Ook bouwden ze geen sterke forten om hun schatten te beschermen. Daarvoor hadden ze de Heilige Bergplaats, waarvan het geheim werd bewaard door de vrouwen van hun koninklijke familie. De vrouwelijke Royaldi's gaven dit geheim door van moeder op dochter. Zo was het altijd geweest, het was de traditie van het Steppenvolk.

En nu werd dit alles bedreigd door koning Isgerias van Dragonië. Tijdens de bijeenkomst op de Vlakte van Ebe werd daarom besloten dat ieder een deel van zijn krachten aan alle nieuwgeboren koningsdochters zou schenken.

Deze eenmalige saamhorigheid was van korte duur gebleken. Zodra de bijeenkomst was afgelopen waren de ruzies, afgunsten en roddelarijen weer als voorheen opgevlamd. De magiërs en de tovenaars beschuldigden elkaar ervan ook een deel van hun krachten aan de mannelijke nazaten te hebben toebedeeld. Zo zouden ze proberen om bij de toekomstige koningen in de gunst te komen. De heksen en waarzegsters maakten elkaar weer als vanouds uit voor alles wat lelijk was.

De waarheid was nooit aan het licht gekomen. De Royaldi's hadden sindsdien alleen maar een meisje voortgebracht, prinses

Zorah. Toen zij later werd uitgehuwelijkt aan Isgerias van Dragonië, was een ongetrouwde achterneef haar vader als koning opgevolgd.

Zodoende was Isgar van Dragonië de eerste mannelijke afstammeling van Zorah. En aan hem te merken klopte er weinig van de beschuldigingen van de magiërs en tovenaars.

Plotseling merkte Zafyra dat ze niet meer alleen was in de grote zaal. Achter haar klonk een zacht kakelend lachje. Ze reikte naar het schellenkoord om alarm te slaan.

'Heb je je soldaten nodig tegen een zwakke oude vrouw?' klonk een krakerige stem.

'Wie waagt het om zomaar binnen te komen?'

'Jadvicka is gewend om met meer respect te worden aangesproken.'

'Weet je wel wie ik ben?' brieste Zafyra. 'Eén bevel van mij en je zult wensen dat je nooit geboren was.'

De ander negeerde haar dreigement volkomen.

'Laat ik je eens goed bekijken, dochter van Zorah. Ja, je bent het evenbeeld van je moeder.'

'Je kende mijn moeder?'

Uit de schaduw stapte een stokoude vrouw. Haar rug was zó kromgegroeid dat ze haar hoofd opzij moest draaien om de koningin aan te kunnen kijken. Haar hoofddoek was verschoven en er zaten bijna geen haren meer op haar magere schedel. Haar gezicht was verschrompeld als van een mummie, maar haar ogen keken de koningin nog schrander aan.

'Ik was haar leermeesteres, kindje.' Met haar stok bonkte ze op de vloer. 'Ach, ach, wat had Jadvicka een verdriet toen haar kleine Zorah werd weggestuurd!' Het gerimpelde hoofd wiebelde heen en weer op haar dunne nek.

Ongeduldig keek Zafyra op haar neer.

'Ik zie dat je weinig tijd over hebt voor een oude vrouw. Ach, de jeugd, altijd maar haasten...'

'Wat wil je van mij, Steppenmoeder?' onderbrak Zafyra wrevelig.

Jadvicka vertrok haar gezicht in een tandeloze grijns. 'Wil jij misschien iets van mij, dochter van Zorah...?'

Zafyra lachte nu geamuseerd. 'Luister goed, oude heks: binnenkort ben ik de machtigste heerser over beide rijken. Vertel me waarom ík iets van jóú zou willen.'

'Jadvicka weet welke prijs je betaalt voor je macht! Jadvicka heeft allang de kou voelen groeien!' Ze pookte met haar stok richting Zafyra. 'Er is een Onleesbare Hand in Westenrijk!' siste ze.

Als bevroren bleef de koningin staan. Geen Steppenvrouw zou de spot drijven met een Onleesbare Hand. Daarvoor waren de Steppenmensen te bijgelovig. De oude vrouw sprak de waarheid.

'Wie...' begon Zafyra.

'Zijn gezicht heb ik in de donkere wagen niet goed kunnen zien,' kraste het vrouwtje. 'Hij rende als een opgejaagd konijn naar buiten toen hij het mijne zag.' Ze grinnikte schor bij de herinnering. 'Hij was jong. Dertien, veertien misschien. Aan zijn kleren te zien hoorde hij niet bij ons, eerder eentje van de bergdalen.'

Zafyra drukte haar handpalmen tegen haar slapen. Ze dacht koortsachtig na.

'Een Onleesbare Hand,' prevelde ze. 'Alleen nazaten van Zorah hebben een onleesbare hand.'

'Je denkt dat dat alles is!' Opnieuw kakelde Jadvicka's lach door de troonzaal. 'Ik kon zijn spoor volgen door het Westerwoud. Hij reisde samen met iemand anders.' Ze wees op haar sandalen. 'Jadvicka is wel niet meer zo goed ter been, maar sporen kan ze nog net zo goed lezen als handen. Bij de rand van het Veen kon ik eerst niet verder. Slechts weinigen kennen het Geheime Pad.'

'Het Runenplateau!' onderbrak Zafyra haar geschokt. 'De wolfsvrouw!'

Even leek het of het de oude kol zou lukken om rechtop te staan.

'De wolfsvrouw, ja. Die valse gifmengster!' Jadvicka spuugde op de grond. 'Toen ik terug wilde keren naar het woonwagenkamp, zag ik Alchior de Alchemist. Hij was nog niet ver in het Veen, ik kon zijn voetstappen nog volgen.' Met een zelfingenomen grijns knikte ze bij zichzelf.

'Vertel verder, moedertje...' drong Zafyra nu aan.

Jadvicka bracht haar gezicht nu dicht bij dat van Zafyra. 'Dochter van Zorah, hij heeft de Kracht!' fluisterde ze.

Zafyra verstijfde. 'Dat is onmogelijk!'

'De oude Jadvicka heeft het met haar eigen ogen gezien. Ik ben oud, maar mijn ogen zijn scherp als van een havik. Het hele Runenplateau trilde op zijn grondvesten!' Om haar verhaal kracht bij te zetten zwaaide ze met haar magere armen. Haar rinkelende armbanden flikkerden in het licht van de fakkels.

'De runentekens gloeiden als kolen in het vuur!'

'De Kracht én een Onleesbare Hand?' stamelde Zafyra verbijsterd, 'Bij een jóngen!?'

'Jazeker.'

Jadvicka kromde haar magere nek. Toen ze zag welke uitwerking haar woorden op Zafyra hadden, giechelde ze triomfantelijk.

'Ik merk dat je nu toch naar de oude Jadvicka wilt luisteren, dochter van Zorah.'

Ze genoot zichtbaar van de aandacht, en rekte het moment. Haar ogen speurden schichtig de troonzaal rond. Toen ze er zeker van leek dat niemand meeluisterde, kreeg haar stem een samenzweerderige toon.

'Die nacht op de Vlakte van Ebe zaten we in een grote kring.

Waarzeggers, heksen, magiërs en tovenaars. Ikzelf was er, en Lupa de Wolfsvrouw ook. We waren het er allemaal over eens. Het geheim van de Heilige Bergplaats van het Steppenvolk moest tegen iedere prijs worden beschermd. Gezamenlijk zouden we de bewaarders van het geheim de Kracht schenken. En opdat de plaats ook niet tegen hun wil zou kunnen worden ontfutseld, zouden alle dochters van Royaldi geboren worden met een onleesbare hand.'

'De dóchters, ja,' herhaalde Zafyra bevestigend.

Jadvicka schudde haar hoofd.

'De wolfsvrouw heeft de afspraken geschonden,' kraste ze opeens fel.

Ze gniffelde zachtjes bij zichzelf toen Zafyra achteruitdeinsde, en ging verder.

'De beslissing was gevallen. We verbonden allemaal onze handen in een ring van krachten. Iedereen sloot de ogen. Iedereen behalve Jadvicka. Oplettend, Jadvicka blijft altijd oplettend, zoals een goede waarzegster betaamt.' Met haar lange nagel tikte ze tegen de zijkant van haar hoofd. 'Plotseling zag ik hoe Lupa op het allerlaatste moment haar hand wegtrok. Het was zó'n kort moment, nauwelijks waarneembaar. De kleinste tekenen kunnen zo veel verraden...' Ze knikte nog eens zelfingenomen. 'Maar het was lang genoeg. Ze had de cirkel verbroken. Zo had ze een opening gemaakt om een deel van onze gezamenlijke krachten een andere richting te geven. Ik herkende de ring aan haar vinger. Met haar hand maakte ze het magische symbool van de mannelijke soort...' De kromme hand van Jadvicka sloeg een teken in de lucht. 'Het was Lupa die ons heeft ons verraden,' siste ze. 'Ze heeft een deel van onze gezamenlijke krachten heimelijk gebruikt voor haar eigen plannen...'

'Maar... welke plannen... Waarom zou Lupa dat doen?' stamelde Zafyra.

'Waarom? Wie zal het zeggen...?'

Vragen raasden door Zafyra's hoofd. Kon het waar zijn wat de oude waarzegster beweerde? Of was het geraaskal van een oude vrouw? Bestonden er mannelijke afstammelingen met de Kracht? Maar zelfs als dat klopte, wie was dan deze jongen? Kon het zijn dat er nog een andere familietak van de Royaldi's afstamde? De oude vrouw zou dit moeten weten.

Maar toen Zafyra zich omdraaide, was Jadvicka nergens meer te bekennen. Ze trok aan het schellenkoord naast de troon. Meteen kwamen twee wachters de zaal in gesneld.

'Waar is die oude kol gebleven?' vroeg Zafyra gehaast.

Beduusd keken de twee mannen elkaar aan.

'Majesteit?'

'Die oude vrouw die hier zojuist was,' verduidelijkte Zafyra ongeduldig.

'Het spijt ons, Hoogheid, maar wij hebben niemand voorbij laten gaan,' stamelde de ene soldaat.

'Ga snel, snel,' beval ze. 'Zoek de hele omgeving af en breng haar levend bij mij!'

Maar ze wist dat de oude vrouw niet zou worden gevonden. Tijdens de jarenlange jacht die haar vader op hen had gemaakt, had het Steppenvolk altijd manieren gevonden om ongemerkt te verdwijnen.

Even overwoog Zafyra om haar Zwarte Rijders naar de Vlakte van Ebe te sturen. Met de juiste methoden zouden haar soldaten het Steppenvolk wel aan de praat krijgen. Maar zelfs na zijn dood durfde ze het woord van haar vader niet te schenden. Bovendien was ze zo dicht bij haar doel, wat kon een simpele boerenjongen haar nu nog in de weg leggen?

Toch kon ze het knagende gevoel dat haar de laatste tijd steeds vaker overviel, niet onderdrukken. Het gevoel dat ze iets belangrijks over het hoofd had gezien. En dat Malvezijn daar iets mee te maken had.

Zwarte Rijders

Af en toe dommelde Matthias weg, maar telkens werd hij weer wakker wanneer zijn handen en voeten gingen prikken. De mannen zaten een paar meter van hem vandaan in een kring. De vijfde kruik wijn ging inmiddels rond. Zo nu en dan barstten ze los in een luid gezang of gelach. Matthias vroeg zich af wat er met hem ging gebeuren, hij verwachtte weinig goeds van deze ruige kerels.

Ineens sprongen er twee op en stonden met getrokken messen tegenover elkaar.

'Herhaal dat nog eens, en ik snijd in één keer je gore strot door,' gromde de ene.

In zijn grijze baard liepen strepen van de rode wijn. De kleur van zijn hemd was nauwelijks meer te herkennen door de vele vlekken die erop zaten.

'Ik zei dat je een ouwe aftandse gek bent, die méér zuipt dan dat je ons wat oplevert!' riep zijn tegenstander.

Matthias kromp ineen toen de oudere man zich met een grauw op de ander wierp. In het licht van de toortsen zag hij het geflikker van de messen. De oude man schreeuwde luid toen hij een flinke snee in zijn arm kreeg.

Nu kwam ook de hoofdman op de been. Hij gaf de jongere man zo'n trap dat hij achterover tuimelde en met een plof vlak naast Matthias op de grond terechtkwam. De oude man greep hij bij zijn kraag en tilde hem omhoog. Spartelend hing hij in de lucht.

'Genoeg, stelletje zwijnen!' brulde de hoofdman. 'Slijpen we tegenwoordig onze messen om elkaar te lijf te gaan in plaats van anderen te beroven? Nog één keer dit soort onzin, en jullie krijgen geen deel van de buit van vandaag!'

Met deze woorden liet hij de oude man los en ging weer zitten.

Rovers! dacht Matthias verschrikt. Hij was in handen van struikrovers gevallen!

De man naast hem op de grond was onbeweeglijk blijven liggen en begon al snel luid te snurken. Uit zijn mond kwam een zure wijnlucht. Matthias moest ervan kokhalzen. Zo ver als hij kon schoof hij langs de wand bij de man vandaan en leunde achterover. Hij moest een manier vinden om te ontsnappen. Zolang hij was vastgebonden leek dit onmogelijk. Ineens schoot het hem te binnen dat de beide rovers messen in hun handen hadden gehad voordat de hoofdman tussenbeide was gekomen. De jongere man had het zijne weer in zijn riem gestoken, maar het andere mes moest nog ergens op de grond liggen.

Matthias kneep zijn ogen samen. Zo onopvallend mogelijk tuurde hij over de vloer van het schemerige hol. Tot zijn teleurstelling zag hij de dolk aan de andere kant van de kring rovers liggen. Misschien zou het hem lukken om daar langzaam naartoe te schuiven wanneer ze straks in slaap waren gevallen.

Het kostte hem de grootste moeite om zelf wakker te blijven. Zijn oogleden werden steeds zwaarder terwijl hij zag hoe de rovers zich een voor een oprolden of gewoon vanzelf omvielen. Ten slotte zaten er nog maar twee van hen rechtop. De meeste fakkels waren inmiddels uitgedoofd, waardoor het nu bijna helemaal donker was in het hol.

Ondanks zijn verwoede pogingen om wakker te blijven moest Matthias toch in slaap zijn gevallen. Hij werd wakker toen iemand aan de touwen rond zijn enkels trok. Voordat hij een geluid uit kon brengen, voelde hij een hand op zijn mond. In het flakkerende schijnsel van de laatste fakkel herkende hij het meisje Kaya.

Met een vinger op haar lippen beduidde ze hem om stil te blijven. Pas toen hij knikte haalde ze haar hand weg. Met hetzelfde mes waar Matthias eerder zijn hoop op had gevestigd sneed ze de touwen los. Zijn handen en voeten tintelden toen de bloedstroom plotseling goed op gang kwam. Hij wreef over zijn pijnlijke polsen en enkels. Het meisje had haar schamele jurk verwisseld voor een vettige zeemleren broek en een linnen hemd. Haar haren had ze opgebonden onder een doek. Als Matthias niet beter had geweten, had hij gedacht dat ze een jongen was.

Kaya wenkte hem om haar te volgen. Met het mes tussen haar tanden geklemd kroop ze tussen de slapende rovers door. Matthias volgde haar geruisloos. Overal om hem heen hoorde hij stevig gesnurk.

Plotseling ging een van de mannen rechtop zitten. Matthias hield zijn adem in en drukte zich plat tegen de bodem van het hol. De man mompelde iets in zijn slaap en viel weer achterover in een luidruchtig geronk.

Het duurde even voordat Matthias zich weer durfde te verroeren. Kaya was al bij de ingang van een van de tunnels aangekomen. Ze gebaarde hem om te komen. Met kloppend hart kroop hij de laatste meters naar haar toe.

'Vanaf hier kunnen we wel weer rechtop gaan lopen,' fluisterde Kaya nauwelijks hoorbaar in zijn oor. Samen slopen ze de donkere gang in. Even later stond Kaya stil. In de wand van de gang waren treden uitgegraven. Voorzichtig klauterden ze naar boven. Met één hand hield Kaya zich vast aan een boomwortel en met de andere duwde ze tegen het dak van de tunnel. Een deel klapte als een luik open.

Matthias volgde haar naar buiten. Ze waren in een dichtbegroeid bos. Kaya hurkte en dekte zorgvuldig het luik weer toe met mos en takken totdat het niet meer zichtbaar was.

'Je heet Kaya, toch?' zei Matthias zachtjes. 'Ik heet Matthias.'

Het meisje knikte.

'Hoe kan ik je bedanken?' vroeg hij.

'Je hoeft me niet te bedanken,' antwoordde Kaya stug. 'Ik wil dat je me meeneemt.'

Matthias kon zijn oren niet geloven.

'Ik wil naar de Vlakte van Ebe,' ging Kaya verder. 'Ik heb gehoord dat de soldaten van de koningin daar niet mogen komen. Ik ga bij het Steppenvolk wonen.'

'Meenemen?' herhaalde Matthias verbluft. 'Maar dat kan helemaal niet, ik moet een opdracht vervullen.'

'Hoezo kán dat niet? Zonder mij zat je nog als een sufferd vastgebonden in het hol,' antwoordde Kaya fel.

Matthias voelde zich gekwetst. Eerst was hij bevrijd door een méísje, en nu noemde ze hem nog een sufferd ook. Het lag op het puntje van zijn tong om haar te vertellen hoe belangrijk zijn opdracht was.

'Ik had dat mes allang zien liggen,' kaatste hij terug. 'Dus ik was zonder jou ook heus wel losgekomen.'

'Als je me niet meeneemt, ga ik zó hard gillen dat mijn vader en zijn mannen wakker worden,' zei Kaya eenvoudig. 'Als dit je dank is voor mijn hulp, dan mogen ze je voor mijn part houden om een huisknechtje van je te maken.'

Hierop wist Matthias niks te zeggen.

'Als mijn vader erachter komt dat ik je heb geholpen, dan zwaait er wat voor mij,' ging Kaya verder. 'Daarom moet je me nu wel meenemen.'

De schrik sloeg Matthias om het hart bij de gedachte aan de roverhoofdman. Hij durfde er niet aan te denken wat er zou gebeuren als die écht kwaad werd. Ten slotte haalde hij zijn schouders op en knikte.

Kaya glimlachte opgelucht.

'Ik heb nog een tante en een oom in Laagwoude wonen, die zullen ons wel helpen,' zei ze.

'Waar is dan die Vlakte van Ebe?' vroeg Matthias nors.

'De Vlakte van Ebe ligt aan de voet van het Drakengebergte, ongeveer acht dagreizen te voet van hier.'

Het Drakengebergte!

Matthias voelde een golf van opwinding door zich heen gaan. Daar was Duivelspiek waar Emu woonde, de hoogste piek van het Drakengebergte!

Vol nieuwe moed sprong hij op. Gelukkig was de maan bijna vol, zodat ze goed konden zien waar ze liepen. Iedere paar minuten hield Kaya even haar pas in en luisterde aandachtig. Wanneer ze er zeker van was dat er geen gevaar dreigde, wenkte ze Matthias om verder te gaan.

Matthias vond al die voorzichtigheid een beetje overdreven, vooral omdat ze daardoor niet erg opschoten. Net toen hij had besloten om hier iets over te zeggen, liet Kaya zich vallen en legde haar oor tegen de grond. Voordat Matthias besefte wat er gebeurde, was ze alweer opgesprongen en trok hem van het pad af.

'Snel, klim in die boom,' siste ze, en duwde hem voor zich uit.

'Ja, maar...' begon Matthias.

'Als je leven je lief is, doe dan wat ik zeg!' beet Kaya hem toe.

Even later verscheen een stoet soldaten te paard om de bocht van het pad. De aanvoerder keek strak voor zich uit, maar de andere ruiters loerden speurend om zich heen. Matthias zag hun ogen oplichten achter de zwartleren maskers. Hij trilde van angst en klemde zijn armen stijf rond de boomstam.

Pas lang nadat de stoet was verdwenen, durfde hij los te laten. Hij zag Kaya lenig uit de boom glijden.

'Zwarte Rijders!' hoorde hij haar fluisteren. 'Ik hoop dat ze allemaal door de bliksem worden getroffen!'

'Wie waren dat?' vroeg hij. Tot zijn ergernis hoorde hij dat zijn stem oversloeg, maar Kaya leek dit niet te merken.

'Zwarte Rijders,' herhaalde ze grimmig. 'Niemand weet waar

ze vandaan komen of waar ze naartoe gaan. Ze branden de huizen en boerderijen plat, en voeren de kinderen weg.'

Zonder nog iets te zeggen liep ze verder het pad af, en Matthias snelde achter haar aan. Voor geen goud wilde hij alleen achterblijven in dit akelige bos.

Hij was dan ook blij toen ze de volgende nacht eindelijk de bosrand bereikten. In de verte zag hij een groep huisjes.

'Daar ligt Laagwoude,' zei Kaya. 'Het dorp waar mijn moeder vandaan komt.'

Ze glipte langs hem heen. Vanachter een boom tuurde ze over het heuvelachtige landschap.

'Niemand te zien,' zei ze. 'Ik denk dat we het er maar op moeten wagen.'

Zonder problemen kwamen ze aan bij het slapende dorpje. Matthias volgde Kaya van schaduw naar schaduw. Bij een afgelegen huisje met gesloten luiken bleven ze staan.

Kaya klopte zachtjes op een van de panelen. Na enige tijd ging het op een kiertje, om meteen weer dicht te gaan. Kaya wenkte hem om mee te komen. Ze slopen om het huisje heen naar de voordeur.

Een vrouw in een nachtjapon met een wollen sjaal om haar schouders deed open. Snel trok ze hen naar binnen. Ze keek nog even schichtig de straat in voordat ze de deur weer sloot. Pas nadat ze alle grendels ervoor had geschoven, stak ze de kandelaar aan.

'Hemeltjelief, Kaya kindje! Wat doe jij hier op dit uur van de nacht?'

Voordat Kaya kon antwoorden, had de vrouw haar al stijf tegen zich aan gedrukt.

'Kom kinderen, jullie zijn helemaal verkleumd.'

Ze loodste hen verder de kamer in en schoof drie stoelen rond een ijzeren doos.

'Ga zitten, de stoof is nog warm, ik heb er een paar uur geleden nog gloeiende kooltjes in gedaan.'

Het was koud in het huisje. De vrouw wreef langs haar schouders.

'Ik durf de haard niet aan te steken, want ik ben bang dat het te veel opvalt als er 's nachts rook uit onze schoorsteen komt,' voegde ze er verontschuldigend aan toe.

Matthias knikte. Hij had het liever koud dan dat hij de aandacht trok van die griezelige Zwarte Rijders. Huiverend hield hij zijn handen en voeten boven de warmte.

'Is er iets gebeurd?' vroeg de vrouw bezorgd.

Kaya staarde hardnekkig naar de vloer. 'Ik ben weggegaan,' antwoordde ze bijna onhoorbaar.

'Maar kind, je weet toch dat jullie worden gezocht! De soldaten komen hier nog steeds aan de deur vragen of wij weten waar Arulf is gebleven.'

'Tante Bethilda, ik kon er niet meer tégen om onder de grond te wonen.' Kaya keek haar tante smekend aan, maar die schudde haar hoofd.

'Ik begrijp niet dat Arulf het heeft toegestaan dat je hier komt zolang het niet veilig is.'

Kaya besloot dat ze hierop beter maar geen antwoord kon geven, maar dat leek tante Bethilda niet te merken.

'Je weet dat je hier in gevaar bent. Je kunt niet bij ons blijven zolang ze nog naar jullie komen zoeken.'

Plotseling hoorden ze voetstappen. Tante Bethilda hield een vinger tegen haar lippen en wees op een kast. Geruisloos kropen Kaya en Matthias de kleine ruimte in. Gehurkt zaten ze in het donker met de armen om elkaar heen. Matthias voelde dat Kaya beefde.

Benauwd gluurde hij door een lange barst in het hout. Hij zag hoe tante Bethilda de ijzeren grendels opzijschoof. Ze keek eerst voorzichtig door een kier naar buiten. Toen ze de deur verder opendeed, kon Matthias alleen de schim van een grote man zien. Ademloos wachtte hij af wat er ging gebeuren.

'Finn! Ik ben zo blij dat je thuis bent!' hoorde hij tante Bethilda tot zijn opluchting zeggen. 'Kaya is hier,' fluisterde ze, toen ze de deur achter hem had gesloten.

'Kaya van Arulf?' klonk een bezorgde mannenstem. 'Er is toch niets ergs gebeurd?'

Kaya duwde de kast open en sprong tevoorschijn.

'Oom Finn!' riep ze uit, en vloog in zijn armen.

De grote man wankelde onder haar onverwachte begroeting. Matthias bleef verlegen in een hoek staan totdat Kaya hem naar voren trok.

'Dit is Matthias,' zei ze. 'Hij brengt me naar de Vlakte van Ebe, ik ga bij het Steppenvolk wonen in plaats van onder de grond.'

Oom Finn draaide bedenkelijk aan het uiteinde van zijn snor. Eerst leek het alsof hij haar wilde tegenspreken, maar hij scheen van gedachte te veranderen.

'Je bent groot genoeg om te weten wat je wilt,' bromde hij ten slotte. 'Ik kan het je moeilijk kwalijk nemen dat je vrij rond wilt lopen in plaats van alleen maar aarde om je heen te zien.'

Kaya vloog hem opnieuw om de hals. 'Ik wist wel dat je het zou begrijpen, lieve oom Finn!' riep ze opgewekt.

Oom Finn maakte nu voorzichtig haar handen los en keek haar ernstig aan.

'Je weet wat er voor gevaar dreigt als iemand je herkent,' zei hij ernstig. 'Als de soldaten je vinden, zullen ze je vader dwingen om zichzelf aan te geven. Ik moet er niet aan denken wat er dan met hem zal gebeuren.'

Beschaamd boog Kaya haar hoofd. 'Daar had ik niet aan gedacht,' mompelde ze.

'Morgennacht moet ik weer een lading wegbrengen met de punter,' zei oom Finn.

Hij bracht het turf dat overdag op de hei was gestoken, 's nachts over de rivier de Oosterstroom naar de stad Oostfors.

'Ik denk dat ik jullie wel onder het turf kan verschuilen tot aan Oostfors. Daar zal niemand je meer herkennen. Ten zuiden van Oostfors is een plaats waar jullie dan de Ebe kunnen oversteken.'

De volgende avond slopen Matthias en Kaya door het donker naar de rivier. Oom Finn wachtte hen al op in zijn houten boot. Hij had een paar vloerplanken losgemaakt zodat ze zich konden verbergen. Terwijl Finn zachtjes de delen weer op hun plaats teruglegde, drukten ze zich tegen de bodem. Het rook er naar teer en muffe aarde.

Ze voelden hoe de boot even later langzaam in beweging kwam. Het water klotste tegen de zijkanten.

'Matthias,' fluisterde Kaya zachtjes.

'Ja?'

'Vind jij het ook zo donker en benauwd?'

Ineens voelde Matthias een vreemde warmte in zich opkomen. Dit was eigenlijk zijn eerste echte vriendschap. Hij tastte in het donker tot hij haar hand vond en kneep erin. Ze kneep terug en hij hoorde haar zachtjes lachen.

'Volgens mij had ik nog beter onder de grond in de gangen kunnen blijven. Hier schiet geen ik fluit mee op.'

Door de spanning begon Matthias nu ook te proesten. Oom Finn begon driftig op de vloerplanken te stampen. Verschrikt hielden ze allebei hun adem in.

De punter kwam tegen de wal tot stilstand. Iemand schreeuwde bevelen, en een lading werd de boot in gekieperd. Met doffe dreunen vielen de turven boven hun hoofden, waardoor het nóg benauwder werd in hun schuilplaats.

Ineens kwam de gedachte in Matthias op dat er niet genoeg lucht was om adem te halen, en paniek maakte zich van hem meester. Hij dwong zichzelf aan leuke dingen te denken. Hij dacht aan de pannenkoeken van Miriam. Het Klaverdal. Wat was het leven daar veilig en geborgen geweest... 'De bergen zijn ook een bescherming,' had Tobias gezegd voordat ze door de tunnel voeren. De mensen in het Klaverdal waren zich van geen kwaad bewust. Met afschuw herinnerde hij zich de nacht op het Runenplateau.

Zijn gedachten werden onderbroken toen Kaya opnieuw in zijn hand kneep.

'Matthias, ik vind het wel érg benauwd zo onder al die turven.'

'Ik ook,' fluisterde hij terug. 'Het helpt als je aan leuke dingen denkt.'

Het bleef een tijdje stil.

'Ik ben blij dat we samen zijn,' hoorde hij toen tot zijn verbazing zijn eigen stem zeggen.

Hij bloosde ervan in het donker.

'Ik ook. Het spijt me dat ik je een sufferd heb genoemd.'

'Geeft niet.'

'Ik wou dat we er al waren, zou het nog ver zijn?'

Plotseling hoorden ze gestommel boven hun hoofden. Doodstil bleven ze liggen. Ze durfden niet op te kijken toen een van de planken werd losgehaald en een koude windvlaag het ruim in werd gezogen.

'Kom er maar uit, hier zal niemand jullie meer herkennen,' klonk de stem van oom Finn.

Klappertandend kropen Matthias en Kaya tevoorschijn. Hun ledematen waren verstijfd van het lange liggen en de kou.

Van oom Finn kregen ze allebei een geoliede wambuis.

'Trek dit snel aan voordat jullie kouvatten,' zei hij.

Kaya probeerde haar handen warm te blazen.

'Hoe komt het toch dat het zo koud is?' vroeg ze. 'Het is toch zomertijd?'

Oom Finn haalde zijn schouders op. 'Het lijkt wel of het steeds kouder wordt. Alsof er geen einde wil komen aan de winter dit jaar. Niemand begrijpt er iets van.' Hij wees naar de overkant van de kolkende rivier. 'Kijk daar, aan de overkant op de Vlakte van Ebe is het gewoon zomer. Alleen hier in Dragonië ijzelt het nog.' Hij trok zijn muts verder over zijn oren.

Matthias en Kaya hielpen oom Finn de blokken turf terug te leggen over de losse vloerplanken en kropen boven op de stapel.

Aan de punt van de boot bungelde een olielantaarn die een flauw schijnsel gaf. Met een lange houten stok duwde oom Finn de boot voort. Geruisloos gleden ze door de rivier.

Matthias merkte dat hij steeds slaperiger werd op de deinende beweging. Het lukte hem niet lang meer om zijn ogen open te houden.

Hij werd wakker omdat de boot onverwachts stopte. Verlegen ontdekte hij dat hij vlak tegen Kaya was aangekropen, met zijn arm om haar heen geslagen. Hij durfde zich niet te bewegen, bang om haar te wekken. De boot botste nu tegen de wal op, en Kaya schoot overeind. Ze merkte niet hoe dicht ze bij elkaar hadden gelegen.

In het schemerige ochtendlicht stonden drie zwarte grimmige figuren op de wal, die zwijgend op hen neerkeken.

Kreunend kwam Arulf overeind. Het voelde alsof iemand hem met een moker op zijn schedel sloeg. Hij keek naar de lege wijnkruiken die over de vloer verspreid lagen.

'Als zelfs de soldaten van Zafyra dit bocht te drinken krijgen, moet het wel heel slecht gesteld zijn met Dragonië,' mompelde hij bij zichzelf. 'We hadden ze beter niet van het leger kunnen roven, dan hadden we de Zwarte Rijders een gevoeliger slag toegediend.' Hij moest grijnzen om zijn eigen grap, maar het lachen verging hem meteen weer door een nieuwe pijnscheut.

Om hem heen lagen zijn mannen nog in een diepe wijnroes.

'Kaya!' brulde hij.

Verschillende rovers bewogen in hun slaap.

'Kaya, luie donder! Waar zit je?'

Terwijl hij overeind kwam, werd de pijn in zijn hoofd heviger en zijn humeur slechter. Dat nutteloze kind had nog niet eens de fakkels aangestoken. Eentje flikkerde nog zwak, maar was ook al bijna opgebrand. In het donker stommelde hij naar de kookruimte. Er gloeiden nog wat kooltjes in het vuur, maar ook hier brandde verder geen licht. Waar was die dekselse meid gebleven?

Hij greep een nieuwe fakkel en stak deze aan in de vuurresten. Kaya lag ook niet op haar brits naast de oven.

Arulf liep weer terug naar het hol, waar de rest van de rovers nu ook wakker werden. Uit het gesteun kon hij opmaken dat de wijn van de vorige avond hun ook slecht was bekomen.

'Het ziet ernaar uit dat het ontbijt nog wel even op zich zal laten wachten, mannen,' zei Arulf. 'Eerst moeten we mijn dochter zien te vinden.' Plotseling herinnerde hij zich de jongen die ze in de gangen hadden gevonden. 'Eens zien of onze aardwurm zich nuttig kan maken.'

Hij liep naar de hoek waar ze Matthias hadden achtergelaten. Met zijn fakkel scheen hij bij de vloer, maar ook van hem was geen spoor te bekennen.

'Waar kan die wurm nou heen zijn gekropen?' Zijn oog viel op de doorgesneden stukken touw. 'Wel alle donders!' brulde de roverhoofdman. Zijn stem schalde door het hol.

De rovers sprongen verschrikt op.

Arulf zwaaide met het stuk touw. 'Ze heeft hem helpen ontsnappen!'

Verslagen ging hij op de grond zitten.

'Ze zijn samen ontsnapt,' verbeterde hij zichzelf. 'Kaya is weggelopen.'

Hij wreef over zijn bloeddoorlopen ogen.

'Mannen, we moeten ze vinden voordat ze in handen van de Zwarte Rijders vallen!'

Hij verwenste de wijn van de vorige avond. Hij moest zijn gedachten klaren. Het zou een ramp zijn als ze Kaya te pakken kregen.

'Zei hij niet dat hij uit Westenrijk kwam?' vroeg Gorak. 'Misschien proberen ze daarheen te vluchten.'

De andere rovers zwegen nog versuft.

Het schoot Arulf te binnen dat de jongen een tas bij zich had gehad.

'Waar is de plunjezak van dat jong? Misschien kunnen we daarin een aanwijzing vinden.'

Hij graaide de tas uit een nis en schudde hem leeg over de vloer. Daarna stak hij zijn hand nog eens diep in de tas en woelde rond. Een klein hard voorwerp zat met een koordje vastgebonden aan de binnenbekleding. Met een ruk trok hij het los.

Het bloed trok weg uit zijn gezicht toen hij de ring herkende.

Hij keek nog eens goed naar het teken. De twee ineengevlochten driehoeken, een donkere en een lichte, met de cirkel eromheen.

'De Runenring,' fluisterde hij onthutst. 'Dezelfde ring die ik aan Malvezijn de Tovenaar heb gegeven.' Hij sloeg zich met zijn vuist tegen zijn voorhoofd. 'Arulf, je bent galgenaas,' zei hij tegen zichzelf. 'Nee, je bent niet eens de strop waard. Je verdient het om door de soldaten van Zafyra te worden gevierendeeld.'

Hij stond op en begon door het hol te ijsberen.

'Mannen,' zei hij ten slotte, 'ik zal alleen achter ze aangaan, dat trekt minder aandacht.'

'Maar baas, elke Zwarte Rijder is naar je op zoek. Er staat een hoge prijs op je hoofd.'

'Een paar maanden geleden ben ik nog tot aan slot Dragon gereisd. Toen hebben ze me ook niet te pakken gekregen.'

'Maar sinds je die tovenaar hebt helpen ontsnappen zijn de soldaten nóg heviger op zoek naar vijanden van Zafyra!'

'Ik weet het, Gorak, maar ik moet deze jongen vinden.' De anders zo woeste hoofdman sloeg zijn handen voor zijn gezicht. 'En mijn kleine Kaya...'

'Baas, laat een van óns dan achter ze aangaan. Jouw gezicht staat op plakkaten door het hele land. Ik zal gaan, mij kennen ze niet...' protesteerde Gorak.

Arulf legde zijn handen op de schouders van de andere rover.

'Gorak, je bent een trouwe vriend, maar dit moet ik zelf doen. Mannen,' sprak hij de rest toe, 'als ik niet meer terugkom, staan jullie onder bevel van Gorak. Mijn laatste order aan jullie is: maak de Zwarte Rijders het leven zo zuur als je kunt!' Met deze woorden verdween hij in een van de gangen.

Het kostte Arulf de halve dag om in een draf de bosrand te bereiken. Hoewel hij haast wilde maken, durfde hij het niet aan om bij daglicht het bos te verlaten. Ongeduldig wachtte hij in het kreupelhout tot het begon te schemeren.

Het was al behoorlijk donker toen hij het huisje van zijn schoonzuster bereikte. Met zijn rug tegen de muur gedrukt schoof hij in de schaduw naar het raam. Gelukkig hadden ze de luiken nog niet gesloten. Hij tuurde door een kiertje tussen de gordijnen. Bethilda vulde juist de kachel met kolen. Arulf wilde zachtjes op het raam kloppen, maar plotseling hoorde hij naderend gestamp van soldatenlaarzen. Snel trok hij zich weer terug in de schaduw onder het afdak.

Steeds luider werd het ritmische geluid. Een peloton van acht Zwarte Rijders kwam de hoek om. Arulf hield zijn adem in.

'Links-rechts-links-rechts!'

Arulf drukte zich tegen de muur. Ze waren hem nu bijna genaderd, maar hij kon geen kant op.

'Links-rechts en... halt!'

De groep hield stil voor een huis verderop. De sergeant gaf een harde klop met zijn vuist op de voordeur.

'Openmaken, in naam van de koningin!'

De deur ging op een kier. De sergeant trapte hem verder open en de soldaten marcheerden naar binnen.

Arulf greep zijn kans en tikte zachtjes tegen het raam. Het hoofd van Bethilda verscheen tussen de luiken.

'Arulf! Ben je helemaal krankzinnig geworden? Er zijn overal patrouilles en huiszoekingen!'

Ze opende de voordeur en trok hem vlug het huis in.

'Kom snel, voor het moment ben je hier veilig. Ze zijn hier vanavond al geweest.'

Bethilda trok de gordijnen dicht voordat ze haar zwager een stevige omhelzing gaf.

'Ik maak me voortdurend zulke zorgen om jullie,' zuchtte ze. 'Ik zal blij zijn wanneer Kaya veilig in Ebe is...'

'Dus ik heb het goed geraden,' onderbrak Arulf haar opgelucht. 'Ze is hier geweest.'

'Maar natuurlijk, ik dacht dat je dat wist...?' Bethilda herinnerde zich nu dat Kaya wel erg ontwijkend was geweest toen ze naar haar vader had gevraagd. 'Je bedoelt dat ze is weggelopen zonder jouw medeweten?' vroeg ze verbluft.

'Ik heb de laatste tijd niet zoveel aandacht aan haar besteed,' mompelde hij. 'Een beetje te veel wijn...'

Hoofdschuddend liet Bethilda zich op een stoel zakken. 'Dat arme kind, al die jaren alleen tussen die ruwe kerels zo onder de grond...' Met een boos gezicht keek ze Arulf aan. 'En dan met een zuiplap en een struikrover als vader! Als mijn zuster nog had geleefd...'

'Is die jongen nog steeds bij haar?' onderbrak Arulf haar opnieuw. 'Ik weet niet hoe hij heet, maar volgens mij had hij roodbruin haar.'

'Hij heet Matthias,' zei Bethilda kortaf.

'Ik móét ze vinden. Niet alleen Kaya, maar ook de jongen,' drong Arulf aan.

'Ik denk dat ze beter af is zonder jou en het stelletje schavuiten in dat hol.'

Arulf negeerde haar wrevelige toon en haalde de ring uit zijn binnenzak.

'Dit is het teken van Lupa de Wolfsvrouw. Zij heeft me deze ring meer dan twintig jaar geleden gegeven. Het was vlak na de grote opstand...'

Bethilda bestudeerde het teken. 'Wat heeft dat met Matthias en Kaya te maken?'

'Een paar maanden geleden hoorden we dat Malvezijn de Tovenaar gevangen was gezet. Ik heb hem geholpen naar Westenrijk te ontkomen. Om Lupa te laten weten dat ik haar niet ben vergeten, heb ik de ring aan Malvezijn meegegeven.' Hij nam de ring weer terug van Bethilda en staarde ernaar. 'Vanmorgen heb ik hem gevonden in de tas die de jongen met zich meedroeg. Dat betekent dat Malvezijn of Lupa hem heeft gestuurd.'

Hij sloeg zijn handen voor zijn gezicht. 'In plaats van hem te helpen, heb ik hem gevangengenomen. Ik heb tegenover iedereen gefaald: Malvezijn, Lupa, de jongen en Kaya… Je hebt gelijk, ik ben een waardeloze nietsnut!'

Bethilda stond op en legde haar hand op zijn schouder. 'Ik had niet zo tegen je moeten uitvallen,' zei ze verontschuldigend. 'Ze zijn samen op weg naar de Vlakte van Ebe. Ze zijn vanavond met Finn in de boot meegevaren tot Oostfors. Daar willen ze de rivier de Ebe oversteken.'

Arulf knikte en stak de ring weer in zijn zak.

'Ik weet niet waar hij naartoe gaat, maar ik moet hem helpen zijn doel te bereiken.'

Drakenbloed over de bergen

Met ontzetting zag Matthias hoe de drie Zwarte Rijders op de boot afkwamen. Hij drukte zich zo diep mogelijk in het turf en sidderde van angst. Een van hen draaide zich naar Matthias om en richtte zijn speer. Met zijn arm voor zijn gezicht kromp Matthias nog verder in elkaar.

Toen hoorde hij een schreeuw van Kaya. Ze sprong op en duwde het wapen opzij. Voordat Matthias besefte wat er gebeurde, had de man haar in het gezicht geslagen. Hij zag hoe ze achterover in het turf tuimelde.

‘Waarom dient deze jongen nog niet zijn land?’

‘Hij is mijn zoon, heer,’ hoorde hij oom Finn verzinnen. ‘Hij is bij ons gelaten omdat hij moet helpen de turf te vervoeren die als brandstof dient voor het leger.’

‘En waarom varen jullie zo stil door de nacht? Hebben jullie behalve turf soms ook geheimen te vervoeren?’

Hij boog zich voorover naar Matthias, en deze rook de geur van leer. Omdat hij bang was dat zijn trillende stem hen zou verraden, schudde Matthias alleen maar het hoofd en bleef angstig naar de bodem staren.

‘We hebben opdracht gekregen om dag en nacht turf aan te voeren, heer,’ sprak oom Finn. ‘Sinds de daling van de temperatuur is er overal een tekort aan brandstof.’

De soldaat wreef hierop in zijn handen. ‘Vertel mij wat, het wordt hier steeds kouder.’

Vlak naast hem was Kaya bewegingsloos blijven liggen, maar de man besteedde verder geen aandacht aan haar. Met zijn speer prikte hij nog eens in de turfhoop. Uiteindelijk leek hij tevreden en stapte weer op de kant.

Pas nu durfde Matthias op te kijken. Hij keek meteen naar Kaya. Tot zijn opluchting zag hij dat ze ademde. Uit haar onderlip liep een dun straaltje bloed. Matthias vond een lap en doopte die in het water van de rivier. Zodra hij de natte lap tegen haar bleke gezicht hield, sloeg zij haar ogen open.

Voorzichtig probeerde ze overeind te komen. Net als de vorige nacht in het bos zag Matthias de haat in haar ogen toen ze naar de Zwarte Rijders keek. Ze stonden tegen oom Finn te praten, die bedeesd knikte. Even later klommen de ruiters weer op hun paarden die snuivend langs de kant hadden staan wachten, en in volle galop verdwenen ze in de schemer.

Oom Finn hurkte naast Kaya neer om zich ervan te verzekeren dat alles goed met haar was. Toen hij was gerustgesteld, keek hij haar boos aan. Hoofdschuddend stond hij op en duwde met zijn stok de boot van de oever.

Kaya glimlachte even naar Matthias, maar haar gezicht vertrok meteen weer van de pijn.

'Bedankt dat je me probeerde te helpen,' zei Matthias beduusd. 'Dat was heel dapper van je.'

'Nee, dat was niet dapper, dat was dom,' antwoordde Kaya met een beschaamde blik naar oom Finn. 'Ik had ons allemaal in groot gevaar kunnen brengen door de soldaten boos te maken. Maar ik kan me gewoon niet beheersen als ik bedenk wat een ellende ze allemaal veroorzaken.'

Ineens ging ze rechtop zitten, en wees in de verte. 'Kijk, nu kun je het Drakengebergte goed zien!'

Matthias tuurde naar het zuiden en zag in de mist bergen opdoemen. Een rode gloed van de opkomende zon omhulde de pieken. Hij voelde zijn hart opgewonden kloppen. Daar vóór hem lag het doel van zijn tocht, het Drakengebergte met de Duivelspiek.

'Mooi, hè?' fluisterde Kaya. 'Dat rode schijnsel van de zon noemen ze het drakenbloed.'

Ze begon een liedje te zingen.

Als drakenbloed over de bergen vloeit,
brengt de middag de zon waar alles in bloeit.

'Dat is een Dragoniaans kinderliedje, dat zong mijn moeder vroeger. Het is de enige herinnering die ik aan haar heb, ik was pas twee toen ze overleed.'

'Maar wil je dan niet bij je vader blijven?' vroeg Matthias, al kon hij zich niet kon voorstellen waarom iemand tussen die ruwe kerels zou willen wonen.

'Wie wil er nou als een mol onder de grond leven?' zei Kaya bitter. 'Ik wil de zon kunnen zien, en vrij rondtrekken, net als de Steppenmensen.'

Peinzend staarde ze voor zich uit.

'Mijn vader wordt gezocht door de soldaten van Zafyra. Daarom moeten we ons altijd verstoppen.'

De stroming in de rivier werd nu sterker. Oom Finn hoefde zijn stok alleen nog te gebruiken om de boot op koers te houden. Steeds sneller werden ze meegevoerd.

'Ik kan hier de boot niet aanmeren,' zei oom Finn en wees op het bruisende water. 'Vanaf Oostfors moeten jullie dus weer een stuk teruglopen.'

Aan de overkant van het water zagen ze een afsplitsing.

'Dat is de rivier de Ebe. Wanneer jullie die volgen, komen jullie vanzelf bij de oversteekplaats.'

Het liep tegen de namiddag toen ze vóór zich de stad Oostfors op zagen rijzen. In het midden van de rivier kolkte en schuimde het water nu veel te veel om nog te kunnen varen. Oom Finn stuurde de boot naar de kant.

Rondom Oostfors liep een aftakking van de Oosterstroom als een ringvaart. Ze voeren tot aan een kade waar tientallen boten lagen. Overal werden goederen gelost en geladen. Vanaf de kade hielden soldaten scherp toezicht op alles wat er gebeurde, en er heerste een grimmige sfeer.

Zwijgend hielpen Kaya en Matthias met het uitladen van de turven. Het zweet gutste Matthias over zijn rug van het zware werk, en hij trok de wambuis uit. Oom Finn zou in de stad een herberg zoeken om een paar uur te slapen. Matthias en Kaya besloten meteen verder te reizen naar de Vlakte van Ebe.

Oom Finn gaf zijn nichtje een innige omhelzing, en Matthias een klop op zijn schouder.

'Pas goed op haar,' zei hij schor.

Over de brug liepen Kaya en Matthias de stad weer uit. De ijzige kou kwam hun meteen tegemoet, en Matthias had spijt dat hij de warme wambuis had achtergelaten.

Het was een verdord en onherbergzaam landschap waar ze nu in terechtkwamen. Ze zagen een verlaten boerderij, waarvan de omringende akkers waren platgebrand. De gewassen konden alleen nog als verkoolde sprieten worden herkend. De loshangende luiken klapperden in de wind. Op het erf lag een omgevallen kar waar de verf van afbladderde. Matthias zag op de veranda een half vergane lappenpop liggen, waar het strooien vulsel uitkwam. Zonder te spreken liepen ze vlug verder.

Het was al bijna donker toen ze de afsplitsing van de Ebe bereikten. Als een rij tanden staken gladde stenen in een lijn uit het water tot aan de overkant. Dit moest de oversteekplaats zijn. Ook hier kolkte en schuimde het water nog, maar veel minder dan in de Oosterstroom. Het schoot even door Matthias' hoofd dat het misschien verstandiger zou zijn om te wachten tot het weer licht was. Maar hij wilde nu niets liever dan zo snel mogelijk weg uit dit vijandige land.

Voorzichtig sprong hij op de eerste steen. De afstand tot de volgende steen was kleiner, zodat hij die met een grote stap bereikte. Na nog een paar flinke passen stond Matthias midden in de rivier op een grote gladde kei. Het water golfde rond zijn voeten, die inmiddels door zijn laarzen heen waren doorweekt.

Hij draaide zijn hoofd om te zien hoe ver Kaya was gekomen. Ze was een paar stenen achter hem en sprong moeiteloos naar de volgende. Toen ze merkte dat hij naar haar keek, zwaaide ze hem vrolijk toe en maakte een huppelpasje. Tot zijn schrik zag Matthias hoe haar voeten van de steen weggleden. Met een gil verdween ze in de schuimende rivier.

Hij bedacht zich geen moment en sprong achter haar aan. Het koude water sneed hem de adem af. Hij voelde hoe het kolkende water hem naar beneden zoog. Blindelings trapte en sloeg hij om zich heen. Van Kaya was geen spoor meer te bekennen.

Ineens zag hij een paar meter stroomopwaarts haar hoofd even boven de golven uitkomen. Wanhopig maakte hij een paar wilde armslagen in haar richting. Het zuigende gevoel aan zijn benen werd nu zwakker, en met een duik was hij vlak bij haar. Als een slappe pop met gesloten ogen werd Kaya door het water meegevoerd. Hij kon nog net haar haren grijpen, die als een waaier om haar hoofd dreven. Met een laatste krachtsinspanning lukte het om haar hoofd boven te houden. Opnieuw voelde hij hoe het water hen beiden naar beneden zoog. Hij snakte naar adem. Zijn hart bonkte in zijn keel en zijn borstkas leek uit elkaar te springen.

Matthias merkte dat hij lichter werd in zijn hoofd. Het was bijna een prettig gevoel, net of hij zweefde. De drang om eraan toe te geven werd steeds sterker. Hij sloot zijn ogen en verdween onder water.

Ergens in de verte hoorde Matthias iemand hoesten. Voorzichtig probeerde hij zijn ogen te openen. Door een klein raampje viel zonlicht op zijn gezicht. Een scherpe pijn schoot door zijn hoofd.

Langzaam draaide hij zich op zijn zij. Aan de andere kant van de kleine ruimte lag Kaya op een brits. Een gerimpelde oude vrouw legde een natte lap op haar voorhoofd. Terwijl Kaya een nieuwe hoestbui kreeg, wiegde de vrouw heen en weer op een wijsje dat ze neuriede.

Matthias keek wat verder om zich heen. Ze lagen in een kleine ruimte. De wanden waren behangen met fel geborduurde wandkleden. Ook het plafond was bespannen met een kleurig geweven stuk stof. Uit een oliebrandertje kwam een zoete geur die in zijn neusgaten prikte.

Voorzichtig hees hij zich overeind. Hij tuurde door het kleine raampje boven het bed en keek uit op een kring van vrolijk beschilderde houten woonwagens.

Hij schrok van een gerinkel achter zich. Het geluid kwam van de bellen rond de enkels van de oude vrouw, die was opgestaan. Ze legde haar knokige hand op zijn voorhoofd. Voordat Matthias iets kon zeggen knikte ze tevreden, en slofte de wagen uit.

Hij werd duizelig toen hij opstond, en stommelde naar de kant waar Kaya lag. Haar wangen waren roodgloeiend en haar hoofd bewoog rusteloos heen en weer op het kussen. Ze mompelde iets onverstaanbaars dat werd onderbroken door een blaffende hoestaanval.

Voorzichtig schudde hij haar heen en weer.

'Kaya,' riep hij zachtjes, maar er kwam geen reactie. 'Kaya,' herhaalde hij nu dringend en probeerde haar overeind te trekken.

'Maak je geen zorgen, jonge vriend,' hoorde hij een diepe basstem achter zich zeggen. 'Volgens moedertje Baboeska komt het weer helemaal goed met je vriendinnetje.'

Met een ruk draaide Matthias zich om.

In de deuropening stond een grote bebaarde man met borstelige wenkbrauwen boven een vriendelijk gezicht. Hij hield zijn armen over zijn geborduurde hemd gevouwen en zijn hoge leren laarzen glommen in het binnenvallende zonlicht.

'Waar zijn we... Wie bent u?' stamelde Matthias.

'Jullie zijn op de Vlakte van Ebe. Wij zijn het Steppenvolk,' antwoordde de man beide vragen achter elkaar.

'Ik, Ursus de Berenjager, heb jullie als twee verzopen kattenjongen uit de rivier gevist. Jullie waren er bijna geweest.'

'Dank u wel,' mompelde Matthias verlegen.

'Ik denk dat je vriendinnetje jou óók wel mag bedanken. Ze zou zijn verdronken als jij haar hoofd niet boven water had gehouden.'

'Hoe gaat het met haar?' vroeg hij bezorgd.

'Moedertje Baboeska zegt dat ze een ontsteking op de longen heeft. Maar met een paar dagen rust en haar kruidendrank wordt ze weer helemaal de oude.' Hij glimlachte vol vertrouwen. 'Maak je dus maar geen zorgen, want moedertje heeft altijd gelijk,' voegde hij eraan toe.

Baboeska glipte langs hem de wagen binnen en zette een beker aan de mond van Kaya. Zonder wakker te worden trok ze een vies gezicht.

Met een tandeloze grijns knikte het oude vrouwtje Matthias toe. Hij wilde haar bedanken maar Ursus sloeg een arm om zijn schouders.

'Kom jongen, moedertje kun je beter alleen laten wanneer ze aan het werk is. Bovendien dachten we dat je wel honger zou hebben wanneer je wakker werd.'

Matthias was vergeten dat hij al een hele tijd niet had gegeten. Hij volgde Ursus naar buiten en ze stapten in de kring van wagens.

Het was er gezellig druk. Kleine kinderen renden op blote voeten tussen de wagens door. Een oude man speelde op een viool terwijl om hem heen de vrouwen bezig waren rondom een grote vuurplaats. Een stuk vlees hing sissend aan het spit. Op de hete stenen lagen grote platte broden te bakken.

'Die beer was bijna ontsnapt toen ik naar jullie moest vissen,' zei Ursus met een knik naar het gebraad. 'Gelukkig was Ursus slimmer dan de beer.'

Een andere groep vrouwen had het grote berenvel opgehangen, en schraapte het schoon met scherpe stenen. Het vet werd in stenen kruiken gestopt, en boven het vuur gesmolten door de oudere kinderen.

In een veldje naast de woonwagens was een aantal mannen bezig met het africhten van jonge paarden. Met open mond keek Matthias toe hoe een van hen met een paard meerende. Hij greep het dier bij de manen en sprong in volle galop op zijn rug. Een paar Steppenmeisjes klapten in hun handen en de andere mannen joelden.

Op de trap van een grote woonwagen zat een jonge vrouw te borduren.

'Dit is Natalja, mijn vrouw,' zei Ursus trots, en wilde haar omhelzen.

Maar Natalja sprong langs de beteuterde Ursus en sloeg haar armen om Matthias heen.

'Ach jongen, wat ben ik blij je uit bed te zien. Jullie hebben ons zo laten schrikken,' riep ze uit. 'En dan te bedenken dat we gisteren nauwelijks een zuchtje adem uit jullie konden krijgen. Soms denk ik echt dat moedertje Baboeska kan toveren. Ze zegt dat het met je vriendinnetje ook weer goed gaat. Die was er helemáál slecht aan toe.' Ze hield Matthias op armlengte en keek hem blij aan. 'Ach, wat ben ik toch weer aan het babbelen! Ik kan zien dat je vergaat van de honger, zoals moedertje had voorspeld.'

Even later had Natalja een tafel buiten naast de wagen gedekt met verschillende schalen en kommen. Er waren bonen in een kruidige tomatensaus, gevulde rapen en rode pepers. Als een hongerige wolf viel Matthias aan. Ursus pakte een stoel en kwam tegenover hem aan de houten tafel zitten.

'Zo,' begon hij, terwijl hij zich een kroes wijn inschonk uit een stenen kan. 'Nu moet je ons toch echt eens vertellen hoe twee van die kleine kikkervisjes in onze Ebe terecht zijn gekomen.'

Matthias slikte zijn hap door, en zoog op een schijfje ui. Dit gaf hem even tijd om een antwoord te bedenken. Malvezijn had hem op het hart gedrukt om aan niemand het doel van zijn tocht te vertellen.

'Kaya wil graag bij jullie komen wonen,' zei hij daarom maar. 'Ik heb beloofd om haar hiernaartoe te brengen.'

Ursus staarde peinzend voor zich uit.

'We hebben gehoord wat er zich allemaal afspeelt in de rest van Dragonië,' sprak hij uiteindelijk. 'We vinden het verschrikkelijk. Door ons vredesverdrag met de koninklijke familie mogen we ons nergens mee bemoeien. Moedertje Baboeska heeft je vriendinnetje horen praten tijdens haar koortsaanvallen. Ze vertelde dat ze op de vlucht is voor de Zwarte Rijders en verstopt onder de grond moet wonen.'

Matthias keek hem verschrikt aan toen hij bedacht in wat voor gevaar Kaya hen had kunnen brengen. Ursus zag zijn gezicht en glimlachte hem weer geruststellend toe.

'Maak je geen zorgen,' sprak hij. 'We hebben weliswaar een vredesverdrag, maar we zijn geen bondgenoten van de koningin. Daarom heeft onze raad besloten dat jullie voorlopig mogen blijven. Tijdens de Grote Bijeenkomst die we ieder jaar houden, kunnen we dan koning Pawel officieel om toestemming vragen.'

Matthias keek langs Ursus heen naar de bergen. In de verte zag hij de Duivelspiek. Nu hij wist dat Kaya veilig was, wilde hij geen tijd meer verliezen. Hij moest zo snel mogelijk verder reizen naar Emu om de Steen van Kennis en Wijsheid te vinden.

Die avond zou hij stiekem wegsluipen om het laatste deel van zijn tocht alleen af te leggen. Het speet hem dat hij geen afscheid van Kaya kon nemen, maar ze zou dan zeker willen weten waar hij naartoe ging. Bovendien moest hij er niet aan dénken om afscheid van haar te moeten nemen, misschien wel voor altijd.

Op het Runenplateau

Het was niet de eerste keer dat een volle maan voorbijging zonder dat Alchior het Runenplateau opzocht. Soms raakte hij zó in de ban van zijn proeven dat hij de tijd volkomen vergat. Daarom had Lupa er niet lang bij stilgestaan toen hij de vorige maand niet was gekomen.

Duisternis viel over het Veen. De bleke maan was al tussen de bomen te zien, en grijze wolken trokken slierten langs de volmaakt ronde bol.

Maar van Alchior was nog geen spoor te bekennen.

Malvezijn had Lupa laten weten dat Matthias uit het klooster van Serti was vertrokken. Dat moest nu een week geleden zijn. De tovenaar had hem voor het laatst gezien vlak bij De midborgh, waar hij zou proberen de grens over te steken. Niemand van het Genootschap wist of het hem daadwerkelijk was gelukt om Dragonië in te komen. Ze wisten niet eens of hij leefde of dood was.

Lupa huiverde in de warme nacht. Daar wilde ze niet aan denken. Ze probeerde al haar aandacht te bundelen voor het moment dat de maan haar eerste kwartier had doorlopen. Om zich op de stenen te kunnen concentreren, moest ze zich helemaal leegmaken. Ze sloot haar ogen en probeerde alle gedachten en gevoelens uit te bannen. Maar de vragen bleven zich aan haar opdringen. Waar kon Alchior toch zijn gebleven?

Was hem iets overkomen?

Ze kon nu niet meer ophouden met piekeren. Haar gedachten gingen terug naar de laatste keer dat ze hem had gezien. De vollemaansnacht van twee maanden geleden. Het schoot haar te binnen dat ze een ongewone onrust in hem had waargenomen. Allebei waren ze geschrokken van de uitwerking die de stenen op Matthias hadden. Maar bij Alchior was er nog iets anders geweest. Lupa was zó met haar aandacht bij Matthias geweest dat ze nauwelijks op hem had gelet. Ze probeerde zich te herinneren wat ze in hem had gevoeld.

Het was pure angst, besefte ze nu, bijna zoals Matthias die zelf had gevoeld.

Een nieuwe, verschrikkelijke vraag kwam in haar op: kon hij zó in de war zijn geweest dat hij in het Veen een misstap had gemaakt?

Ze schrok op en keek naar de hemel. De maan had al bijna haar hoogste punt bereikt. Ze kon niet langer meer wachten. Maar de drang om de stenen te werpen bleef dit keer weg.

De maan stond nu pal boven het Runenplateau. Lupa schudde de stenen in haar handen en wierp. Ze hield haar ogen dicht totdat ze alle twaalf tot stilstand waren gekomen.

Toen keek ze naar de offerplaats.

Twaalf ogenschijnlijk doodnormale kiezels lagen in een cirkel.

Plotseling trok een ijzige kou over het Runenplateau. Lupa trok haar omslagdoek dichter om haar schouders. Ze tuurde naar de bomen in het Veen. Het was volkomen windstil. Geen blaadje bewoog in het maanlicht.

Ze keek opnieuw naar de runenstenen. Verbeelde ze het zich of hing er een groene gloed over de offerplaats?

Groen licht en kou...

Lupa probeerde zich te herinneren waar ze dit eerder had gehoord. Had Matthias niet zoiets gezegd na zijn nacht in Het Tolhuys? Hij had haar toen verteld over de Dolle van Tolle. Die had gesproken van een groen vuur. Een groen vuur dat alle warmte opslokte.

'Groen licht en groen vuur,' sprak Lupa hardop in de nacht. 'En kou...'

Ze keek nog eens goed naar de stenen. Geen enkele gaf de bekende heldere gloed af, maar het groene schijnsel was nu wel duidelijk te zien.

Lupa rilde in de kou en stond op.

Voor de tweede maal in vijftien jaar verliet ze het Veen.

De Duivelspiek

Toen Matthias de voet van de Duivelspiek bereikte, zag hij het drakenbloed al opkomen. Vol goede moed begon hij aan de klim.

In het begin was het pad makkelijk te volgen. Hij had dan ook al een paar uur gelopen toen hij besloot om even te rusten.

De zon stond nu hoog aan de hemel en hij begon het warm te krijgen. Het was inmiddels een stuk steiler geworden, en het kostte hem moeite om naar boven te lopen. Even verder was er nauwelijks meer sprake van een pad. Hij vroeg zich af of hij ergens een afslag had gemist. Misschien was het verstandiger terug te keren om er zeker van te zijn dat hij niet verkeerd was gelopen. Maar hij vond het ook zonde om weer helemaal naar beneden te gaan.

Matthias nam een flinke slok uit de veldfles die hij uit de wagen van Ursus had meegenomen. Hij suste zijn geweten hierover met de gedachte hoe belangrijk het voor iedereen was dat hij zijn opdracht volbracht. Hoewel hij al een heel eind geklommen had, torende de berg nog duizelingwekkend hoog boven hem uit. Nu hij stilzat, merkte hij ook dat zijn linkervoet zeer deed. Onder zijn hiel ontdekte hij een grote blaar. Met een reep stof van zijn hemd verbond hij de voet zo goed als hij kon en zette zijn tocht voort.

De hitte werd steeds drukkender. Zijn gezicht begon branderig aan te voelen, zodat hij het nóg warmer kreeg. Hij had er nu spijt van dat hij niet ook een hoed of andere bescherming tegen de zon had meegenomen.

Als hij niet snel water tegenkwam, zou hij algauw door zijn drinkvoorraad heen zijn. Hij had verwacht dat er beekjes zouden stromen, zoals in de bergen rond het Klaverdal. Maar hij had nog geen stroompje water gezien, en begon zich zorgen te maken.

De zon stond inmiddels vol op de bergwand. Nergens was nog een stukje schaduw te bekennen om even te schuilen. Matthias besloot dat het maar het beste was om stevig door te lopen. Bovendien was hij bang om in het donker verder te moeten zonder te kunnen zien waar hij zijn voeten neerzette. Met zijn tong likte hij langs zijn lippen, die ruw en droog aanvoelden. Zolang hij geen water vond, durfde hij geen slok meer uit zijn fles te nemen. Zijn neus begon geweldig te schrijnen en zijn ogen voelden gezwollen aan. De dorst werd steeds ondraaglijker en zijn tong was net een lap leer. Als hij het écht niet meer volhield, nam hij een piepklein slokje water en liet dit zo lang mogelijk door zijn mond spoelen voordat hij het doorslikte.

Hij kon niet besluiten of hij langzamer moest lopen om zijn krachten te sparen, of juist vlugger in de hoop zo snel mogelijk een beekje tegen te komen. Zijn voet begon steeds meer te kloppen maar hij strompelde gewoon door. De pijn viel in het niets bij zijn allesoverheersende dorst.

Toen hij zijn laatste slok water had genomen, begon hij ook nog duizelig te worden. Hij vroeg zich af of hij toch niet beter terug kon keren, maar hij wist dat er op de weg naar beneden zéker geen water zou zijn. In de verte zag hij een paar wolkjes aan de hemel en hij hoopte vurig dat het zou regenen. Anders zouden ze misschien een moment van schaduw geven. Zijn lippen waren gebarsten terwijl zijn tong te droog was om die er nog langs te kunnen halen. Hij tolde op zijn benen. Als hij nu niet snel water en schaduw vond, zou het zijn einde betekenen.

Toen zag hij een overhangende rotspunt. Op handen en knieën kroop hij ernaartoe. Hij had weliswaar geen water, maar hij was nu tenminste uit het felle zonlicht. Uitgeput sloot hij zijn ogen en probeerde tevergeefs niet aan drinken te denken.

Hij wist niet hoe lang hij zo had gelegen, toen hij een koude wind voelde. Hij draaide zijn brandende gezicht naar de lucht. Het was donker, en de lichte vederwolkjes van die middag hadden plaatsgemaakt voor zwartgrijze kolossen die langs de hemel joegen. De wind werd snel krachtiger, en even later voelde hij de eerste regendruppels.

Hij rolde op zijn rug en stak zijn hoofd onder de rotspunt uit. Met open mond bleef hij zo liggen. Eerst drupte het alleen op zijn uitgedroogde tong, maar algauw vormde zich een straaltje water dat van de rotspunt liep. Hij dronk totdat hij bijna niet meer kon ademen. Daarna liet hij het langs zijn verbrande gezicht stromen tot de straal te hard werd en in zijn wangen sneed.

De wind kreeg een stormachtige kracht en de regen viel als een dicht gordijn. Matthias voelde hoe het steeds kouder werd. Verkleumd rolde hij zich op onder de overhangende punt en drukte zich rillend tegen de bergwand. Een bliksemschicht schoot langs de hemel. Meteen ging de regen over in hagel. Hij had zich zo klein mogelijk gemaakt, maar een groot deel van de ijzige korrels beukte genadeloos op hem in. Matthias verborg zijn hoofd onder zijn armen en wachtte.

Alle gevoel van tijd was hij kwijt. Hij vroeg zich af of hij misschien al dood was. Om dit te testen tilde hij zijn hoofd iets op en ontdekte dat de wind was gaan liggen. Desondanks had hij het nog steeds koud. Zijn kaken klapperden alsof ze een eigen leven leidden en zijn hele lichaam schokte onbeheerst. In zijn voet voelde hij een hamerende pijn. De hiel was dik en rood geworden.

Hij hoopte dat de zon snel op zou komen. Maar voor het zover was, stopte het rillen al vanzelf. Het begon hem moeite te kosten om helder te denken. Vreemde gedachten schoten door zijn hersens. Hij wist niet of hij ze alleen maar dacht, of ook hardop uitsprak.

Zijn lichaam leek nu in brand te staan en hij voelde zich loodzwaar worden. Het was alsof hij tegen de rotsbodem gedrukt werd. Net toen hij dacht dat hij zich door de zwaarte niet meer kon bewegen, begon het hevige schokken opnieuw. Hij was te zwak om zich nog ergens tegen te verzetten. Het kon hem eigenlijk ook niet zoveel meer schelen wat er met hem gebeurde. Het beven en het zware gevoel wisselden elkaar eindeloos af.

Toen hij zijn ogen weer opsloeg, stond de zon laag over de bergen in een rode avondschemer. Naast hem had zich in een kuil een poeltje water gevormd. Matthias rolde op zijn buik om te drinken. Tot zijn opluchting zag hij dat de zwelling van zijn voet bijna helemaal was geslonken. Ook de rode verkleuring was verdwenen. Uit het poeltje vulde hij zo goed als het ging zijn veldfles. Voordat het te donker werd, wilde hij proberen om nog een stuk te klimmen. Het kon nu niet ver meer zijn naar Emu. Deze gedachte gaf hem nieuwe moed.

Toen hij onder de rotspunt vandaan kroop, ontdekte hij dat de regen wat er aan pad was, had weggeslagen. Hij klampte zich vast aan het uitsteeksel, en schuifelde voetje voor voetje verder. Gelukkig liep het pad boven de punt nog wél door. De bergwand was aan weerskanten glad afgesleten. Om weer op het pad te komen, zou hij over de rotspunt heen moeten klimmen. Met zijn hand tastte hij naar een uitstekend stuk steen. Toen hij zich ervan had overtuigd dat dit stevig vastzat, trok hij zich omhoog. Zijn voet vond een inham om zich in af te zetten. Terwijl hij verder omhoog schoof, schaafde zijn buik tegen de ruwe ondergrond. Hij durfde niet naar beneden in de diepte te kijken. Omdat hij nog zo zwak was, kostte het enorm veel inspanning om zich op te hijsen. Met zijn tanden op elkaar klauterde hij verbeten verder.

Plotseling verloor zijn voet het steunpunt. Stukken steen ketsten langs de helling naar beneden. Hij zocht een nieuwe ondergrond, maar vond er geen. Het zweet brak hem uit. Hij kon nu ook niet meer terug en reikte wanhopig met zijn hand naar een overhangende tak. Pas bij de derde poging lukte het hem die te pakken te krijgen. Ook zijn andere arm wist hij om de tak te klemmen. Hij had geen kracht meer om zich aan zijn armen op te trekken, en probeerde met zijn voeten omhoog te lopen. De rotspunt begon nu te brokkelen onder zijn gewicht, en zijn voeten vonden steeds minder houvast op de gladde bergwand. Ieder moment zou hij in de diepte storten.

Wanhopig zoog hij zijn longen vol en riep zo hard als hij kon: 'Emu, als je me kunt horen, help me dan alsjeblieft!'

Vlak voordat alles zwart voor zijn ogen werd, zag hij een breed hoofd boven de rots verschijnen.

Voorzichtig richtte Matthias zich op van het strobed. Op zijn gezicht zat een dikke laag stinkende zalf en zijn linkervoet was vers verbonden. Hij lag in een grot waar blijkbaar iemand woonde. In een hoek brandde een vuur waar aardewerken kookpotten en kruiken omheen lagen. Verder zag hij rollen perkament en in een potje met inkt stond een ganzenveer. Een stoel of een tafel waren niet te bekennen. De bewoner moest op de grond hebben zitten schrijven.

'Zo, je bent dan toch eindelijk wakker geworden.'

In de opening van de grot stond een klein gedrongen mannetje. Zijn leeftijd kon Matthias onmogelijk raden.

Zijn gezicht was gerimpeld en verweerd als van een heel oude man, maar zijn kleine oogjes straalden van pret zoals bij een kind. Hij had wijduitstaande oren waaruit wat toefjes haar staken en een grote platte neus.

Matthias probeerde iets terug te zeggen maar kon alleen een hees gekraak uitbrengen. Zijn gastheer glimlachte begrijpend en reikte hem een kruik met water aan.

'Ik dacht wel dat je dorst zou hebben, je hebt drie dagen geslapen.'

Matthias zette de kruik aan zijn mond en dronk gulzig.

'Drie dagen?' vroeg hij ongelovig toen hij zijn stem weer terug had.

Hij sloot zijn ogen en de herinneringen aan de vreselijke klim kwamen weer boven. Ineens schoot hij overeind. De steen! Hij moest Emu vinden, en de Steen van Kennis en Wijsheid!

'Ben jij Emu?' vroeg hij hoopvol.

'Jazeker.'

Voordat de verbaasde Matthias verder iets kon vragen, drentelde het mannetje weer naar buiten.

Matthias probeerde op te staan, maar zijn benen voelden aan als ongebakken deeg. Met opgetrokken knieën ging hij op de rand van het strobed zitten en kneep net zolang in zijn kuiten tot er weer gevoel in kwam. Langzaam kwam hij overeind. Hij moest zich even staande houden tegen de wand van de grot.

Bij de uitgang werd hij verblind door het plotselinge felle daglicht. Met zijn handen voor zijn gezicht liep hij verder naar buiten.

'Emu!' riep hij. Maar het enige antwoord was de echo van zijn eigen stem.

Voorzichtig liep hij verder het pad af. Steeds moest hij na een paar meter stoppen om weer op adem te komen. Hij leunde tegen de rotswand.

Hier en daar lagen lapjes sneeuw tussen de rotsspleten, maar in het zonlicht was het warm. Het zweet liep al snel langs zijn rug van de inspanning.

Het stenige pad leidde hem twee bochten om, en daar zag hij Emu. Met zijn kromme beentjes als een krakeling onder zich gevouwen zat hij roerloos boven op een stapel rotsblokken en stenen. Zijn ogen waren gesloten alsof hij sliep, en zijn handen lagen losjes op zijn knieën.

'Emu!' riep Matthias nog een keer, maar hij kreeg weer geen

antwoord. Uitgeput ging hij op een rotsblok tegenover het vreemde mannetje zitten.

Plotseling sloeg Emu zijn ogen open. Matthias schrok van de onverwachte beweging. Het mannetje richtte nu zijn blik op Matthias.

'Ik heb in mijn leven al zo veel meegemaakt, dat ik heb gekozen voor de rust van deze afgelegen en bijna onbereikbare plek om in mezelf te kijken en na te denken,' zei hij. 'Maar wat brengt jóú naar de top van de Duivelspiek?'

'Emu, heb jij de steen? Ik ben gekomen om de Steen van Kennis en Wijsheid te zoeken.'

'Steen?' vroeg Emu. 'Ben je helemaal hiernaartoe gekomen voor een stéén?'

Matthias geloofde zijn oren niet. 'Ik moest jou vinden en vragen om de Steen van Kennis en Wijsheid,' herhaalde hij bedremmeld.

'Nou, goed dan,' zei Emu vrolijk. Met een verbazingwekkende lenigheid sprong hij van de stapel rotsblokken. Hij krabde zich eens achter zijn oor, en keek zoekend om zich heen.

'Ah!' riep hij uit. 'Dat vind ik wel een mooie.' Hij bukte en raapte een puntig stuk rots op waar een gemarmerde nerf doorheen liep.

Matthias was te verbluft om een woord uit te kunnen brengen.

'Mmm...' peinsde Emu. 'Zo te zien vind jij hem niet erg bijzonder.' Hij gooide de steen over zijn schouder en dribbelde weg achter een uitsteeksel van de bergwand. Matthias kon hem in zichzelf horen murmelen. Ineens sprong hij weer tevoorschijn.

'Kijk!' riep hij enthousiast. Hij hield een gladde kei onder Matthias' neus. 'Deze is bijna helemaal rond als een bal, of deze...' Hij opende zijn andere hand waarin een platte stenen schijf lag. 'Deze is zo plat als een koek! Ik heb alle soorten stenen hier, wát je maar wilt.'

Met zijn hoofd scheef bleef hij voor Matthias staan en keek hem onderzoekend aan.

'Hoevéél stenen wil je eigenlijk hebben?' vroeg Emu. 'Misschien wil je ze wel allemaal, en dan heb ik niets meer om op te zitten,' voegde hij er ongerust aan toe.

Hield Emu hem nu voor de gek?

Woedend sprong Matthias op. 'Wil je zeggen dat je hem niet hebt?' riep hij stampvoetend. 'Is deze hele tocht dan voor niets geweest?' Tranen prikten in zijn ogen van frustratie.

Emu bleef rustig staan en wiebelde zijn hoofd heen en weer.

'Voor niets? Dát heb ik niet gezegd. Is de Matthias die hier voor me staat dezelfde als de Matthias die vertrok uit het Klaverdal?'

Matthias dacht aan het Klaverdal. Wat leek dat ver weg! Hoe lang was het nu geleden, die nacht waarin hij samen met Tobias was vertrokken? Het leek wel jaren geleden, maar er waren pas drie maanden voorbij. Hij vroeg zich af hoe het met zijn ouders ging. Die dachten dat hij veilig bij oom Clovis in het Dennendal logeerde. Zijn vader en moeder hadden hem eigenlijk nog te jong gevonden om daarheen te reizen. Hij moest bijna weer lachen. Ze zouden hem nu eens moeten zien!

'Ik heb natuurlijk veel geleerd...' begon hij aarzelend.

'Juist!' onderbrak Emu hem. 'Waar dacht je dán dat kennis vandaan kwam? Dacht je echt dat je kennis kon krijgen uit een stéén? Pah, stel je voor!' Hij spuugde de woorden bijna uit van verontwaardiging.

'Ja, maar...' stotterde Matthias.

Emu boog zich voorover en prikte met zijn vinger naar Matthias. 'Kennis krijg je door ervaringen op te doen en daarvan te leren,' zei hij nadrukkelijk. 'Er is geen enkele andere manier. Tijdens je reis van het Klaverdal naar hier heb je ervaringen opgedaan en nieuwe dingen geleerd, dát is kennis.'

Teleurgesteld zonk Matthias weer neer op het rotsblok. 'Dus

er bestaat geen Steen van Kennis en Wijsheid,' fluisterde hij zacht.

'Dat maakt niet uit,' antwoordde Emu. 'Van mij mag je alle stenen zo noemen, of misschien is deze hele berg wel de Steen van Kennis en Wijsheid, of de hele aardbol als je wilt.'

Ineens werd het Matthias duidelijk. 'Dus het ging om de réís hiernaartoe,' sprak hij zacht. 'Ik moest deze reis maken om ervan te leren.'

Emu wiebelde goedkeurend met zijn hoofd.

'En wijsheid?' vroeg Matthias teleurgesteld. 'Malvezijn heeft gezegd dat ik Kennis én Wijsheid nodig heb om te leren toveren.'

'Wijsheid?' Emu keek hem peinzend aan. 'Wijsheid kost meer tijd.'

'Maar ik héb geen tijd,' zei Matthias wanhopig. 'Ik moet snel leren toveren om Zafyra tegen te houden!'

'Je kunt een man een hamer geven. Je kunt hem vertellen hoe hij moet timmeren. Dat kost allemaal weinig tijd. Maar voordat hij de spijker op de kop slaat...' Opnieuw wiebelde Emu met zijn hoofd. 'Daarvoor is gedúld nodig.'

'Maar Malvezijn heeft gezegd dat ik zonder Wijsheid het verschil tussen goed en slecht niet kan bepalen,' ging Matthias verder. 'En als ik dat niet weet, mag ik ook niet leren toveren!'

'Hmm...' mijmerde Emu. 'Dat is een lastige. Vooral omdat het verschil tussen goed en slecht vaak niet zo groot is als je denkt.'

Matthias zuchtte diep. Wáárom moest iedereen de hele tijd in dit soort vreemde raadsels spreken?

Emu leek zijn stemming niet te merken en ging onverstoorbaar verder. 'Iets kan goed zijn in één situatie, en tegelijkertijd slecht op een ander moment.' Hij pakte weer de platte steen op van de rotsige grond. 'Wat je wél van stenen kunt leren, is geduld. Jonge mensen denken altijd dat ze geen tijd hebben voor geduld.'

Emu staarde nadenkend naar het gladde oppervlak van de steen in zijn hand. 'Ik wacht al meer dan vijftien jaar op je komst naar de Duivelspiek. Ik kon je komst niet versnellen. Wanneer je iets niet kunt veranderen, kun je beter aanvaarden dat je niets kunt doen. Dan kan geduld je veel leed besparen en brengt het je rust.'

Hij draaide de steen nu om, en Matthias zag dat de onderkant ruw en lelijk was.

'Maar in een situatie waarin iets moet worden gedaan dat je wél kunt, kan hetzelfde schone geduld ineens tot akelige luiheid worden.'

Hij keerde de gladde steen nu om en om.

'Berusten en geduld, uitstellen en luiheid. Twee kanten van hetzelfde gedrag.'

Hij hupte nu om Matthias heen terwijl hij de steen om en om draaide. Het leek bijna alsof hij het refrein van een liedje zong.

'Rust en luiheid.'

'Zuinigheid en gierigheid.'

'Helpen en bemoeien.'

'Om raad vragen en klagen.'

Hij gooide de steen nu naar Matthias die hem nog net kon opvangen.

'Een mooie en een lelijke kant van hetzelfde gedrag.'

'En hoe zit het dan met écht slechte dingen?' vroeg Matthias. 'Gedrag zoals kwaadheid, heeft dat een goede kant?'

'Natuurlijk, als het maar in de juiste situatie wordt gebruikt. Je kunt kwaadheid gebruiken om anderen bang te maken of te onderdrukken' – hij friemelde even nadenkend aan het toefje haar in zijn oor – 'of ermee opkomen tegen iets dat je verkeerd vindt. Soms kan het zelfs slecht zijn om níét kwaad te worden.'

'Zoals op Zafyra,' mompelde Matthias. Een rilling liep over zijn rug.

Een boosaardig plan

Minachtend keek Zafyra neer op de magere man die nederig voor haar over de vloer kroop.

'Hoogheid...'

'Wacht tot ik toestemming geef om te spreken!'

De man kromp in elkaar.

'Als je leven je lief is, heb je hopelijk een goede reden om mijn kostbare tijd te verspillen. Spreek!'

'Hoogheid, ik heb belangrijke informatie over de jongen die u zoekt.'

De koningin veerde overeind uit haar stoel. 'Wat voor informatie?' vroeg ze scherp.

'Ik weet wie hij is en waar hij naartoe gaat...'

'Vertel verder!'

Het lukte de koningin niet helemaal om haar opwinding te verbergen. De man waagde het om op te kijken en iets overeind te komen.

'Hoogheid, ik zou graag een kleine wederdienst vragen voor deze informatie...' mompelde hij schuchter.

'Je waagt het om met mij te onderhandelen?'

Ze hief haar hand op, en de man viel achterover terug op de vloer. Hij voelde hoe hem de adem langzaam werd afgeknepen, en bracht zijn handen naar zijn keel. Zijn gezicht werd blauw en zijn ogen puilden uit de kassen.

'Genade,' rochelde hij.

Zafyra kwam weer bij haar zinnen. Als hij werkelijk wist waar die jongen was, en vooral wíé hij was, kon zijn informatie van grote waarde zijn. Voor het moment kon ze hem beter in leven houden.

Ze bracht haar hand omlaag, en de man hapte naar adem. Hoestend kwam hij overeind en de kleur kwam terug in zijn gezicht.

'Vertel me wat je wenst!'

Met een begerige blik noemde de man zijn prijs.

Zafyra voelde opnieuw een opwelling van woede. Hoe durfde die kruipende wurm dát te vragen, wie dacht hij wel niet dat hij was? Met een uiterste krachtsinspanning wist ze haar drift te beheersen. Nóg had ze de man misschien nodig.

'Wanneer je informatie inderdaad zo belangrijk is als je zegt zul je je beloning krijgen,' sprak ze daarom. 'Maar als je me bedriegt, wacht je een langzame en pijnlijke dood.'

Hakkelend begon de man te vertellen.

Zafyra luisterde met rijzende afschuw. Het nieuws overtrof haar stoutste verwachtingen. Ze moest haar nagels in haar handpalmen drukken om het niet uit te schreeuwen.

Toen de man zijn verhaal had gedaan, wachtte hij sidderend op haar reactie, maar de koningin staarde alleen maar voor zich uit. Er ging een tijd voorbij voordat ze zich leek te realiseren dat hij nog voor haar op de vloer knielde. Met een gebaar van haar hand liet ze hem weten dat hij kon vertrekken.

Voordat hij achterwaarts de troonzaal uit kroop, zag hij hoe haar nagels bloedsporen in haar handen hadden achtergelaten.

Nadat de deur achter de man was dichtgeslagen, bleef Zafyra nog enige tijd als versteend staan. Hoe had ze zich zó kunnen vergissen, en zich jarenlang in de luren laten leggen door die doortrapte oude tovenaar! Waarom had ze hem niet vernietigd toen hij nog in haar macht was? Haar vader had gelijk gehad om nooit genade te tonen voor vijanden. Nu zou Malvezijn al haar zorgvuldig gemaakte plannen in de war sturen.

Razernij schoot als een vlam door haar heen. Ze greep een aardewerken beker van de tafel en smeet deze tegen de muur aan scherven. Als helderrood bloed liep de wijn langs de wand naar beneden. Zafyra gaf een driftige ruk aan het schellenkoord en liet een van haar generaals komen.

'Neem zo veel van mijn Zwarte Rijders als je nodig hebt en zoek het hele land af naar Malvezijn de Tovenaar.'

De man boog diep en wilde de zaal weer verlaten.

'Nog één ding.'

'Jawel, Hoogheid?'

'Als je er niet in slaagt om hem binnen zeven dagen dood of levend bij me te brengen, zul je zelf worden onthoofd.'

De man verbleekte en het zweet parelde op zijn voorhoofd.

'Z... zeker, Majesteit,' stamelde hij.

Piekerend zette Zafyra zich op haar troon. Waarschijnlijk had Malvezijn het land al lang verlaten. Dat ze daardoor de generaal al bij voorbaat ter dood had veroordeeld kon haar weinig schelen. Belangrijker zaken eisten haar aandacht op. Ze moest nu eerst een manier bedenken om de informatie van de magere man in haar voordeel te keren. Opnieuw ontbood ze hem in haar troonzaal.

'Je vertelde dat de jongen uit Westenrijk komt.'

'Dat klopt, Majesteit,' mompelde de man eerbiedig. 'Hij was in het klooster van Serti, met Malvezijn.'

Zafyra knikte. Haar vermoeden dat de tovenaar al in Westenrijk was, klopte dus.

'En weet je ook wat zijn volgende doel is?' vroeg ze.

'Ik hoorde Lupa tegen Malvezijn zeggen dat de jongen naar de Vlakte van Ebe moet om daar de Duivelspiek te beklimmen.'

Zafyra vloekte binnensmonds. De Vlakte van Ebe was juist de enige plaats waar ze geen soldaten naartoe kon sturen. Ze drukte haar vingertoppen tegen elkaar en staarde naar het plafond. Langzaam rijpte in haar hoofd een plan.

De man deinsde terug van de valse glinstering in haar ogen. Hij kreeg bijna spijt dat hij was gekomen.

'Kom nader, beste man,' wenkte ze haar bezoeker. 'Voor de hoge prijs die ik je zal betalen zul je me nog één dienst moeten bewijzen.'

Ze merkte niet hoe een van de gordijnen bewoog toen ze haar plan uiteenzette. Tamara, het meisje zonder tong, had gehoord wat ze weten wilde. Zachtjes glipte ze door het open raam naar buiten. Voetje voor voetje schuifelde ze langs de richel naar het volgende kozijn, en met een zacht plofje belandde ze in de eetzaal. Het onaangeroerde middagmaal van de koningin stond nog op tafel. Tamara haalde haar schouders op en begon de koud geworden gerechten op een dienblad te stapelen. Met haar rug duwde ze de deur open, en glimlachte vriendelijk naar de twee soldaten die aan de andere kant de wacht hielden.

Bijna alle kasteelbewoners kenden het meisje en het afschuwelijke lot dat haar deel was geworden. Niemand begreep waarom ze het kasteel niet had verlaten nadat Zafyra haar stem zo wreed had weggenomen. Maar voor Tamara waren er twee belangrijke redenen om te blijven.

Als kamermeisje had ze vrijwel tot het hele kasteel ongehinderd toegang. Ze had ontdekt dat iedereen veel loslippiger was geworden nu ze zelf niet meer kon spreken. Nog steeds kon ze alleen maar onbegrijpelijke klanken uitstoten. Misschien dachten ze daarom wel dat ze met haar stem ook een deel van haar verstand had verloren. Of wellicht waren de mensen in haar omgeving minder op hun hoede omdat ze wisten dat ze toch niets verder kon vertellen. Hoe dan ook, Tamara begreep hoe belangrijk de informatie was die ze de afgelopen weken had verzameld. En nu wist ze eindelijk ook wat ze ermee moest doen. Als ze geluk had, zouden ook de grenswachters denken dat ze een beetje halfzacht was. Mensen met een gebrek waren ze in Dragonië tegenwoordig liever kwijt dan rijk.

De tweede reden bevond zich ver onder het kasteel. Zodra ze haar dienblad in de keukens had afgeleverd, begon ze aan de afdaling langs de stenen trappen en de vochtige gangen.

Ten slotte kroop ze door een gat hoog in de rotswand. Met een huivering dacht ze eraan terug hoe ze deze doorgang had gevonden.

Tijdens haar eerste zoektocht had ze ontdekt wat er allemaal in deze onderaardse gangen werd uitgevoerd. Verbluft door de geheimzinnige bedrijvigheid om haar heen had ze even niet opgelet. Daarom had ze de Zwarte Rijder achter zich pas opgemerkt toen zijn leren handschoen rond haar mond sloot. Het scherpe mes dat hij tegen haar hals had gedrukt had een klein litteken achtergelaten. Zonder na te denken had ze zich met beide ellebogen los geduwd. Door de onverwachte beweging had de man zijn evenwicht verloren op de glibberige ondergrond. Met een ijselijke gil was hij in de afgrond gestort. Tamara werd nog steeds misselijk wanneer ze aan de doffe klap dacht die hem had verstomd. Maar zijn schreeuw had de aandacht van de andere soldaten getrokken. Tamara had geen tijd meer genomen om over de rand te kijken. Ze was de eerste de beste gang in gesneld, die tot haar schrik dood bleek te lopen. In paniek had ze geprobeerd om dan maar omhoog te klimmen, en haar tastende vingers hadden de opening gevonden. Niet alleen had deze ontdekking haar leven gered, het bleek haar bovendien rechtstreeks te leiden naar wat ze zocht.

Voorzichtig schoof ze verder de gang in. In de verte zag ze het licht al flikkeren, en even later bereikte ze de opening. Zachtjes krabbelde ze tegen de rotswand, en het gezicht van haar tweelingbroer verscheen voor het gat.

Met een lege blik staarde hij haar aan. Tamara wist meteen dat hij haar niet meer herkende.

Ze stak haar arm door het gat, en zo bleven ze hand in hand zitten.

Die nacht werd na lange tijd weer een van de duiven van Malvezijn uit de toren losgelaten.

Bijna geruisloos fladderde het dier de donkere nacht in.

Een gevaarlijke opdracht

Matthias en Emu zaten bij de vuurplaats in de grot. In de kommen rondom hen op de vloer zaten nog resten van het eten dat Emu had gekookt. Geen van beiden had vanavond veel zin om het op te ruimen.

Emu legde zijn rimpelige hand op de schouder van Matthias.

'Je hebt me in de week dat je hier bent zo veel vragen gesteld, maar niet één keer heb je me gevraagd wat je hierna moet doen.'

Matthias boog zijn hoofd. Hij had stiekem gehoopt dat hij nog een tijd bij Emu op de berg kon blijven, veilig voor alle gevaren en voor koningin Zafyra.

'De keuze is aan jou, Matthias. Maar je kunt je lot niet ontlopen. Je kunt het gevaar niet uit de weg gaan.'

'Maar ik ben zo bang,' fluisterde Matthias. 'Kan ik niet gewoon hier blijven?'

Emu schudde zijn hoofd. 'Als jij Zafyra niet tegenhoudt, ben je straks ook hier op de berg niet meer veilig. Dan zal het kwaad heersen over álle bergen, in álle dalen, overal.'

Matthias huiverde. 'Alle bergen en dalen?' herhaalde hij. 'Ook het Klaverdal?'

'De hele wereld. Niemand zal eraan kunnen ontkomen. Jij bent niet de enige die gevaar loopt. Jij bent alleen de enige die het kan tegenhouden. Het is zo voorspeld.'

'Voorspeld?'

Emu stak een fakkel aan en kwam overeind. Matthias volgde hem naar een nis achter in de grot. Verborgen tussen de schaduwen was een deel van de wand gladgeslepen.

Matthias bracht zijn gezicht er vlakbij, en zag dat er een stuk tekst in was gekerfd.

Wanneer de nacht licht is, en de dag in duister gehuld,
dan wordt deze voorspelling vervuld.
Geboren wordt één prins, tweemaal van koningsbloede
die zal bepalen het kwade of goede.
Door hem zal heersen dag of nacht,
aan licht of aan donker zal zijn de macht.
Beide landen, tussen zee en veen,
zal hij verenigen tot één.

'Wat betekent dat?' vroeg Matthias verwonderd.

'Taragon was de eerste kluizenaar die op deze berg woonde. Wat je hier leest zijn de Voorspellingen van Taragon. Hij heeft jouw geboorte voorspeld. Jij bent geboren tijdens volle maan, in de nacht na een zonsverduistering.

"Wanneer de nacht licht is, en de dag in duister gehuld, dan wordt deze voorspelling vervuld."' Emu had de woorden nu hardop voorgelezen.

'Maar ik ben toch helemaal geen prins!' protesteerde Matthias lachend.

'Een echte prins ben je niet door je afkomst, een echte prins ben je in je hart. Dat is een van de vele dingen waar Zafyra en haar vader zich zo in vergissen.'

'Maar hoe weten jullie dat dit over mij gaat? Diezelfde nacht zijn er toch ook nog andere jongens geboren?'

'Dat weet ík niet,' antwoordde Emu eenvoudig. 'Dat weet Malvezijn.'

Ze liepen weer terug naar de vuurplaats.

'Er is nog één ding dat ik je moet vertellen over kennis en wijsheid,' begon Emu. 'Kennis zonder wijsheid kan gevaarlijk zijn.' Nadenkend wiebelde hij met zijn hoofd. 'Kennis is een macht. Wanneer deze macht niet met wijsheid wordt gebruikt, wordt het gemakkelijk een kwade macht.'

'Zafyra is een kwade macht,' fluisterde Matthias.

'Een heel kwade macht, die steeds sterker wordt. En de kennis die haar deze macht geeft, komt uit een boek dat haar moeder heeft geschreven. Het boek van Zorah.'

Een plotselinge windvlaag deed het vuur oplaaien.

'Ik heb een duif met je volgende opdracht van het Genootschap ontvangen. Reis naar het noordoosten. Daar moet je het vinden in slot Dragon, en vernietigen.'

'Maar ik moet dan toch eerst leren toveren?' zei Matthias verbaasd. 'Hoe weet ik nou wanneer ik genoeg kennis en wijsheid heb om daarmee te beginnen?'

Tot zijn ontzetting zag hij dat Emu zijn hoofd schudde.

'Je bedoelt... je bedoelt dat ik helemaal niet ga leren toveren?' stamelde Matthias.

'Kijk eens wat je allemaal hebt overwonnen zonder toverkracht! Je hoeft niet te kunnen toveren om je doel te bereiken. Je hebt al bewezen dat je dingen kunt die je daarvóór voor onmogelijk hebt gehouden.'

Verbijsterd staarde Matthias in de vlammen.

'Wanneer moet ik gaan?' vroeg hij uiteindelijk.

Maar voordat Emu antwoord gaf, wist hij al dat dit zijn laatste avond op de Duivelspiek was.

Kaya blies in haar ijskoude handen. Ze kneedde haar vingers om er weer gevoel in te krijgen. Bijna de helft van het wasgoed was uitgespoeld in de beek en ze strekte haar rug.

Ze hadden voor een paar dagen kamp gemaakt aan de voet van het Drakengebergte. Ursus en Natalja hadden haar in de woonwagen opgenomen als hun eigen kind. Ze kon voor het eerst in haar leven buiten lopen wanneer ze maar wilde. Ursus had haar een van zijn paarden gegeven. Zo vaak als ze kon, galoppeerde ze op de rug van Aramis over de vlakte. Eindelijk had ze de familie en de vrijheid waar ze altijd zo naar had verlangd.

Toch voelde ze zich nog vreemd leeg vanbinnen. Zuchtend pakte ze de volgende mand wasgoed. Ze probeerde vooral niet aan Matthias te denken. Na alles wat ze samen hadden meegemaakt, had hij niet eens afscheid van haar genomen. Met gebalde vuisten doopte ze een nat hemd in de beek. Ze begreep niet waarom ze elke keer een brok in haar keel kreeg als ze aan hem dacht. Tenslotte was hij stiekem 's nachts zonder haar weggeslopen.

In de verte doemde de Duivelspiek op, de punt verborgen in de nevel. Plotseling zag ze hoe iets zich aan de voet van de berg bewoog. Ze greep de boog die naast haar lag. Met ingehouden adem spande ze een pijl en hurkte achter een steen. Ze kon nog niet goed zien wat voor dier het was, maar een extra stuk wild voor het kampvuur was altijd welkom. Kaya kneep haar ogen tot spleetjes en wachtte tot het dichterbij kwam.

Ineens liet ze de boog zakken. Het was geen dier wat ze had gezien, maar een mens! Wie kon er nu uit het Drakengebergte komen?

Ze maakte zich nóg kleiner achter de steen, en wachtte gespannen tot hij binnen schootsafstand kwam. Zijn gezicht was verborgen onder een breedgerande hoed. Toen hij haar vlak was genaderd, sprong Kaya op en richtte haar pijl.

'Handen hoog, als je leven je lief is!' riep ze.

De vreemdeling spreidde zijn armen uit, waardoor de zware mantel van zijn schouders gleed.

'Neem nu langzaam je hoed af en beweeg je verder niet,' beet Kaya hem toe.

Met één hand trok hij het hoofddeksel weg.

Haar adem stokte in haar keel. Ze kende dit gezicht, en tegelijkertijd ook weer niet. Zijn eerst roodbruine haren waren bijna blond gebleekt door de zon. Hij was een stuk magerder geworden en zijn gezicht was bruinverbrand. Maar de grootste verandering was wel de manier waarop hij voor haar stond. Niet met gebogen schouders en een neergeslagen blik zoals ze zich herinnerde, maar zijn vreemde blauwe ogen keken recht in de hare.

'Hallo Kaya,' zei hij eindelijk.

Zonder dat ze het merkte, viel de boog uit haar handen. De pijl bleef trillend in het gras steken. In één sprong was ze bij hem, en zijn armen sloten zich om haar heen.

Kaya wist niet hoe lang ze zo zwijgend hadden gestaan. Verlegen maakte ze zich uit zijn omhelzing los. Om haar verwarring niet te laten blijken draaide ze haar rug naar hem toe.

'Wat kom je doen?' vroeg ze nors. 'Kon je niet gewoon zeggen dat je weg wilde, of is dat je manier om Ursus en Natalja te bedanken?'

Ze zag niet hoe Matthias bij haar woorden ineenkromp.

'Kaya, ik moest naar iemand toe,' stamelde hij, 'maar dat mocht ik niemand vertellen.'

'Dat mocht ik niemand vertellen,' kaatste ze hem spottend na. 'Weet je wel hoe ongerust iedereen was?' Hoe ongerust ík was, had ze eigenlijk willen zeggen. Met een nijdig gebaar greep ze de mand met wasgoed.

'Kom, dan gaan we terug naar het kamp en kun je uitleggen waar je zo nodig ineens naartoe moest.'

Maar Matthias verzette geen stap. 'Het spijt me, Kaya,' zei hij zacht. 'Ik kan niet meekomen, ik moet meteen weer verder.'

Verbluft keek Kaya hem aan. 'Ga dan maar!' zei ze bits. 'Denk maar niet dat al je geheimzinnige gedoe mij interesseert!' Snel draaide ze zich weer om, zodat hij de tranen in haar ogen niet kon zien. Met driftige passen liep ze terug naar de woonwagens in de verte.

Het kostte Matthias alle moeite om niet achter haar aan te rennen. Hij zou haar zo graag in vertrouwen nemen, maar hij wist dat hij daarmee alles in gevaar kon brengen. Misschien dat hij het haar later nog eens kon vertellen, wanneer het allemaal voorbij was.

Als het allemaal voorbij zou gaan... Zuchtend haalde hij zijn schouders op en zette zijn tocht voort.

Tegen de namiddag bereikte Matthias de Ebe. Het duurde even voordat hij de oversteekplaats herkende. In het midden kolkte de rivier als voorheen, maar aan de overkant hadden zich stukken ijs gevormd.

Hoewel de zomer net was begonnen, leek het wel of er sneeuw op de Heuvels van de Fjellen lag. Het was klaarlichte dag, maar in het noordoosten hing een vreemde duisternis over het land.

Het noordoosten, dacht Matthias huiverend. Slot Dragon.

Voorzichtig stapte hij op de eerste steen in het water. Het oppervlak was glad afgesleten en hij durfde niet lang te blijven staan. Hij zette zich af en sprong naar de volgende kei. Deze was platter en het lukte hem om zich staande te houden.

Zijn hart klopte in zijn keel. Hij overwoog om terug aan wal te gaan. De enige andere manier om de Vlakte van Ebe te verlaten, was via de Zuiderbrug over de Arge. Daarom haalde hij diep adem en sprong opnieuw. Dit keer vonden zijn laarzen helemaal geen steun. Hij zwaaide met zijn armen om zijn evenwicht te vinden, maar zijn voeten glibberden onder hem weg en het ijzige water spoelde over hem heen. Hij probeerde zich nog aan de steen vast te grijpen, maar de schuimende golven trokken hem verder de rivier in. Radeloos greep hij in het wilde weg om zich heen in de hoop houvast te vinden maar werd willoos ondergezogen en meegesleurd in het kolkende water.

Plotseling voelde hij hoe zijn hand werd vastgegrepen. Dankbaar reikte hij ook zijn andere arm naar zijn redder uit, en snakkend naar adem werd hij de kant op gesleurd.

Toen hij zijn natte haren uit zijn ogen had geveegd keek hij omhoog.

Maar in plaats van in een gezicht keek hij recht in het vizier van een Zwarte Rijder.

Onverwacht bezoek

Ursus was tevreden. De jacht in de bergen had maar liefst vier beren opgeleverd. Het meeste vlees was al door Natalja en Kaya gerookt en in stenen kruiken gedaan. Ze trokken nu langs de Oosterstroom terug naar de afsplitsing van de Ebe, om zich weer bij de rest van de groep te voegen.

Met haar dolk sneed Kaya geroosterde stukken vlees van het gebraad. De jachthonden van Ursus draaiden om haar voeten.

'Kssst, wegwezen,' zei ze streng. 'Niet bedelen, de botten zijn later voor jullie om op te kluiven.'

Teleurgesteld trokken de honden zich weer terug in de schaduw van de woonwagen. Ineens begonnen ze luid te blaffen.

'Koest!' riep Kaya geërgerd, zonder op te kijken.

In plaats van te gehoorzamen blaften ze nóg luider, en begonnen ze wild in het rond te springen. Nu kwam ook Ursus de woonwagen uit.

'Wat is hier aan de hand?' vroeg hij.

De honden gromden fel in de richting van de rivier. Gespannen tuurden Kaya en Ursus over de vlakte.

'Daar!' riep Kaya. 'Iemand steekt de Oosterstroom over!'

De reiziger had de grootste moeite om in het kolkende water overeind te blijven. Met een rilling dacht Kaya terug aan de keer dat ze met Matthias diezelfde oversteek had gemaakt.

'Kom Ursus, we moeten hem helpen!'

Zonder verder te aarzelen sprong ze op de rug van Aramis en gaf hem de sporen. Ook Ursus klom op zijn hengst. Met een bonkend hart galoppeerde Kaya naar de rivier. Tot haar teleurstelling zag ze dat het niet Matthias was, daar in het water.

De onbekende had de kant bereikt, maar kon nauwelijks houvast vinden aan de gladde oeverrand.

'Grijp dit stuk touw!' riep Kaya. 'Mijn paard helpt je er wel uit!'

De man tilde zijn met modder besmeurde gezicht op en gleed opnieuw weg van de waterkant. Het lukte hem nog net om de lasso te grijpen die Kaya hem toegooide.

'Kom Aramis, pak vast!'

Kaya stak het uiteinde van het touw tussen de tanden van haar paard. Het dier gehoorzaamde meteen en trok de uitgeputte man naar de kant. Proestend bleef hij op de oever liggen en rolde langzaam op zijn rug. Met zijn kletsnatte mouw veegde hij de modder uit zijn gezicht.

Stokstijf staarde Kaya hem aan. 'Vader,' fluisterde ze en kroop weg achter de rug van Ursus.

'Maak je geen zorgen,' hijgde Arulf. 'Ik ben niet gekomen om je weer mee te nemen.'

Hij krabbelde overeind en liep met uitgestrekte armen op zijn dochter af. Voordat ze wist wat er gebeurde, had hij de verblufte Kaya stijf tegen zijn borst gedrukt.

'Hoe... wat?' stamelde ze.

'Ik heb veel nagedacht. Hier ben je veiliger dan bij ons. Het roversleven is niks voor een jong meisje. Ik had dat al veel eerder moeten inzien.' Hij schraapte zijn keel. 'Toen je moeder stierf, kon niets me meer schelen. Het spijt me dat ik geen goede vader voor je ben geweest,' mompelde hij er onhandig achteraan.

Kaya was het niet gewend om haar vader zo te horen praten en schuifelde verlegen met haar voeten.

Ursus schraapte zijn keel en Arulf draaide zich naar hem om. Hij greep de hand van de jager en pompte die op en neer.

'Ik weet niet waarvoor ik je het meest dankbaar moet zijn,' bulderde hij nu. 'Voor het redden van mijn leven of omdat je voor die donderse meid van me hebt gezorgd. Als ik haar goed ken, zullen jullie heel wat met haar te stellen hebben gehad, want ze is nogal snel aangebrand!'

'Lang niet zo aangebrand als die berenbout die nog boven het vuur hangt,' antwoordde Ursus lachend.

Met de paarden aan de teugels liepen ze terug naar het kampvuur.

'Als je niet bent gekomen om mij te halen, waarom ben je dan hier?' vroeg Kaya toen ze even later rond de tafel zaten.

Arulf nam een slok wijn en kreeg een sombere uitdrukking.

'Ik ben eigenlijk op zoek naar die aardwurm die bij je was.'

'Matthias?' Haar stem klonk plotseling nors. 'Wat wil je van hem? Hij heeft ons gewoon in de steek gelaten.'

Mismoedig staarde haar vader in zijn beker.

'Dan ben ik misschien al te laat. Als ik toen maar geweten had wie hij was,' mompelde hij. 'Had ik maar geweten dat hij door Lupa was gestuurd.'

'Vader, doe niet zo geheimzinnig!' riep Kaya ongeduldig. 'Wát had je moeten weten, en wie is Lupa?'

'Lupa kwam met Zorah mee naar slot Dragon toen ze met koning Isgerias trouwde. Ik heb haar leren kennen toen ik als staljongen op Dragon werkte, nog vóórdat ik je moeder ontmoette.' Arulf moest even glimlachen om het verbaasde gezicht van zijn dochter. 'Ik ben niet altijd een rover geweest, weet je. Toen ik nog een jonge snotaap was, begon ik als staljongen in de koninklijke stallen. Jaren later werd ik daar de stalmeester.'

'Heb je echt bij de koning en de koningin gewerkt?' vroeg Kaya met ontzag in haar stem. 'Heb je ze wel eens in het echt gezien?'

'O, Isgerias de Wrede heb ik vaak genoeg gezien,' sprak Arulf bitter. 'We waren allemaal doodsbang voor hem. Om het minste of geringste werden mensen gevangengezet. Of ze verdwenen om nooit meer gezien te worden.'

'En koningin Zorah?' drong Kaya gespannen aan.

'Niemand zag veel van de koningin. Ze sloot zich bijna de hele dag op in haar toren. Er werd gezegd dat ze zich bezighield met tovenarij. Na de geboorte van prinses Zafyra stierf Zorah onverwachts. Boze tongen beweerden dat de koning zelf haar had vergiftigd omdat ze hem geen zoon had geschonken.' Met zijn mouw veegde Arulf de wijn uit zijn baard. 'Maar het was Lupa die van de moord op koningin Zorah werd beschuldigd. In de jaren die daarop volgden, leidde de wreedheid en hebzucht van koning Isgerias tot steeds grotere rampen voor het land.'

Ursus en Natalja knikten droevig toen Arulf verderging.

'Je zult het nauwelijks kunnen geloven,' zei hij tegen Kaya, 'maar vroeger was Dragonië een prachtig en welvarend land. Niemand hoefde honger te lijden. Maar Isgerias bleef steeds hogere belastingen heffen. Wanneer die niet konden worden betaald, werden de huizen en de velden platgebrand.' Arulf balde zijn vuisten bij de herinnering. 'Zo ontstond het Dragonië dat jij nu kent. Het Dragonië van angst, armoede en hongersnood. Op een dag wachtte Lupa me op in het bos waar ik elke dag ging paardrijden. Eerst herkende ik haar niet, zo oud was ze geworden in de jaren dat ze op de vlucht was. Ze vertelde dat ze een groep rebellen had opgericht en vroeg of ik me bij hen wilde aansluiten. Ik hoefde me geen moment te bedenken, en we trokken richting de grens met Westenrijk. Het heeft ons jaren gekost om de ondergrondse gangen te graven waarin jij bent opgegroeid. Steeds meer mensen die door de soldaten van Isgerias uit hun huizen waren gezet, sloten zich bij ons aan.

Op een dag dachten we dat we sterk genoeg waren om Isgerias van de troon te stoten, en begonnen de grote opstand waarover ik je vroeger wel eens heb verteld.'

Kaya knikte bedroefd. Iedereen in Dragonië kende het verhaal van de grote opstand tegen koning Isgerias. Het was de dag dat de gevreesde Zwarte Rijders voor het eerst waren verschenen.

'We hadden geen schijn van kans tegen de Zwarte Rijders van Isgerias,' ging Arulf verder. 'Toen we waren verslagen, loofde de koning een hoge prijs uit voor Lupa en mij – dood of levend. We waren nergens meer veilig. Het lukte Lupa om naar Westenrijk te ontsnappen, maar ik was te zwaar gewond om te vluchten. De weinigen die nog van onze rebellengroep over waren, hebben me terug naar de onderaardse gangen gesmokkeld. Wekenlang werd ik daar verpleegd door een jong boerenmeisje.'

Glimlachend keek hij naar zijn dochter die ademloos zat te luisteren.

'Dat meisje was je moeder,' zei hij. 'We trouwden, en probeerden het rebellenleger weer op te bouwen. Maar Isgerias werd steeds wreder en de mensen steeds banger om zich bij ons aan te sluiten. Zes jaar later werd jij geboren. We moesten onder de grond leven, maar het waren de gelukkigste jaren van mijn leven. Toen je moeder twee jaar later stierf, verloor ik alle moed. Langzaam maar zeker werden we meer rovers dan vrijheidsstrijders. Niemand van ons geloofde nog dat we Dragonië ooit zouden bevrijden van de onderdrukking van Isgerias. Ten slotte beroofden we alleen nog zijn transporten om in leven te blijven.'

Arulf zweeg, en Kaya sloeg haar armen om zijn nek.

'O vader, waarom heb je me dit nooit eerder verteld?' vroeg ze met haar hoofd op zijn schouder. 'En wat heeft dit allemaal met Matthias te maken?'

'Vlak voordat Lupa naar Westenrijk ontsnapte, gaf ze me haar ring met het runenteken. Een paar maanden geleden hoorden we dat koning Isgerias was overleden en Malvezijn de Tovenaar gevangengezet. Ik ben met de boot naar het kasteel gezeild om hem te bevrijden. Ik wist toen niet of Lupa nog leefde, maar als dat zo was, zou Malvezijn haar vast en zeker opzoeken. Daarom gaf ik hem de ring. Op deze manier wilde ik haar laten weten dat ze nog altijd op onze steun kon rekenen.'

Met deze woorden toonde hij haar de ring met het runensymbool. De twee driehoeken en de cirkel flonkerden in het licht van het kampvuur.

'Als je deze ring aan Malvezijn hebt gegeven, hoe kun je hem dan nog zelf hebben?' vroeg Ursus verbaasd.

'Een jongen die we gevangen hadden genomen, wist uit onze gangen te ontsnappen. Ik geloof dat hij hierbij van iemand hulp heeft gekregen.' Hij knipoogde naar Kaya, die begon te blozen. 'Maar hij vergat zijn reistas mee te nemen, en daarin vond ik mijn ring terug.'

'Matthias!' riep Kaya verbijsterd uit.

'Als onze aardwurm de ring had, dan is hij door Lupa of Malvezijn naar Dragonië gestuurd,' zei Arulf.

Kaya sloeg een hand voor haar mond. 'Ik heb hem een paar dagen geleden nog gezien,' mompelde ze. 'Hij kwam uit het Drakengebergte.'

Ursus keek haar vragend aan.

'Ik... ik heb jullie niks verteld...' stamelde Kaya verontschuldigend. Ze werd opnieuw rood in haar gezicht. 'We... ik... ik werd nogal kwaad op hem omdat hij niet wilde vertellen waar hij naartoe ging.'

'Snel aangebrand misschien?' vroeg Arulf geamuseerd.

Kaya wierp hem een vernietigende blik toe.

'Laten we liever proberen te bedenken waar hij naartoe gaat,' zei ze snibbig.

Arulf wreef in zijn baard. 'Een jongen die door Malvezijn of Lupa is gestuurd...' peinsde hij. 'Dat moet haast wel iets met de voorspellingen te maken hebben...'

'Voorspellingen... wat voor voorspellingen?'

'Er is voorspeld dat er een jongen komt die Dragonië en Westenrijk zal verenigen, of zoiets. Lupa heeft me er eens iets over verteld, maar zo precies weet ik het niet meer...'

'Maar dan moet hij eerst tegen Zafyra...' Kaya's stem sloeg over. 'Vader... je denkt toch niet dat hij onderweg is naar slot Dragon?'

Het geheim van Malvezijn

Matthias lag al twee dagen vastgebonden in de huifkar. Wanhopig probeerde hij te begrijpen wat er kon zijn gebeurd.

'We wachten hier al een week op je,' had de barse stem vanachter het leren masker gezegd.

Matthias had hem willen vertellen dat ze zich hadden vergist. Alleen Emu en de andere leden van het Genootschap wisten van zijn opdracht. Voordat hij een woord kon uitbrengen werd er een doek voor zijn mond gebonden. Hij kon alleen nog maar door zijn neus ademen en kokhalsde van de stinkende schapenvellen waarin hij werd gewikkeld. In elk geval was hij zo beschermd tegen de snerpende kou die tussen de vloerplanken door kwam.

De eerste dag had hij niets te eten of te drinken gekregen. Maar de volgende ochtend kwam een soldaat de kar in met een bord soep.

'Hé daar!'

Een tweede Zwarte Rijder verscheen in de opening.

'Sinds wanneer geven we voedsel weg aan gevangenen? We hebben tegenwoordig zelf nauwelijks genoeg te eten.'

'Generaal Kali wil deze levend in handen krijgen.'

'Nou, ik weet niet of we hem daarmee een plezier doen. Volgens mij was hij beter af geweest als we hem in de Ebe hadden laten verdrinken.' Met een kwaadaardig lachje was de soldaat weer verdwenen.

Matthias had bij deze woorden alle eetlust verloren. Hij durfde er niet aan te denken wat deze generaal Kali met hem van plan kon zijn. Een mogelijkheid om te ontsnappen was er niet, de wagen was omringd door Zwarte Rijders. Bovendien waren zijn handen het grootste deel van de reis stevig op zijn rug gebonden. Af en toe drukte hij zijn oog tegen een spleet in de wand. Aan het heuvelachtige landschap te zien reisden ze nog steeds door de Fjellen. Zo nu en dan zag hij een huisje in de verte, soms met een pluimpje rook uit de schoorsteen. Verder zag hij geen enkel teken van leven en was het landschap spookachtig stil.

Tegen de avond bereikten ze een grijze stenen burcht. IJspegels hingen aan de kantelen en ook de slotgracht was stijf bevroren. Over de muren liepen zwaarbewapende wachters heen en weer.

'Fjelleborgh! Open je poorten in naam van de koningin!'

Matthias hoorde hoe de ophaalbrug met een luid gekraak naar beneden werd gelaten. Even later ratelden de wielen over de houten planken.

De binnenplaats was verlicht met fakkels die flakkerden in de ijzige wind. Soldaten marcheerden af en aan en het gestamp van hun laarzen weerkaatste langs de hoge muren. Behalve Zwarte Rijders liepen er ook andere figuren rond. Eerst dacht Matthias dat het kinderen waren. Toen de wagen tot stilstand was gekomen, zag hij dat het volwassen mannen waren, alleen veel kleiner.

'Jij! Heuveldwerg!' klonk de barse stem van een van zijn bewakers. 'Zadel onze paarden af en geef de gevangene te eten!'

Matthias hoorde een laars ergens tegenaan trappen. Vlak voor de spleet waar hij doorheen keek tuimelde een van de kleine mannen op de grond. Even later verscheen deze in de kar met een dampende kom bonen. Matthias vroeg zich af of hij hem om hulp kon vragen.

Plotseling werd hij overweldigd door een verschrikkelijke afkeer. Het leek een klein beetje op het gevoel dat hij die nacht op het Runenplateau had gehad. Hij wist zeker dat het uit de kleine man kwam, alsof die zijn gedachten kon lezen. Of liever gezegd, alsof hij zijn gevoel kon voelen.

Het zwol nu aan tot een felle haat. Ook werd het Matthias duidelijk dat die haat tegen hemzelf was gericht. Hij kromp in elkaar en verwachtte elk moment een mes tegen zijn keel te voelen. Maar tot zijn verbazing glimlachte de man hem vriendelijk toe. Terwijl hij de haat nog duidelijk kon merken, voelde Matthias tegelijk dat de glimlach oprecht gemeend was. Op een of andere manier haatte deze man hem zonder dat hij dat zelf wist!

Verward probeerde hij uit deze gedachte wijs te worden. De man lepelde zorgzaam het eten in zijn mond en hielp hem slokjes water drinken. Maar het gevoel van haat was zó sterk geweest, dat Matthias het niet waagde om verdere hulp te vragen.

De volgende dag werd Matthias pas wakker nadat ze de Fjelleborgh al hadden verlaten. De snuivende paarden leken onvermoeibaar. Nu ze de Fjellen achter zich hadden gelaten, draafden ze ijlings over het vlakke land. De zware hoeven van de rijdieren dreunden onafgebroken over de bevroren grond.

Naarmate ze verder in het noorden kwamen, leken de dagen steeds korter te worden. Matthias had een van de soldaten horen zeggen dat dit te maken had met de walmen die uit de vulkaan op het eiland Drach kwamen. Uiteindelijk werd het bijna helemaal niet meer licht, maar was er alleen nog een paar uur grauwe schemer. Hij had daarom geen idee hoe lang ze al onderweg waren toen hij in de verte de sombere schaduw van slot Dragon zag opdoemen.

De kou was nauwelijks meer te verdragen, zodat hij nu de meeste tijd met zijn gezicht in de vellen gedrukt lag. Ook kon hij maar kort achter elkaar door de spleet turen omdat de vorst in zijn ogen stak en zijn wimpers aan elkaar vroren.

Een steil pad voerde over de zwarte rotsen naar het kasteel. De toegangspoort was afgesloten door een ijzeren hek waarvan de scherpe spijlen als speerpunten naar beneden staken. Met een enorm gepiep werd het omhooggehaald.

Matthias was inmiddels zó verdoofd van de kou dat hij nauwelijks merkte dat de kar stilhield. Het kon hem ook niet meer zoveel schelen wat er met hem ging gebeuren. Nog gewikkeld in de schapenvellen werd hij door twee Zwarte Rijders uit de kar getrokken. Als een zak meel werd hij over een schouder gegooid.

Ze gingen door donkere gangen waar het naar vochtige aarde rook. Aan de muren hingen fakkels en hij zag hun schaduwen reusachtig tot op het plafond ombuigen. Met een plof werd hij in een kerker geworpen, en de sleutel werd krakend omgedraaid.

Voorzichtig kroop Matthias uit de vellen tevoorschijn. Er waren geen ramen, alleen een luchtgat hoog in het plafond. In de hoek stond een ijzeren mand waarin een klein vuurtje brandde. Met zijn polsen nog vastgebonden wist hij overeind te komen, en strompelde naar de warmte. Even later ging de zware deur opnieuw open. Twee soldaten kwamen binnen. Matthias kromp ineen waar hij stond en drukte zich tegen de stenen wand. Het zou nu snel duidelijk worden wat ze met hem gingen doen.

Plotseling trok de ene Zwarte Rijder zijn mes en kwam dreigend op Matthias af. Zijn adem stokte en hij werd duizelig van angst. De andere soldaat greep hem vast en draaide hem om. Matthias wilde om hulp schreeuwen, maar er kwam geen geluid uit zijn keel. Uit alle macht probeerde hij zich los te wurmen, maar de Zwarte Rijder hield hem stevig vast. Toen voelde hij hoe de touwen werden losgesneden. Zijn huid was rauw geschaafd en tranen sprongen in zijn ogen toen het bloed in zijn tintelende vingers schoot.

Onverwachts liet de soldaat hem los, waardoor hij op de grond viel. Tot zijn verbazing hielp de andere wachter hem gedienstig overeind. Bijna beleefd hielden ze de deur voor hem open.

De beide mannen volgden hem zwijgend. Op een knik van de eerste wachter besteeg hij de stenen trap. De treden waren glibberig van het water dat langs de muren naar beneden drupte. Toen hij bijna uitgleed, greep de wachter hem voorzichtig vast.

Matthias begreep er niets van. Waarom werd hij ineens zo vriendelijk behandeld?

Ineens voelde hij zich ijzig koud worden.

Dit kon maar één ding betekenen!

Hij was op weg naar zijn terechtstelling. Hij was ter dood veroordeeld! De soldaten toonden respect voor iemand die ging sterven!

Het zweet brak hem uit. Wanhopig keek hij om zich heen. De beide wachters liepen vlak achter hem door de gang, zodat de enige weg recht vooruit was. Hij aarzelde geen moment en zette het op een rennen.

'Ho, stop!' hoorde hij achter zich schreeuwen, maar hij besteedde er geen aandacht aan.

In paniek holde hij een andere gang in. Vlak voor hem was opnieuw een steile trap waarop hij met twee treden tegelijk omhoogschoot. Achter zich hoorde hij het gerammel van maliënkolders en het gestamp van zware laarzen.

Boven aan de trap was een gesloten deur, die hij openrukte en snel achter zich dichtsloeg.

Hij was in de keukens aangeland. Het was er een drukte van belang, bedienden liepen af en aan. Matthias duwde een verblufte kok opzij en rende als een op hol geslagen paard dwars door de ruimte heen.

'Grijp hem!' riep een van de wachters.

Hij voelde hoe iemand hem bij zijn hemd greep, maar hij wist zich los te trekken. In het voorbijgaan duwde hij een houten rek vol potten en pannen om. Met een hels lawaai kletterde de hele boel op de grond, en hij hoorde een mannenstem luid tieren. Een enorme beslagkom viel van het werkblad en de inhoud golfde over de stenen vloer. Matthias ging onderuit en gleed een stuk door op zijn achterste. Hij wilde zich overeind trekken aan een tafel, maar kreeg slechts het kleed dat erop lag te pakken. Een vrouwenstem gilde toen het gebak dat op de tafel stond rondom hem op de vloer kletste.

'Mijn taarten, al mijn taarten! Houd dat dekselse jong tegen, dan zal ik hem mijn deegroller laten voelen!'

Matthias krabbelde overeind en glibberde verder naar de hoek, waar hij weer een andere trap zag.

Aan het enorme gekletter en gevloek achter hem kon hij horen dat een van de wachters ook was uitgegleden over het beslag. Tijd om te kijken nam hij niet. Hij stormde naar boven. De trap leidde hem naar een andere gang waar verschillende deuren op uitkwamen. Tot zijn teleurstelling zaten deze allemaal stevig op slot. Radeloos rende hij door. De gang eindigde bij een zware houten dubbele deur waarop twee wapenschilden hingen. Opgelucht merkte hij dat deze wél openging, en hij struikelde over de drempel in zijn haast om binnen te komen.

Hijgend stond hij met zijn rug tegen de gesloten deuren en zocht om zich heen naar een schuilplaats. Maar de zaal was enorm, en er leken geen meubels in te staan. Vóór hem was een soort verhoging, met daarop in de duisternis iets wat een grote stoel leek te zijn. Opeens besefte hij dat er iemand op die stoel zat. Hij hoorde een vrouw zachtjes lachen.

'Wát een haast, ik kan wel zien dat jij net zo ongeduldig bent voor onze ontmoeting als ik.'

Langzaam stond zij op een stapte naar voren uit de schaduw. Matthias zag een beeldschone vrouw met lange vuurrode haren waarop een gouden kroon lag. Maar zijn aandacht werd onweerstaanbaar getrokken naar haar ogen. Die waren groenblauw, zonder tekening erin, maar met een egale turquoise glans.

Het waren zijn eigen ogen.

'W... wie bent u?' stamelde Matthias toen hij zijn stem weer had teruggevonden.

De vrouw trok geamuseerd één wenkbrauw op. 'Hebben ze je dat dan niet verteld?' vroeg ze verbaasd. 'Ach nee, natuurlijk niet, dat zou Malvezijn nooit doen. Kun je niet raden wie ik ben? Dat valt me van je tegen.'

Ze boog iets naar voren zodat Matthias haar gezicht goed kon zien.

'Kijk nog eens goed.'

'U bent koningin Zafyra!'

'Heel goed, en verder?'

Matthias begreep er helemaal niets van. Waarom waren de wachters nog niet achter hem aan de zaal in komen stormen om hem weer te pakken? En waarom stond koningin Zafyra hier dit vragenspelletje met hem te spelen, in plaats van haar soldaten te roepen?

'H... hoe bedoelt u, en vérder...?'

De koningin bleef hem met een raadselachtige glimlach aankijken.

'Voor jou ben ik veel méér dan alleen koningin Zafyra. Ik ben je moeder.'

Het verraad

Nu de stenen zo onbetrouwbaar waren, durfde Lupa geen tijd meer te verliezen. Haar eerste doel was de hut van Alchior.

Zoals ze had gevreesd, was haar oude vriend al enkele weken niet meer thuis geweest. Ze snuffelde in het rond, maar kon nergens de geur van de kleine dikke man opvangen. Ook in de dikke laag stof op de vloer ontdekte ze alleen sporen van muizenpootjes. Over de stoelen en in de bedstee hadden spinnen hun web gesponnen.

Lupa wachtte nog een paar dagen in het huisje. Ten slotte moest ze aanvaarden dat haar oude vriend zijn laatste tocht door het verraderlijke Veen niet had overleefd, en ze vertrok naar Serti.

Het dorpje Tolle en de hoofdstad Esmeraldrië liet ze links liggen en in volle draf haastte ze zich over de heide. Ze was dan ook uitgeput toen ze een week later aan de poort van het klooster klopte.

Broeder Lucas bracht haar meteen bij Malvezijn in de bibliotheek.

'Lupa?'

De tovenaar schrok toen hij haar verdrietige gezicht zag. Hij stond zo snel op dat zijn stoel achterover tuimelde.

'Alchior,' begon Lupa, 'hij is in het veen gezakt.'

Ze sloeg haar handen voor haar gezicht. 'Het moet zijn gebeurd toen hij de laatste keer het Runenplateau verliet. Hij was toen zo in de war...'

Malvezijn zuchtte diep en legde een hand op haar schouder.

'Je bent niet de enige bezoeker met slecht nieuws vandaag.' Hij wees op een jong meisje dat zwijgend aan de tafel zat. 'Ze kan niet spreken of schrijven, maar ik ken haar van slot Dragon. Ze heet Tamara. Het is een van de kamermeisjes.'

Het meisje knikte en sperde haar mond open. Lupa's gezicht vertrok toen ze de verschrompelde tong zag.

'Zafyra?' vroeg ze met afschuw.

Het meisje knikte opnieuw en begon driftig met haar armen te bewegen.

'Ik geloof dat ze probeert te zeggen dat Matthias in gevaar is,' verduidelijkte Malvezijn bezorgd.

'Waar ís hij?'

'Ik heb hem naar Emu gestuurd nadat ik je laatste bericht kreeg. Als ik het goed heb begrepen, wil Tamara zeggen dat iemand hem heeft verraden.'

Malvezijn wendde zich tot het meisje. 'Je hebt een magere man bij de koningin gezien?'

Tamara knikte hevig en streek met haar handen over haar hoofd.

'Een kále magere man?'

Opnieuw knikte het meisje. Lupa haalde haar schouders op. Ook Malvezijn kende niemand die op de beschrijving leek.

Tamara bracht haar polsen bij elkaar.

'Ze gaan hem gevangennemen? Hoe weet Zafyra dan waar hij is?'

Het meisje haakte haar duimen in elkaar en fladderde met haar vingers.

'Een postduif? Ze heeft een bericht ontvangen?'

Terwijl ze met haar hoofd schudde wapperde Tamara met haar handen van zich af en wapperde opnieuw met haar vingers.

'Ze heeft een duif weggestuurd?'

Tamara knikte heftig en hield haar wijsvingers aan beide kanten van haar hoofd omhoog. Daarna tekende ze een punt in de lucht.

'Een duif naar de Duivelspiek?'

Malvezijn wendde zich weer tot Lupa. 'Jij en ik zijn de enigen die wisten dat Matthias naar de Duivelspiek is gereisd,' zei hij verbijsterd. 'Tenzij Matthias het zelf aan iemand anders heeft verteld...'

Tamara schudde haar hoofd. Ze trok aan haar oorlel en wees door het raam naar het bos. Malvezijn en Lupa keken haar niet-begrijpend aan. Ongeduldig duwde het meisje hen naar elkaar toe en maakte bewegingen met haar mond. Opnieuw wees ze naar het bos terwijl ze aan haar oor trok.

'Iemand heeft ons gesprek in het bos afgeluisterd?' zei Lupa verbaasd.

Tamara knikte opgelucht. Ze tekende met haar vinger een kroon op haar hoofd. Vervolgens liep ze naar een van de zware gordijnen en deed alsof ze zich erachter verstopte. Ze wees weer op haar oor en keek alsof ze aandachtig luisterde.

'En jij hebt de koningin afgeluisterd...'

Tamara wees nu van zichzelf naar Malvezijn.

'...en zodoende wist je ook dat je Malvezijn hier in het klooster kon vinden!'

Twee dagen later trok een groot circusgezelschap over de brug bij de Midborgh. Als de grenswachters meer aandacht aan de kooi met wilde dieren hadden besteed, was het hun misschien opgevallen hoe pienter een van de wolven uit haar ogen keek.

In het Lage Woud maakte het circus zijn kamp op voor de nacht. Niemand merkte hoe in het donker een jong meisje naar de kooi sloop en zachtjes de grendel van het slot trok. Ze keek om zich heen, maar het bleef stil. Toen ze de deur voorzichtig opendeed, stond de wolvin al klaar in de opening. Geruisloos sprong het dier op het zachte mos en zakte door haar achterpoten. Tamara sloeg haar been over de rug en greep zich stevig vast. Nadat de wolvin speurend in de lucht had gesnoven zette ze een stevige draf in.

In de dagen die volgden werd Lupa steeds verdrietiger. Ze had wel gehoord dat het slecht ging in Dragonië, maar was niet voorbereid op de armoe en ellende die ze onderweg tegenkwamen. Omdat het zo vreemd koud geworden was, waren de velden grotendeels kaal gebleven. Een doodse stilte hing over het land, alsof zelfs de lucht bevroren was. De hongerige mensen probeerden knollen uit de koude grond te graven en hologige kinderen sprokkelden hout.

Lupa vergat hierdoor haar eigen honger en moeheid. Beschut door de vreemde duisternis en de schaarse begroeiing rende ze vastberaden door. Tamara hield zich dicht tegen haar rug gedrukt, maar ze kon het meisje horen klappertanden van de kou.

Slot Dragon torende hoog op de klippen, nog zwarter en somberder dan ze zich herinnerde. Bij de poort stonden twee soldaten met hun speren gekruist. Het hek was hoog opgetrokken en de scherpe punten piekten dreigend naar beneden.

Tamara had een touw om Lupa's nek gebonden. Ze wees op zichzelf, en vervolgens op de binnenplaats richting de kasteelkeukens.

'Laat haar maar door, ik ken haar. Dat is die meid zonder tong,' sprak de ene soldaat. 'Die kunnen we toch niet ondervragen.'

Hij wendde zich weer tot Tamara. 'Die wolfshond van je zou ik niet meenemen naar de keuken. Volgens mij verdwijnt tegenwoordig alles in de pot van de kok. Aan het eten van gisteravond te proeven had hij zelfs zijn eigen schoenzolen meegekookt.'

Zijn maat grinnikte en wenkte Tamara dat ze door kon lopen.

Het was meer dan dertig jaar geleden dat Lupa voor het laatst in het kasteel was geweest. Ook toen Isgerias nog koning was, had er altijd een bedrukte stemming geheerst, maar nu kon ze de angst in de lucht ruiken. Grimmige soldaten marcheerden langs de kantelen en de kasteelbewoners bewogen zich ineengedoken over de binnenplaats.

Lupa wachtte tot het donker werd en volgde de aanwijzingen van Malvezijn. De bevroren grond kraakte onder haar poten toen ze langs de muren sloop. Gelukkig waren de meeste fakkels door de ijzige wind uitgeblazen, en ze wist ongezien de oostelijke toren te bereiken.

Zoals Malvezijn had beschreven, was het kleine houten deurtje onzichtbaar verborgen achter dichte struiken. Met haar voorpoot wist ze de klink naar beneden te drukken en ze glipte naar binnen. In het donker vond ze ook de hendel en duwde deze met haar neus omlaag. Langzaam schoof het paneel opzij. Ze wachtte even, maar niemand leek haar te hebben gehoord. Zachtjes sloop ze de trappen op en onhoorbaar betrad ze de kamer van Zafyra.

Ze zag meteen dat ze niet alleen was. Een magere kale man stond met zijn rug naar haar toe. Hij leek te lezen in een boek terwijl hij notities op een vel perkament maakte. Lupa snoof zijn geur op. Ze kende deze geur... Op hetzelfde moment dat ze zich realiseerde wie ze voor zich had, draaide de man zich om.

'Alchior?'

De alchemist was net zo verbaasd als zij. Sprakeloos staarde hij naar de wolf.

Lupa herkende haar oude vriend bijna niet meer terug. In een paar weken tijd was de vrolijke dikke man zó vermagerd dat het vel over zijn gezicht spande. Lupa deinsde terug van de vreemde koortsige blik in zijn ogen.

'Alchior! Wat doe jij hier? Ben je ziek...?'

Toen viel haar blik op het boek dat hij bestudeerde. Daar lag nog steeds het boek van Zorah, zoals Malvezijn had gehoopt.

Lupa aarzelde geen moment en stoof naar voren. Toen ze vlak bij het boek kwam, dacht ze dat haar kop ontplofte. Met een luide knal werd ze teruggeworpen op haar rug.

Achter zich hoorde ze Alchior hysterisch giechelen. 'Hi hi hi...

De meesteres laat niet zomaar iedereen in haar boek lezen! Neeee... ze heeft er een bezwering over uitgesproken... Alleen haar uitverkoren volgelingen mogen het aanraken.' Om zijn woorden kracht bij te zetten legde hij zijn hand op het boek.

'Alchior! Vernietig het boek, gooi het naar buiten!'

Maar Alchior schudde verschrikt zijn hoofd. 'Naar buiten gooien? Nooit!' Zijn ogen gloeiden nu nog bezetener dan ervoor. 'Dít is echte wetenschap!'

Hij klopte met zijn vlakke hand op de papieren die hij had overgeschreven.

'Twintig lange jaren heb ik verspild aan mijn onderzoeken. In één middag heb ik meer geleerd uit dit boek dan uit al mijn eigen experimenten.'

'Alchior, wat is er met je gebeurd?' vroeg Lupa wanhopig. 'Denk toch aan het Genootschap... Denk aan het kind...'

'Het Genootschap!' Alchior wuifde minachtend met zijn hand. 'Het Genootschap heeft mijn blik vertroebeld. Ik dacht altijd dat Malvezijn de machtigste tovenaar was. Maar het waren leugens, allemaal leugens! Mijn meesteres heeft mijn ogen weer geopend. Zij heeft mij de waarheid verteld. Malvezijn bezit al meer dan dertig jaar geen krachten meer! Niemand is machtiger dan zij. En ik, ik heb nu meer magie hier' – Alchior hield een knokige pink omhoog – 'dan Malvezijn in zijn hele lichaam.'

'Maar dat zijn kwade krachten! Alchior, denk terug aan de nachten op het Runenplateau... Denk aan de stenen!' smeekte Lupa.

'Jullie begrijpen het niet.' Hij had een bezielde glans in zijn ogen. 'Het Genootschap voert een verloren strijd. Ik ben tot inzicht gekomen... De macht over beide rijken tussen zee en veen behoort aan háár... Het is het recht van de sterkste.' Hij streek nu bijna liefkozend over het boek van Zorah. 'Ik heb haar alles verteld en nu ben ik haar uitverkorene, zij is mijn meesteres, ik mag haar nederige leerling zijn...'

Maar Lupa luisterde al niet meer naar zijn geraaskal.

'Verrader!' siste ze en ontblootte haar tanden.

Alchior drukte zich tegen de wand toen hij zijn eigen dood in haar gele ogen las.

Lupa kromde haar rug en sprong.

De wissel in het woud

Verbijsterd staarde Matthias naar de vrouw die boven hem uittorende. Hij kon zijn oren niet geloven, dit mens was volkomen krankjorum! Ineens voelde hij een enorme lachbui in zich opborrelen om de absurde situatie. Voordat hij het wist, was hij in een onbedaarlijk schateren uitgebarsten.

'Ik ben blij dat je het zo amusant vindt, Matthias,' zei de koningin droog.

Ze was naar beneden gestapt en stond tegenover hem.

Matthias schudde zijn hoofd. 'U vergist zich, mevrouw. Mijn ouders zijn Miriam en Frenkel uit het Klaverdal. Daar ben ik geboren en opgegroeid.'

'Opgegroeid wel, maar niet geboren. Toen je nog een baby was, hebben ze je van mij weggeroofd. Ze hebben je verwisseld met een ander kind uit het Klaverdal.'

'Weggeroofd? Wie dan? Wie zijn "ze"?'

'"Ze" zijn het Genootschap, het genootschap van Malvezijn, onze vijanden.'

'Malvezijn is geen vijand!' protesteerde Matthias. Hij had er bijna 'U bent de vijand' achteraan gezegd, maar kon dit net op tijd inslikken.

'O, hij dacht de Voorspellingen van Taragon tegen te kunnen houden. Hij weet dat míjn zoon de prins is die alle macht zal hebben,' ging de koningin onverstoorbaar verder.

'Al die jaren heeft hij hier vlak onder mijn neus met onze vijanden samengezworen.'

'Malvezijn is niet mijn vijand, hij is mijn vriend!' hield Matthias koppig vol.

'Noem jij dát een vriend? Hij heeft je laten weghalen bij je eigen moeder, hij heeft je je geboorterecht als toekomstig koning van Dragonië ontnomen! Misschien zelfs koning van Dragonië en Westenrijk samen!'

'Ik geloof u niet,' wierp Matthias tegen. 'Zoiets oneerlijks zou Malvezijn nooit doen.'

'Eerlijkheid?' Zafyra wierp haar hoofd in haar nek, en haar spottende lach galmde door de troonzaal. 'Wanneer is Malvezijn éérlijk tegen jou geweest? Heeft hij je de waarheid verteld? Je bent prins van Dragonië. Jij bent geboren om beide landen tussen zee en veen te verenigen zoals het voorspeld is. De nacht van je geboorte was het volle maan, en de dag ervoor was er een zonsverduistering. Precies zoals het staat geschreven. Malvezijn heeft je laten ontvoeren voor zijn eigen doeleinden' – de koningin keek hem nu indringend aan – 'om je tegen je eigen moeder te keren!'

Matthias voelde een brok in zijn keel. 'U kunt niet mijn moeder zijn,' fluisterde hij met verstikte stem. 'Miriam is mijn moeder...'

'Kom nou toch, Matthias. Heb je nu werkelijk nooit het gevoel gehad dat je niet in het Klaverdal thuishoorde? Dat je voor grotere dingen was voorbestemd?'

Zafyra bracht haar gezicht nu dicht bij dat van Matthias en keek hem met haar turquoise ogen indringend aan. 'Of je afgevraagd waarom je helemaal niet op je ouders lijkt?'

Matthias boog zijn hoofd. Hadden de mensen uit het Klaverdal toch gelijk en was hij een wisselkind? Maar dat betekende ook dat hij een echte prins was! Dan had Emu hem op de Duivelspiek ook niet de waarheid gezegd, en was hij dus tóch een prins door afkomst! Zijn hoofd bonkte. Hij drukte zijn handen tegen zijn slapen. Er was zo veel gebeurd sinds hij samen met Tobias uit het Klaverdal was vertrokken. De tocht door de verborgen tunnel en het Dennendal. Die afschuwelijke nacht op het Runenplateau met Lupa en Alchior. De lange lessen met Malvezijn en de ontsnapping over de brug bij De midborgh.

En Kaya.

Hij werd even warm vanbinnen toen hij aan haar dacht. En dan de reis die ze samen door het gevaarlijke Dragonië hadden gemaakt naar de Vlakte van Ebe.

Alles tolde door zijn hoofd. Het was moeilijk om nog helder te denken.

Ineens voelde hij hoe verschrikkelijk moe hij was. Wie moest hij geloven? Deze vrouw die beweerde dat ze zijn moeder was? Malvezijn en het Genootschap?

Had Malvezijn hem niet overgeleverd aan het ene gevaar na het andere zonder hem de waarheid te vertellen? Of hem voorgespiegeld dat hij zou leren toveren, waardoor hij dacht dat hij zichzelf zou kunnen beschermen? Huiverend herinnerde hij zich hoe hij met Kaya bijna was verdronken in de Ebe. Ook de klim naar de Duivelspiek had hij bijna niet overleefd.

Had de koningin gelijk, en was Malvezijn helemaal geen vriend van hem?

Het werd hem allemaal te veel. Het liefst wilde hij dat iedereen hem gewoon met rust liet. Dat hij wakker zou worden uit deze nachtmerrie in zijn eigen bed, thuis bij Miriam en Frenkel. Versuft plofte hij neer op de verhoging voor de troon.

Maar Zafyra liet hem niet met rust. ‘Zal ik je eens de waarheid vertellen over dat genootschap van Malvezijn?’ Nadenkend tikte ze met haar nagel op haar kin. ‘Laten we beginnen met de befaamde Malvezijn zelf. Jarenlang heeft hij misbruik gemaakt van onze gastvrijheid. We hebben hem op het kasteel laten wonen, ook nadat hij allang niet meer kon toveren.’

Ze pauzeerde even toen ze de verraste blik van Matthias zag.

‘O, heeft hij dat óók al niet verteld?’ zei ze smalend. ‘Malvezijn heeft al ruim dertig jaar geen greintje toverkracht meer. Maar in plaats van dankbaar te zijn dat hij zijn plaats als hoftovenaar mocht houden, heeft hij in het geheim tegen onze familie samengezworen.' Ze priemde met haar vinger naar Matthias. 'Jóúw familie, Matthias!'

Matthias schudde zijn hoofd. Hij wilde niet geloven wat Zafyra hem allemaal vertelde.

'Hmm...' ging de koningin verder. 'Wie hebben we nog meer... O ja, Alchior de Alchemist!' Ze lachte schamper. 'Nou, dát noem ik nog eens een echte vriend!'

Zafyra keek Matthias nu vragend aan. 'Heb je je nog niet afgevraagd hoe het kwam dat mijn soldaten je zo precies wisten te vinden?'

Matthias boog zijn hoofd. Dat was precies de vraag die hij zichzelf de afgelopen dagen wel duizend keer had gesteld.

'Zo te zien heb ik het bij het rechte eind. Wel, dat was óók iemand van het Genootschap. Het was Alchior die je aan mij heeft verraden!'

'Alchior?' herhaalde Matthias ongelovig. Hij kon zich niet voorstellen waarom die vrolijke man zoiets zou doen. 'Maar... waarom?'

'De prutser denkt dat hij genoeg talent heeft om een groot tovenaar te worden,' zei Zafyra minachtend. 'Hij heeft jou verraden in ruil voor een glimp in mijn boek.'

Matthias sloeg zijn handen voor zijn gezicht. Hoe had hij zich zó kunnen vergissen in mensen? Wat had Lupa ook alweer gezegd over de driehoeken op de offersteen? *Wees op je hoede voor mensen die je denkt te kunnen vertrouwen. Onverwachte dingen kunnen de slechte kanten naar boven halen in mensen die alleen goed lijken.*

'Alchior heeft je niet alleen verráden, hij heeft zelfs geholpen om je in mijn val te lokken,' ging Zafyra genadeloos verder. 'Hij was het die een duif naar Emu heeft gestuurd. De opdracht om mijn boek te komen vernietigen heb ík hem laten schrijven.'

Zafyra grijnsde voldaan bij de herinnering.

'En welke andere leden van het Genootschap heb je nog leren kennen?' vroeg ze verder.

'Lupa,' fluisterde Matthias bedeesd.

'Maar natuurlijk, Lúpa!' Opnieuw schalde haar lach door de troonzaal. 'Lupa de Wolfsvrouw. Ze hebben je zeker ook al niet verteld waarom zij uit Dragonië is gevlucht?'

Matthias zei niets meer. Tranen stonden in zijn ogen.

'Lupa is een van de grootste misdadigers uit onze geschiedenis!' zei de koningin fel. 'Ze is een gifmengster en een moordenares!' Ze bracht haar gezicht opnieuw vlak bij dat van Matthias. 'Lupa heeft Zorah, jouw grootmoeder, vermoord!'

'Ik geloof u niet,' fluisterde Matthias. 'Waarom...?'

'Ik zal je vertellen waarom,' onderbrak Zafyra hem. 'Het Genootschap weigert te aanvaarden dat onze koninklijke familie is voorbestemd om te heersen. Zorah is door Lupa vermoord zodat er geen prins meer kon worden geboren, zoals Taragon heeft voorspeld.' Triomfantelijk keek ze Matthias aan. 'Maar mijn vader is ze te slim af geweest. Ook míjn zoon is een prins van Dragonië. Een prins om beide landen tussen zee en veen te verenigen tot een groot en machtig rijk!'

Ze sloeg haar handen in elkaar en haar ogen glansden.

'Die prins ben jíj, Matthias. Jij zult de machtigste koning worden sinds Taragon.'

Matthias was nog te overdonderd om te reageren.

'Maar het Genootschap probeert ook om jouw toekomst te vernietigen,' ging Zafyra verder. 'Het was Lupa zélf die je midden in de nacht van mij heeft weggeroofd en je naar het Klaverdal heeft ontvoerd.'

Matthias sprong overeind en drukte zijn oren dicht.

'Hou op!' riep hij. 'Ik wil het allemaal niet meer horen!'

Hij was uitgeput en wankelde op zijn benen.

De koningin klapte in haar handen en twee wachters kwamen de troonzaal in gesneld.

'Begeleid prins Matthias naar zijn vertrekken, en zorg ervoor dat hij niet wordt gestoord.' Ze legde haar hand op zijn schouder. 'Zijne Koninklijke Hoogheid de prins van Dragonië heeft rust nodig.'

Plannen en complotten

Uiteindelijk had Kaya haar zin gekregen. Ze had geschreeuwd, gemokt en gestampvoet, maar Arulf had geweigerd naar haar te luisteren. Pas toen ze dreigde dat ze in haar eentje achter Matthias aan zou gaan, had hij toegegeven. Als hij haar meenam, kon hij zijn eigenzinnige dochter tenminste in het oog houden.

Zoals Ursus had beloofd, lag het bootje bij de monding van de Oosterstroom. Het was ook zijn idee geweest om over de Arge te reizen. Arulf had het eerst een overmoedig plan gevonden. Maar een snellere manier om naar het noorden te gaan was er niet. Als ze geluk hadden zouden ze vanaf de hoge oevers niet gezien worden. De stroom langs de kant was sterk genoeg om ze richting de zee te laten drijven, maar niet zo gevaarlijk als in het midden van de rivier.

Ze wachtten tot het donker werd. In de nacht hoopten ze ongezien onder de brug bij De midborgh door te varen. Het schuitje danste op en neer in het kolkende water en het touw kraakte door het rukkende bootje. Kaya's schouders klopten van de pijn. Ze beet haar tanden op elkaar en duwde onafgebroken met haar stok af tegen de wal.

Toen het eindelijk donker genoeg was, maakte Arulf het touw los. Meteen werden ze op de golven meegevoerd. Het kostte steeds meer moeite om het bootje van de kant af te houden en Kaya prikte uit alle macht met haar stok. Struiken zwiepten in haar gezicht en ondanks de kou stroomde het zweet over haar rug. Arulf hield zijn touw klaar voor het geval ze te ver naar het midden van de rivier afdreven.

Na enige tijd zagen ze in de verte De midborgh opdoemen.

Soldaten marcheerden over de brug.

Arulf drukte zijn vinger tegen zijn lippen en Kaya hield haar adem in. Boven hun hoofden konden ze nu ook de stemmen van de wachters horen.

'Blijf waakzaam, mannen!' klonk het bars.

Een soldaat scheen langzaam met een fakkel over de brugleuning. Het licht gleed over het water in de richting van hun bootje. Kaya voelde paniek in zich opkomen en ze drukte een hand tegen haar mond.

Plotseling zwaaide Arulf zijn touw in de lucht en wierp. Het uiteinde wikkelde zich rond een van de houten peilers. Ze trokken uit alle macht, en het bootje gleed in de schaduwen van de brug. Met een bonk kwam de neus tegen de houten balk tot stilstand.

'Wat was dat?' klonk dezelfde barse stem.

Verschrikt keek Kaya naar haar vader.

'Er is iets onder de brug!'

Arulf keek wild om zich heen, maar ze zaten in de val. Aan de wal hoorden ze al voetstappen naderen en aan beide kanten van de brug werden fakkels aangestoken. In het midden van de rivier bruiste het water gevaarlijk.

'Ga op de bodem van de boot liggen!' siste Arulf. Hij trok zijn touw los en gaf met zijn laars een harde trap tegen de balk. Ze schoten los en werden de kolkende rivier op gezogen. Steeds sneller dreven ze van de kant af. Het bootje tolde in de rondte en ook Arulf drukte zich plat tegen de vloer.

'Maak meer licht!' klonk een bevel vanaf de brug.

Een brandende pijl werd de lucht in geschoten en de hemel lichtte op.

'Daar! Een boot!'

Kaya voelde iets langs haar hoofd zoeven en besefte dat het een pijl was. Ze hoorde ook het tikken van andere pijlen, die tegen de wand afketsten. Eentje boorde zich vlak boven haar kruin trillend in het houten spant.

Stuurloos lieten ze zich meevoeren op de woeste golven. Verlamd van angst kneep Kaya haar ogen stijf dicht. Plotseling stuitte de boot met een luide klap op een grote kei die in de rivier lag. Een plens water klotste over de rand en het bootje draaide een halve slag om.

Nu er geen nieuwe pijlen meer kwamen durfde Kaya voorzichtig haar hoofd iets op te tillen. De midborgh verdween steeds sneller uit het zicht. Ook de beide oevers waren bijna niet meer te zien in het donker. Maar nu waren ze overgeleverd aan de Arge.

Het lawaai van het schuimende water was oorverdovend. Kaya kon haar eigen stem nauwelijks horen toen ze haar vader riep. Ze probeerde op te staan, maar werd meteen weer tegen de bodem gesmakt toen een golf het bootje hoog optilde. Met een harde klap kwamen ze weer op het water terecht en versuft bleef ze liggen.

Kaya verwachtte dat ze elk moment op een van de keien te pletter zouden slaan. Ze was zó verdoofd van de kou dat ze niet meer merkte hoe ze alle kanten op werden geslingerd.

Na een tijd leek het gebrul van het water steeds minder luid te worden. Ten slotte deinde het bootje alleen nog maar wat heen en weer en kleine golven klotsten tegen de wanden. Voorzichtig kroop Kaya overeind. Tot haar opluchting zag ze dat ook Arulf zich bewoog.

'Vader, is alles goed met je?'

'Een paar schrammen, verder niets. En jij?'

'Alleen maar koud,' rilde Kaya. 'Wat een tocht, hè?'

'Het was bijna onze laatste,' zei Arulf grimmig.

Ze waren teruggedreven naar de oostelijke oever en lagen in een enorme bocht. De wal was hier veel lager en ze keken uit over een uitgestrekte vlakte.

'De Delta van Vlied,' zei Arulf somber. 'Dit was ooit het vruchtbaarste deel van Dragonië. Het fruit en de groenten uit deze streek waren beroemd in beide landen.' Hij wees in de verte. 'Daarginder ligt het dorp Vlied, dat is nu bijna helemaal verlaten. Vroeger werd daar het bier gebrouwen en ook de beste wijnen kwamen hiervandaan. Het jaarlijkse wijnfeest was een festijn dat drie dagen duurde.' Arulf zuchtte diep. 'Dit is alles wat nog over is van de bloeiende boomgaarden.'

Dode bomen stonden in spookachtige rijen in het donker, en de deur van een vervallen schuur klapperde in de wind.

'Je bent ijskoud en doorweekt. Kom, ik maak snel een vuur,' en hij klom uit de boot.

'Maar vader, dat is gevaarlijk!' protesteerde Kaya. 'Stel je voor dat iemand ons ziet!'

Arulf haalde zijn schouders op. 'Als we worden ontdekt hebben we een betere kans om te overleven dan wanneer we doodvriezen.'

De vlammen laaiden al snel op. Kaya kroop dicht bij het vuur.

Een tak kraakte.

Eerst dacht Kaya dat het uit het knetterende houtvuur kwam, maar even later hoorde ze opnieuw een geluid tussen de bomen achter zich.

'Vader!' fluisterde ze. 'Er is iemand in de boomgaard.'

Ze greep haar boog en spande een pijl.

Er klonk nu ook gegrom. Kaya's maag kromp ineen. Twee ogen glansden in het donker.

'Vader, daar! Een wild beest!'

Het grommen kwam dichterbij. In de muil zagen ze een rij scherpe tanden flikkerden. Kaya richtte haar boog en liep langzaam achteruit.

Ook Arulf was nu zachtjes opgestaan. Hij duwde Kaya achter zijn rug en wilde zijn dolk trekken. Maar nog voordat hij het handvat kon grijpen, sprong het dier. Het landde met de voorpoten op de borst van Arulf, die achterover op de grond viel.

'Niet bewegen, vader,' fluisterde Kaya. 'Ik heb hem onder schot.'

Plotseling trok de wolf zich terug en begon te kwispelen.

'Arulf de Stalmeester?'

Kaya geloofde haar oren niet. Een sprekende wolf!

Arulf richtte zich op op zijn ellebogen.

'Lupa?'

Voor hun ogen veranderde de wolf in een oude vrouw met lang grijs haar.

'Jullie kennen elkaar?' vroeg Kaya verbluft.

'Dit is Lupa de Wolfsvrouw, over wie ik je heb verteld. Lupa, dit is mijn dochter Kaya.' Hij legde zijn grote handen op haar schouders. 'Lupa, ik kan het niet geloven. Wat doe jij hier? Ik dacht dat je naar Westenrijk was gevlucht. Heb je de Runenring nog van Malvezijn gekregen?'

Arulf struikelde over zijn eigen woorden en Lupa schudde lachend haar hoofd.

'Zo veel vragen tegelijk,' zei ze. 'Malvezijn heeft me de ring laten zien. We hebben hem meegegeven aan een jongen. Ik ben teruggekomen naar Dragonië om hem te helpen.'

'Matthias!' fluisterde Kaya.

Verwonderd keek Lupa van Kaya naar Arulf.

'Inderdaad... Maar hoe...?'

Arulf boog beschaamd zijn hoofd. 'Hij viel in een van onze gangen. Ik heb hem gevangengenomen.' Met een hulpeloos gebaar spreidde hij zijn handen. 'Ik wist toen nog niet wie hij was. Pas nadat ik in zijn tas de ring ontdekte, begreep ik dat hij door jou of Malvezijn moest zijn gestuurd. Maar hij was toen al ontsnapt met mijn ongehoorzame dochter hier.'

Hij keek naar Kaya, die een brede grijns trok.

Lupa legde haar hand op zijn arm. 'Hij is al op Dragon.'
'Heb je Matthias gezien?' vroeg Kaya opgewonden.
Een verdrietige uitdrukking kwam over Lupa's gezicht.
'Hij is verraden,' zei ze zachtjes. 'Hij is verraden door iemand van ons. Iemand die ik vertrouwde.'
'Maar is alles goed met hem?' drong Kaya aan. 'Hij is toch niet...' De woorden bleven in haar keel steken.
'O, hij leeft nog,' antwoordde Lupa tot haar enorme opluchting. 'Hij is bij koningin Zafyra.'
'Heeft ze hem gevangengezet?' vroeg Arulf bezorgd.
'Hij zit niet in de kerkers als je dat bedoelt, maar of hij haar gevangene is, weet ik niet.'
Kaya stond bijna te trappelen van ongeduld.
'Het is een lange geschiedenis,' begon Lupa.
Ze klopte het stof van haar rok en ging op een steen zitten.
'Koning Isgerias heeft het nooit kunnen verkroppen dat zijn voorouder Taragon het buurland Westenrijk niet veroverd had. Taragon stond op het punt om Westenrijk binnen te vallen, toen hij opeens besloot om geen oorlog meer te voeren. Maar hij voorspelde dat er een prins zou worden geboren die de beide landen wél zou verenigen.'
Lupa strekte haar rimpelige handen naar het vuur, en vertelde verder.
'De oorlogszuchtige Isgerias raakte steeds meer bezeten van het idee om de macht te krijgen over beide landen. Hijzelf was toen al koning, en er staat geschreven dat een *prins* de voorspellingen zal doen uitkomen. Toen koning Belver van Westenrijk een zoon kreeg, raakte Isgerias in paniek. Hij móést en zou ten koste van alles nu ook snel een zoon hebben. Toen Zafyra werd geboren in plaats van een prins, was hij dan ook dol van razernij. Wij van het Genootschap waren opgelucht dat Dragonië geen prins had, maar de arme Zorah moest dit met de dood bekopen. Mogelijk

dat Isgerias zijn plannen had opgegeven als zij niet op haar sterfbed die vreselijke vloek had uitgesproken.'

'Een vloek?' vroeg Arulf.

Lupa knikte.

'Toen Zorah erachter kwam dat Isgerias haar had vergiftigd, heeft ze hem en zijn familie vervloekt. Isgerias heeft altijd volgehouden dat ík haar heb vermoord om te voorkomen dat hij alsnog een zoon zou krijgen, maar Zorah zelf wist wel beter.'

'Wat voor een vloek dan?' vroeg Kaya gespannen.

'Zorah zei dat de Voorspellingen van Taragon uit zouden komen, maar daarmee ook dood en verderf over het land. Bovendien zou het het einde betekenen van het koningshuis van Dragonië.' Lupa zuchtte diep bij de herinnering. 'Het lukte Malvezijn om de vloek te veranderen. Een van beide zou nu nog maar uitkomen: dood en verderf over het koninkrijk óf het einde van de macht van de koninklijke familie.' Ze schudde zachtjes haar hoofd. 'Malvezijn had er geen moment op gerekend dat Isgerias de macht van zijn familie belangrijker zou vinden dan het lot van het land. Na de grote opstand tegen Isgerias, wanneer was het...?' Ze keek vragend naar Arulf.

'Bijna eenentwintig jaar geleden,' antwoordde deze.

'Na de opstand kon ik niet meer in Dragonië blijven en ben de grens over gevlucht,' ging Lupa verder. 'Malvezijn bleef op Dragon achter om Isgerias in de gaten te houden.'

'Maar wat heeft dat allemaal met Matthias te maken?' vroeg Kaya ongeduldig.

'Vijf jaar lang gebeurde er niets. We hoopten dat Isgerias zijn plannen had opgegeven,' vertelde Lupa ongehinderd door. 'Maar toen hij prinses Zafyra wegstuurde om hem een kleinzoon te bezorgen, begrepen we dat hij nog altijd zijn zinnen op Westenrijk had. Zafyra kreeg een jongetje op een klaarlichte nacht, precies zoals het in de voorspellingen beschreven staat. Malvezijn bedacht een plan om Isgerias toch nog tegen te houden.'

Lupa boog voorover en pookte het vuur op.

'Diezelfde nacht, bijna vijftien jaar geleden, hebben we de pasgeboren prins van Dragonië verwisseld met een baby uit het Klaverdal. Isgar van Dragonië is de zoon van een boerenechtpaar, Frenkel en Miriam. Matthias is de prins van Dragonië.'

Het bleef even stil.

'Matthias is de prins van Dragonië?' herhaalde Kaya toen verbluft. 'Míjn Matthias? Ik bedoel...' Kaya kreeg een knalrood gezicht toen ze besefte wat ze zojuist had gezegd. Ze zag niet hoe Arulf geamuseerd naar haar keek. Ook Lupa moest innerlijk glimlachen.

'Matthias is opgegroeid in het Klaverdal, en wist niet beter dan dat hij de zoon van Miriam en Frenkel was. De enige die daar de waarheid kent is een visser, Tobias. Tobias is ook lid van het Genootschap, en samen met hem heb ik de kinderen verwisseld.'

'Wel alle donders,' prevelde Arulf.

'Maar... maar waaróm?' vroeg Kaya. 'Die voorspellingen moeten uiteindelijk toch uitkomen?'

'In de Voorspellingen van Taragon staat ook dat de prins die de beide landen verenigt, zal bepalen of het goede of het kwade zal heersen. Daarom durfden we hem niet in handen van Isgerias te laten, met zijn slechte bedoelingen.'

'Isgerias is dood,' onderbrak Kaya haar.

'Zafyra is zo mogelijk nóg vastberadener om Westenrijk te veroveren dan haar vader. Ze is bezig een geheim wapen te ontwikkelen. Als het klaar is, zal ze onoverwinnelijk zijn.'

'Hoe moet Matthias haar dan in zijn eentje tegenhouden?' vroeg Kaya verbaasd.

'Op het moment weten we niet eens meer aan welke kant hij staat,' zei Lupa in plaats van antwoord te geven. 'Zafyra schermt hem zó af dat niemand bij hem kan komen.'

'Hoe bedoel je?' zei Kaya verontwaardigd. 'Je denkt toch niet dat hij ineens met de koningin onder één hoedje speelt!?'

'Vergeet niet dat hij net heeft ontdekt dat Zafyra zijn moeder is.'

'Laat hij maar niet denken dat hij ineens kan doen wat hij wil omdat hij toevallig de prins is,' zei Kaya vinnig.

Lupa keek Kaya onderzoekend aan. In haar hoofd rijpte een plan.

Het recht van de sterkste

Matthias rekte zich uit in zijn warme bed. In De Vrolijke Baars was hij onder de indruk geweest van de veren matrassen en kussens, maar hier was het beddengoed van echte zijde en dons.

Hij kon nog steeds niet geloven wat hem allemaal in de afgelopen week was overkomen. Het ene ogenblik had hij gedacht dat hij als gevangene van koningin Zafyra zou worden onthoofd. Het volgende moment bleek hij opeens de prins van Dragonië te zijn.

Hij had het gevoel dat zijn hele leven tot nog toe één grote leugen was geweest. Het Genootschap had hem van zijn eigen familie beroofd. Al die jaren in het Klaverdal was hij uitgelachen en getreiterd. Hier werd hij met eerbied behandeld. De mensen waren vriendelijk en beleefd en bogen zelfs voor hem. Iedereen had hem voorgelogen en maar met hem gesold. Uiteindelijk was hij zelfs zonder het te weten tegen zijn eigen moeder gekeerd.

De vorige dag had Zafyra hem meegenomen naar de portrettengalerij van het kasteel.

'Dit zijn je voorouders,' had ze gezegd. 'Je stamt af van een lange en adellijke bloedlijn.'

Vol ontzag was hij langs de rijen schilderijen gelopen. Statige gezichten keken op hem neer.

Bij één portret was Zafyra achter hem komen staan. Het was van een jonge krijger met een getrokken zwaard op een steigerend paard.

Matthias keek naar het gezicht. Behalve dat de ogen van de ridder op het schilderij bruin waren, en hij lange wapperende haren had, keek hij naar zijn eigen evenbeeld. Op het koperen plaatje onder de lijst stond 'Taragon van Dragonië' gegraveerd.

'En deze plaats is later voor jou bestemd,' zei Zafyra aan het einde van de gang. 'Ik weet zeker dat je nog grote daden zult verrichten voor Dragonië, en als een held onze geschiedenis in gaat.'

Matthias had zich nog nooit zo trots gevoeld. Hij had zijn thuis gevonden.

'Maar als jij mijn echte moeder bent, wie is dan mijn vader?' vroeg hij.

Zafyra verstijfde even. 'Dat is nu niet belangrijk meer. Zolang je maar nooit vergeet dat het bloed van Taragon van Dragonië door je aderen stroomt.'

Peinzend staarde Matthias naar het dak van zijn hemelbed. Hij vroeg zich af waarom hij zich zo makkelijk door Malvezijn en Lupa om de tuin had laten leiden. Die nacht op het Runenplateau hadden ze hem dan ook zó bang gemaakt dat ze hem álles hadden kunnen wijsmaken.

Zelf had hij nog helemaal niets gemerkt van die zogenaamde slechte bedoelingen van Zafyra. Eigenlijk was het Runenplateau bij Lupa de enige plaats waar hij het kwaad had gevoeld.

Matthias stak zijn voet uit het bed, maar trok deze snel weer terug. Aan de kou in Dragonië kon hij maar moeilijk wennen. Het was zomer, maar zelfs de winters waren in het Klaverdal nog warmer. Hij kroop diep onder de dekens. Even later hoorde hij hoe er zachtjes op de deur werd geklopt.

'Wie is daar?' riep hij, voordat hij eraan dacht dat Tamara hem geen antwoord kon geven.

'Als jij het bent, Tamara, kom dan binnen!' riep hij er snel achteraan.

Tamara kwam de kamer in met een mand vol hout. Al snel brandde er een vuur in de haard. Ze wees met haar vinger naar haar mond en keek hem vragend aan.

'O, eh, alleen wat brood met kaas graag,' mompelde Matthias als antwoord.

Zodra het wat warmer was geworden, kroop hij uit bed. Zijn kleren lagen klaar op een stoel. Hij liet het witte satijnen hemd over zijn hoofd glijden. De nieuwe blauwfluwelen wambuis was zó mooi met goud bestikt dat hij het haast zonde vond om aan te trekken. Toen hij even later ook de zachtleren rijlaarzen over zijn broek dicht had geknoopt, keek hij in de grote spiegel. Hij herkende zichzelf bijna niet. Een groter verschil met de Matthias uit het Klaverdal was nauwelijks voor te stellen. Als de mensen uit het dorp hem nú eens konden zien...!

Zijn gedachten werden onderbroken door een nieuwe klop op de deur.

'Kom binnen, Tamara!' riep hij zonder zijn blik van zijn spiegelbeeld te halen. 'Zet alles maar daar op tafel.'

'Tjonge jonge, jij bent er snel aan gewend om bevelen te geven, zeg.'

'Tamara... Je hebt je stem terug?'

Het meisje draaide zich om en trok het mutsje van haar hoofd.

'Kaya! Hoe... w... wat...' stotterde Matthias.

'Het was niet gemakkelijk om bij je binnen te dringen, maar Tamara en Lupa...'

'Lupa!' onderbrak Matthias haar. 'Lupa is híér?'

Kaya knikte. 'Ze heeft me hierheen gebracht om je te helpen met je opdracht. Het Genootschap...'

'Lupa is een moordenares!' zei Matthias fel. 'Ze heeft mijn grootmoeder vergiftigd!'

'Heeft Zafyra je dat wijsgemaakt?'

'Mijn moeder heeft me alles verteld. Het is één groot complot tegen onze familie!'

'Wat is er met jóú gebeurd?' vroeg Kaya verbluft.

Op dat moment klonk een harde roffel op de deur.

'Hoogheid, is alles in orde?' vroeg een zware stem.

Kaya verbleekte en staarde Matthias met opengesperde ogen aan.

Matthias keek twijfelend heen en weer van de deur naar Kaya. Even dacht ze dat hij de wachter binnen zou roepen.

'Niets aan de hand. Ik gaf alleen de dienstbode een paar opdrachten!'

'O,' klonk het aarzelend. 'Neemt u mij niet kwalijk.' De voetstappen stierven weg in de gang. Kaya slaakte een zucht van verlichting.

'O, Matthias,' fluisterde ze, 'ik dacht... ik dacht even dat je...'

Matthias onderbrak haar. 'De dingen zijn veranderd, Kaya,' zei hij stug. 'Ik ben nu prins Matthias en ik heb verplichtingen. Het is beter dat je gaat voordat je ontdekt wordt.'

'Matthias, je moet naar me luisteren... Je hebt geen idee...'

Maar hij keerde haar zijn rug toe en sloeg nors zijn armen over elkaar. Kaya wilde hem het liefst toeschreeuwen. Ze balde haar vuisten.

'Kijk eens naar jezelf!' siste ze daarom zo hard als ze kon. 'Zoals je voor de spiegel staat te pronken in je mooie kleren.'

Matthias werd knalrood. Om zich een houding te geven liep hij naar het raam. Maar Kaya kwam achter hem aan. Ze greep hem bij zijn arm en draaide hem hardhandig om.

'Je wordt op je wenken bediend,' raasde ze verder, en ze wees naar het ontbijt dat ze zojuist bij het haardvuur had neergezet. 'Voor jou geen honger of kou! Weet je wel hoe het is buiten de muren van het kasteel? Ik durf te wedden dat je nog met niemand hebt gesproken zolang je hier bent! Wáárom denk je dat je een dienstmeisje hebt dat niet kan praten? Zodat ze je niet de waarheid over Zafyra kan vertellen!'

Nijdig trok Matthias zijn arm terug. 'Zafyra is mijn moeder! Hoe dúrf je zo tegen mij te spreken. Ik ben de prins!'

De minachting die nu over Kaya's gezicht trok kwetste Matthias in het diepste van zijn trots.

'Als je de waarheid over Zafyra wilt weten, kom dan vanavond naar de keukens,' zei ze bits. 'Ik zal daar op je wachten.' Toen zette ze het kapje weer op en liep met gebogen hoofd de kamer uit.

Matthias voelde de tranen in zijn ogen prikken van frustratie. Nu alles net zo goed ging, moest Kaya het komen verpesten. Wat wilde iedereen toch van hem? Veel tijd om hierover na te denken kreeg hij niet.

'Hoogheid, u wordt verwacht op de binnenplaats.'

In de deuropening stond een van de hoflakeien van zijn moeder. De leren jas die de man voor hem ophield was met zacht bont gevoerd. *Voor jou geen honger of kou!* hoorde hij Kaya weer zeggen.

Hij haalde koppig zijn schouders op en liet zich in de jas helpen. Tenslotte was hij de prins en hoefde hij zich niet door Kaya de les te laten lezen. Daarom propte hij ook nog snel een stuk brood in zijn mond en liep driftig kauwend achter de lakei aan.

Op de binnenplaats hield een staljongen een kastanjebruine hengst aan de teugel. Toen Matthias de trappen af kwam, draaide het dier zijn hoofd. De glanzende ogen keken hem recht aan. Matthias wreef zijn wang tegen de fluwelen neus. De lange zwarte manen waren dicht en zacht. Het was het mooiste paard dat hij ooit had gezien.

'Dit is Sirocco,' hoorde hij nu de stem van zijn moeder achter zich. 'Hij stamt af van Mistral, het paard dat je op het portret van Taragon hebt gezien. Het leek me vanzelfsprekend dat hij van jou is.'

Matthias kon geen woord uitbrengen. Hij legde zijn hand op de flank en voelde een rilling onder de zijdezachte huid lopen. De staljongen hielp hem in het zadel, en Matthias drukte voorzichtig zijn hielen in de flank. Het dier reageerde meteen, en in een draf gingen ze de binnenplaats rond. In het Klaverdal had hij vaak op Bruintje gereden, maar dat was hiermee niet te vergelijken. De hengst bewoog zó vloeiend dat het was alsof ze samen één waren. Bruintje had hij altijd flink in de flanken moeten porren voordat ze ergens anders heen ging dan terug de warme stal in. Sirocco reageerde al op de minste aanraking en leek bijna van tevoren te weten wat hij wilde.

'Moeder, is hij echt van mij? Mag ik hem houden?'

'Natuurlijk.'

Zafyra liet zich nu ook in haar zadel helpen. Met een escorte van Zwarte Rijders reden ze naar de kasteelpoort. Matthias trok zijn hoofd diep in zijn warme jas.

In een hoek van de binnenplaats stond een jongen van zijn eigen leeftijd die hem strak aanstaarde. Matthias wist zeker dat hij dat gezicht ergens van kende.

'Wie is dat?' vroeg hij daarom aan Zafyra.

De koningin keek over haar schouder. 'O, niemand van belang,' zei ze achteloos, maar hard genoeg zodat Isgar haar kon horen.

Matthias probeerde nog eens beter naar zijn gezicht te kijken maar de jongen had zich al omgedraaid en liep in de richting van de stallen.

Zelfs over het stenige pad langs de kliffen wist Sirocco feilloos zijn hoeven te plaatsen.

In de verte lag de hoofdstad Darkenholm, nauwelijks zichtbaar in het schemerige licht. De zon stond hoog aan de hemel, maar leek bedekt te zijn door een grijze nevel.

'Waarom blijft het hier de hele dag zo donker?' vroeg Matthias.

Zijn moeder negeerde de vraag. Ze hield haar paard in en wees in de verte.

'Kijk, Matthias, het rijk dat ik regeer. Het rijk dat we samen zullen laten groeien, en dat ooit van jou zal zijn.'

Opnieuw zwol het gevoel van trots in Matthias.

'Een land ordelijk regeren is geen makkelijke taak,' ging zijn moeder verder. 'Het grootste probleem is dat alle mensen verschillende dingen willen. Wanneer een leider iedereen aan deze eigen wil laat toegeven, ontstaat wanorde.'

Ze sprak het woord 'wanorde' uit alsof het iets heel vies was.

'Om een land op orde te houden is het dus nodig dat één persoon beslist, en zijn wil oplegt aan de rest. Een goed bestuurd land heeft een sterke leider. Zo is het in de natuur vastgelegd, de macht van de sterkste.'

Matthias knikte. Het klonk allemaal heel simpel.

'Jammer genoeg begrijpen veel mensen dit niet. Die zijn zelfzuchtig en vinden hun eigen wil belangrijker dan de orde van het land.'

Ze gaf haar paard de sporen en ze reden langzaam verder. Matthias kreeg de indruk dat ze verwachtte dat hij iets zou zeggen.

'Wat gebeurt er dan met die mensen?' vroeg hij daarom maar.

'Wel, er zijn twee mogelijkheden. Je kunt ze dwingen tegen hun wil, óf je kunt hun eigen wil wegnemen. Dat laatste vind ik... hmm' – ze dacht even na – 'vreedzamer.'

Op een of andere manier gaven deze woorden Matthias een onbehaaglijk gevoel.

'Wegnemen?' herhaalde hij. 'Hoe dan?'

Ook op deze vraag gaf Zafyra geen antwoord.

Het dikke pak sneeuw dempte het geluid van de hoeven. Voor het eerst viel het Matthias op hoe spookachtig stil het was. Hij hoorde zelfs geen vogels fluiten.

'Je kunt geen omelet bakken zonder eieren te breken,' ging Zafyra plotseling verder. 'Meestal moet je eerst iets opofferen om later iets te bereiken. Dat is de natuurlijke gang van de dingen. Een roofdier kan niet leven zonder zijn prooi te doden. Het recht is aan de sterkste, en de sterksten zijn wij. Daarom horen wij te heersen over de rest. Niet alleen over Dragonië, maar ook over Westenrijk. Precies zoals het geschreven staat in de Voorspellingen van Taragon.'

'Westenrijk?' vroeg Matthias bezorgd. 'Ook het Klaverdal?'

Hij begon zich nu steeds ongemakkelijker te voelen. Zafyra leek dit te merken.

'Je bent óf met mij, óf tegen mij, Matthias. Vriend of vijand.'

Zwart-wit-denken, hoorde hij Malvezijn in gedachten zeggen, *heel gevaarlijk.* Hij schudde zijn hoofd en probeerde de gedachte aan de tovenaar weg te dringen. *Dit noem ik grijs-denken: we hebben beide meningen bekeken vanuit elkaars standpunt, we zijn het eens geworden én we hebben allebei van elkaar geleerd,* ging de stem in zijn hoofd onverbiddelijk verder. *Grijs-denken levert altijd méér op dan zwart-wit-denken.*

Misschien moest hij die avond toch maar naar de keukens gaan. Tenslotte kon het geen kwaad om alleen maar te luisteren naar wat Kaya te zeggen had.

De gevangene van Kali

Hoe langer Isgar erover nadacht, hoe opgeluchter hij was dat Zafyra niet zijn moeder was. Het was alsof een zware last van zijn schouders was gevallen. Hij had die jongen Matthias graag willen vragen naar zijn echte familie in Westenrijk, alleen liet Zafyra bijna geen andere mensen bij hem in de buurt komen. De enige die langer dan een paar minuten met Matthias alleen werd gelaten was het kamermeisje Tamara. Verder wist hij niemand die hem zou kunnen vertellen wie zijn ouders waren.

Hij liet zich van de rug van zijn paard glijden en bond de teugels aan een tak. Een lange wandeling hielp hem meestal zijn gedachten te klaren. De sneeuw kraakte onder zijn laarzen, maar verder was het doodstil in het Darkenwaldse Bos.

'Hoogheid!' klonk het plotseling achter zijn rug. 'Wat een onverwachte verrassing.'

Generaal Kali maakte een snerende buiging.

'Hoe was het ook alweer?' Met een smalend lachje frunnikte hij aan zijn puntbaardje. 'Ik ben nog altijd de prins van Dragonië. Daarmee sta ook jij onder mijn bevel!' herhaalde hij de woorden die Isgar een paar weken eerder had gesproken. 'Ach, nee,' verbeterde hij zichzelf. 'De rollen zijn omgekeerd. Ik ben generaal in het koninklijke leger, en jij... niets meer dan een boerenjongen.'

Hij trok zijn zwaard en richtte de scherpe punt op Isgar.

'Eens kijken of je nu nog zo veel praatjes hebt.'

Zijn stem was gevaarlijk zacht. Isgar liep langzaam achteruit. Hij wist dat hij tegen de geoefende soldaat geen enkele kans maakte. Kali was een van de beste zwaardvechters van Dragonië.

Hij botste met zijn rug tegen een boom en gleed bijna onderuit op de ijzel. Het harde staal zong in zijn oor toen het vlak naast zijn hoofd de stam raakte. Opnieuw tilde Kali het zwaard boven zijn hoofd.

'Verdedig je, lafaard,' siste hij Isgar toe. 'Of laat je je afslachten als een speenvarken?'

Dit keer trok Isgar zijn hoofd niet snel genoeg opzij. Een scherpe pijn trok door zijn wang en hij voelde hoe een straaltje bloed langs zijn nek sijpelde. Wanhopig trok hij zijn eigen zwaard en hield het met beide handen voor zich uit.

Met een gemene grijns op zijn gezicht liep Kali voor hem heen en weer, alsof hij probeerde te bepalen waar hij het eerst zou toesteken. Af en toe pookte hij met de punt van zijn zwaard zonder echt door te steken. Hij leek er plezier in te hebben om het ongelijke gevecht zo lang mogelijk te rekken.

Isgar was nog duizelig van de klap tegen zijn hoofd en probeerde tevergeefs de prikken te pareren. Alles draaide voor zijn ogen en hij wankelde op zijn benen.

Ineens zag hij als in een droom iets door de lucht vliegen. Het enorme grijze gevaarte stortte zich grommend op de overrompelde generaal. Kletterend viel het zwaard van Kali op de bevroren grond.

Isgar hoorde hem schreeuwen toen de wolf zich op de achterpoten verhief. Kali schoof op zijn rug achteruit en het lukte hem om op te staan. Bloed liep uit de krabwonden op zijn gezicht. Verwilderd keek hij om zich heen en zag dat zijn zwaard buiten handbereik was gegleden.

De wolf kwam weer neer op vier poten en maakte zich klaar voor een nieuwe aanval. Het dier ontblootte de tanden en zette zich schrap. Kali bedacht zich geen moment en liet zich van de helling rollen.

De wolf draaide zich om en liep langzaam op Isgar af. Deze kromp in elkaar en hield zijn armen voor zijn gezicht. Toen er niets gebeurde, gluurde hij voorzichtig tussen zijn vingers door. De wolf was verdwenen en voor hem stond een oude vrouw met lange grijze haren.

'Wa... waar is die wolf gebleven?' stamelde Isgar.

'Dat is nu niet belangrijk,' antwoordde de vrouw. 'Laat me naar je wang kijken.'

Uit een leren buideltje aan haar riem haalde ze een klodder zalf en smeerde dat op de wond. Isgars gezicht vertrok meer door de stank dan van de pijn.

'Het ruikt misschien niet zo lekker, maar je zult nu in elk geval niet de wondkoorts krijgen.'

Ze veegde haar handen af aan haar schort en ging op een boomstronk zitten. Het verbaasde Isgar dat ze geen enkele last leek te hebben van de felle kou. Ze stroopte zelfs haar mouwen op voordat ze haar kin op haar handen leunde.

'Wel, Isgar van het Klaverdal,' begon ze. 'Het wordt tijd dat ook jij je echte thuis vindt.'

'Weet u dan waar ik vandaan kom?' vroeg Isgar opgewonden. 'Kent u mijn echte ouders?'

'Ja en nee,' glimlachte Lupa. 'Ik weet waar je vandaan komt. Ik weet ook wie je ouders zijn, maar ik zou niet willen zeggen dat ik ze kén.'

'Waar kan ik ze vinden?'

Lupa haalde een rol papier uit haar schort. 'Rijd zo snel je kunt naar de Noorderbrug over de Arge. Daar kennen de wachters je waarschijnlijk nog als príns Isgar van Dragonië, en kun je zonder problemen de grens passeren.' Ze gaf hem de rol papier. 'Volg de Arge naar het zuiden tot je bij het klooster van Serti komt. Daar zul je Malvezijn vinden.'

'Malvezijn? Hij leeft nog?' vroeg Isgar opgelucht.

Lupa knikte. 'Breng hem deze brief. Hij zal je bij je familie brengen.'

Ze liep met hem mee naar de plaats waar Isgar zijn paard had vastgebonden.

'Ik weet niet hoe ik u moet bedanken...' begon hij.

'Wij zijn het die jou moeten bedanken, Isgar van het Klaverdal,' onderbrak Lupa hem. 'Malvezijn zal je alles uitleggen. Ga nu snel voordat de berichten over de nieuwe prins de Noorderbrug bereiken.'

Ze gaf het paard een klap op de flank, en in volle galop verdween Isgar tussen de bomen.

Toen hij een paar uur later langs de duinen reed hield hij zijn paard in. Op het strand marcheerde een troep Zwarte Rijders in de richting van de Noorderveste. Hij tuurde over de zee naar het eiland Drach. Uit de grote vulkaan kwam een pluimpje rook.

Hij wist dat er daar iets gaande was, maar Zafyra had hem nooit in vertrouwen genomen. Het eiland was een zwaar bewaakt militair gebied. Zelfs vanaf deze afstand kon hij de wachttorens zien.

Hij nam een slok water en gaf het paard opnieuw de sporen. In het bos tussen Norrfell en de Noorderveste stapte hij even af om zijn paard te laten drinken en rusten. Het speet hem dat hij niets te eten had meegenomen. Hij had dan ook niet verwacht dat hij zo'n lange rit zou maken. Hij overwoog even om Norrfell in te rijden, maar dat zou te veel oponthoud geven. Bovendien was daar waarschijnlijk ook geen voedsel, de soldaten van de Noorderveste zouden alles al hebben weggeroofd.

Het was diep in de nacht toen hij eindelijk de Noorderbrug bereikte, maar de grenswachters waren waakzaam.

'Halt, wie is daar?'

'Prins Isgar van Dragonië!' antwoordde hij zo bars als hij kon. 'Geef acht!' voegde hij er nog aan toe om meer indruk te maken.

Het bleef even stil.

'Kunt u zich tonen?' klonk het nu aarzelend.

Isgar steeg af en liep naar het licht van het wachterhuisje.

'Hoogheid!'

De beide mannen salueerden door met hun vuist op de borst te slaan.

'U reist zonder begeleiding?' vroeg de ene verwonderd.

'Ik... ik ben op een vertrouwelijke missie,' verzon Isgar snel.

Toen hij weer op zijn paard was geklommen, viel zijn oog op een kooi naast het hokje. Een zwaar geboeide man zat ineengedoken tegen de kou. De helft van zijn baard was donkerrood van opgedroogd bloed.

'Wie is dat?' Isgar knikte met zijn hoofd naar de man.

'Ik weet niet wie hij is, maar ik geef geen rooie duit voor zijn leven,' grijnsde de wachter. 'Het moet wel een heel speciale gevangene zijn, want generaal Kali komt hem morgen hoogstpersoonlijk afhalen.' De soldaat wapperde met zijn hand alsof hij net zijn vingers had verbrand.

Isgar keek met nieuwe belangstelling naar de geboeide man. In een opwelling van balorigheid kon hij de verleiding niet weerstaan om de gehate generaal nog één keer te dwarsbomen.

'De plannen zijn veranderd,' zei hij. 'Ik ben gekomen om hem te halen.'

'U? In uw eentje?' vroeg de man wantrouwend.

Isgar boog zich over de nek van zijn paard en bracht zijn gezicht vlak bij dat van de wachter.

'Jij waagt het om te twijfelen aan mijn bevelen?' brulde hij zo hard als hij kon. 'Als je hem niet in de dubbele looppas bij mij brengt, geef ik nog geen hálve rooie duit voor jóúw leven. En dan kun je nog het touw waaraan ik je laat opknopen van je soldij aftrekken!'

Tijdens zijn verblijf in het legerkamp had Isgar geleerd dat dit het soort taal was dat de soldaten verstonden. Vliegensvlug werd dan ook de kooi geopend en de verstijfde man naar buiten gesleurd. Isgar nam het touw dat om zijn polsen gebonden zat en trok hem overeind.

'En nu uit de weg, hondsvotten,' riep hij.

Beide mannen sprongen in de houding met hun vuist tegen de borst.

Stoerder dan hij zich voelde leidde Isgar zijn paard de Noorderbrug op. Hij verwachtte ieder moment een pijl in zijn rug te voelen. Maar zonder verder oponthoud reed hij Westenrijk in met de strompelende man achter zich aan.

Zodra ze over de grens waren, sprong hij van zijn paard. Met zijn dolk sneed hij het touw los. De man blies in zijn verkleumde handen en keek Isgar onderzoekend aan.

'Jongeman, je hebt geen idee wat voor dienst je je vaderland hebt bewezen,' sprak hij.

'Dragonië is mijn land niet,' zei Isgar. 'Ik ben er ook pas net achter, maar ik kom uit Westenrijk. Dít is mijn vaderland.'

'Weet je al waar je nu naartoe gaat?'

'Ik ga zuidwaarts, naar het klooster van Serti.'

De man knikte. 'Veel geluk, Isgar van het Klaverdal. Doe Malvezijn de groeten van Arulf,' zei hij. 'Zeg hem dat ik me onze nacht op zee nog goed herinner.' Toen draaide hij zich om en verdween in het duister.

Het was al uren later toen het de slimste van de twee grenswachters plotseling te binnen schoot dat de prins de verkeerde kant op was gereden.

De mijnen van Drach

Die avond wachtte Matthias tot de bedienden de tafel af kwamen ruimen. Hij geeuwde diep, en wenste zijn moeder goedenacht.

In plaats van naar zijn kamer te gaan sloop hij achter een lakei met een stapel borden aan. Zoals hij had gehoopt werd hij zo rechtstreeks naar de keukens geleid. Het keukenpersoneel was nu zelf aan het eten, zodat niemand hem opmerkte.

Vanachter een pilaar tuurde hij rond of hij Kaya ergens zag. Hij sprong bijna uit zijn vel toen hij een zachte tik op zijn rug voelde.

'Tamara?' fluisterde hij verbaasd.

Het meisje legde een vinger op haar lippen en gebaarde hem haar te volgen. Samen slopen ze de keuken weer uit. Tamara gaf hem een wollen mantel en deed er zelf ook een aan. Matthias trok de kap ver over zijn hoofd en liep op zijn tenen achter haar aan.

Voor een lage deur in een van de gangen stond Tamara stil. Behoedzaam keek ze om zich heen. Toen ze er zeker van was dat niemand hen had gezien, glipte ze naar binnen en trok Matthias achter zich aan.

Ze waren nu in een kleine voorraadkamer die met kruiken en houten vaten was volgestouwd. Matthias struikelde over een pot met groene zeep, maar werd net op tijd aan zijn arm teruggetrokken.

'Kaya!'

Hij schuifelde met zijn voeten en probeerde iets te bedenken om te zeggen. Maar Kaya had haar armen al stevig om zijn nek geslagen.

'Ik wíst wel dat je zou komen!' zei ze blij.

Verdere verlegenheid werd hem bespaard doordat Tamara hem een rugzak gaf. Ook de beide meisjes knoopten ieder een tas op hun rug. Een voor een slopen ze weer naar buiten.

Ze volgden Tamara langs eindeloos veel trappen naar beneden. De wanden werden rotsiger en Matthias begreep dat ze ver onder het kasteel moesten zijn gekomen. Ze slopen door tunnels en grote uitgehakte zalen. In de verte klonken allerlei geluiden, maar Tamara besteedde er geen aandacht aan. Matthias dacht zelfs dat hij een paard hoorde galopperen.

Ineens stond Tamara stil en Kaya botste bijna tegen haar rug op. Vragend hield Kaya haar handen omhoog maar bleef toen als bevroren staan. Ze konden nu duidelijk een gestamp horen naderen. Het klonk zo gelijkmatig dat het was alsof iemand op een trommel sloeg.

Vertwijfeld keken ze om zich heen. Tamara wees naar een rotsblok aan de andere kant van de tunnel. Toppen van schaduwen verschenen al in de bocht. Alle drie renden ze naar de overkant en doken achter de steen.

Het voorste gelid soldaten kwam nu in zicht. Het gestamp van hun laarzen kaatste oorverdovend tegen de wanden. Acht man breed marcheerden ze als één de gang in. Hun hoofden stonden allemaal strak in dezelfde richting en hun voeten bewogen precies gelijk op de maat. De leren maskers glommen in het licht van de fakkels zodat het leek of een enorm gepantserd monster zich de gang in bewoog.

Ineengedoken wachtten ze achter de rots. Rij na rij soldaten stroomde de hoek om. Matthias zag hoe Kaya haar handen tegen haar oren gedrukt hield en met opengesperde ogen toekeek. Haar mond bewoog langzaam alsof ze aan het tellen was. Zelf was hij misselijk van angst.

Toen eindelijk de laatste soldaten uit het zicht waren verdwenen, bleven ze nog enige tijd gehurkt zitten. Pas nadat het geraas van laarzen helemaal was uitgestorven, durfden ze tevoorschijn te kruipen.

'Acht maal vijfenvijftig Zwarte Rijders!' fluisterde Kaya. 'Vierhonderdveertig. Ik vraag me af waar die allemaal naartoe gaan!'

Tamara wees met haar vinger in de richting waarin de soldaten waren gemarcheerd. Met haar lippen vormde ze een woord.

'Noorderveste?' vroeg Kaya, en Tamara knikte.

Meteen beduidde Tamara dat ze verder moesten. Matthias en Kaya volgden haar een afsplitsing in, die door het schaarse licht nauwelijks zichtbaar was.

Ze liepen dicht langs de muren, die steeds vochtiger werden.

Matthias merkte dat ze naar beneden afdaalden door almaar smallere tunnels. Het water droop nu langs de wand, en ook onder zijn laarzen kon hij het horen klotsen. De kou beet in zijn gezicht en hij had geen gevoel meer in zijn vingers. Na een tijdje voelde hij hoe de ondergrond glibberig werd en zag dat de bodem was bevroren.

Tamara leek goed de weg te kennen in de doolhof van gangen. De enige verlichting kwam nu nog door een aantal gaten die weer uitzicht gaven op grotten aan de andere kant van de rotswand. Matthias tuurde voorzichtig door een van de openingen. Zwarte Rijders en andere soldaten liepen af en aan. Zwaar verzegelde houten vaten werden hoog tegen de wanden opgestapeld.

Ineens draaide een van de mannen zich om en keek hem rechtstreeks aan. Matthias deinsde terug en gleed bijna onderuit op de glibberige ondergrond. Zijn hart bonsde in zijn keel, en hij drukte zich tegen de wand. Het duurde even voordat hij zijn hoofd durfde te draaien. Zijdelings gluurde hij door de opening. Tot zijn opluchting rolde de man alweer een nieuw vat de vloer op. Zo snel als hij zich over de gladde bodem kon bewegen haalde hij Kaya en Tamara weer in.

Hij zag hoe Tamara met haar handen langs de wand ergens naar zocht. Ze knoopte haar tas los en propte die vlak boven haar hoofd in een opening. Matthias kon in het duister nog juist zien hoe ze hen wenkte. Tamara hees zichzelf aan haar armen omhoog en verdween in het gat. Kaya volgde en ook Matthias klauterde snel achter haar aan. Op zijn buik schoof hij een ruimte in. Het was aardedonker en Matthias tastte blind om zich heen. Vlak boven zich voelde hij het dak van de tunnel. Op handen en voeten kroop hij verder terwijl hij de tas voor zich uit duwde. Vóór zich hoorde hij ook Tamara en Kaya schuiven.

Hij moest terugdenken aan de nacht in de boot van oom Finn. Toen was hij blij geweest dat hij samen met Kaya was in de benauwde donkere ruimte onder de planken. Vlak voor Oostfors was ze naar de soldaat met de speer gesprongen om hem te beschermen. Matthias schaamde zich nu diep over wat hij die morgen allemaal tegen haar had gezegd. Hij stak zijn hand langs zijn tas tot hij Kaya's been kon voelen.

'Pssst… Kaya!' fluisterde hij. 'Het spijt me van eerder… van wat ik allemaal heb gezegd.'

Hij merkte hoe Kaya stilhield. Toen voelde hij haar hand op zijn hoofd. Ze woelde even door zijn haar en kroop weer verder.

Ondanks de kou gloeide Matthias helemaal vanbinnen.

De gang kwam uit op een hol, zodat hij voorbij Kaya kon kruipen. Tamara zat met haar rug naar hem toe en maakte drukke gebaren.

Zijn adem stokte in zijn keel toen hij langs haar in een gat keek. Hij zat oog in oog met een vreemd gezicht dat de grot inkeek. De jongen leek net zo verbaasd als hij, en staarde verschrikt van Matthias naar Tamara.

'Wie is dit?' vroeg hij zonder eraan te denken dat Tamara hem geen antwoord kon geven.

'Dit is prins Matthias, de zoon van de koningin,' zei Kaya daarom in haar plaats. Matthias voelde dat hij weer begon te blozen.

De ogen van de jongen gingen wijd open.

'Maak je geen zorgen,' zei Kaya haastig. 'Hij is hier om ons te helpen... hoop ik,' voegde ze er zachtjes aan toe.

Opluchting trok over het gezicht van de jongen. 'Ik ben Tarek,' zei hij.

'Tarek is de broer van Tamara,' zei Kaya tegen Matthias.

Matthias staarde door de kleine opening een grote cel in. De ruimte werd door een paar fakkels verlicht en in een ijzeren mand gloeiden kooltjes. Achterin zat een grote groep kinderen tegen de muur geleund. Tarek volgde zijn blik.

'Dat zijn de willozen,' zei hij.

'De willozen?'

'De kinderen die door de Zwarte Rijders zijn weggevoerd om in de mijnen van Drach te werken,' zei Tarek. 'Alleen kinderen zijn klein genoeg om door de smalle schachten te kruipen.'

Matthias keek hem niet-begrijpend aan.

'We zijn in de grotten onder het eiland Drach,' legde Kaya uit. 'Hier zijn de mijnen waar Zafyra de stoffen vandaan haalt voor haar formule.'

'Wat voor formule?' vroeg Matthias. 'Waar hebben jullie het over?'

'Heeft Zafyra je nog niets verteld over het groene vuur?' vroeg Kaya verbaasd.

Matthias schudde zijn hoofd.

'Als je dicht bij het groene vuur komt, verdwijnt je wil zodat je nergens meer over nadenkt en niets je meer kan schelen,' zei Tarek.

Met afschuw keek Matthias opnieuw naar de kinderen achter in de cel. Als poppen staarden ze met lege ogen de ruimte in.

'Misschien is het wel beter zo,' zei Tarek bitter. 'Zo voelen ze tenminste de kou en ellende van de mijnen niet meer.'

Tamara wreef met haar handen over haar armen alsof ze hieraan iets wilde toevoegen.

'Het poeder voor de formule gebruikt zó veel hitte, dat het alleen in het diepste punt van de vulkaan kan worden gemaakt,' vertelde Tarek. 'Maar voor de enorme hoeveelheid die Zafyra maakt, geeft zelfs de lava niet meer voldoende warmte. Daarom daalt nu ook de temperatuur in het hele land.'

In Matthias' geheugen doemde plotseling een gezicht op. Hij zag weer de priemende ogen voor zich en hoorde de galmende stem van de Dolle van Tolle: *Zondaars, bezint! De duivelin komt weldra naar hier! Zij brengt het groene vuur! Ik heb ze gezien, in de diepste krochten van Dragon. De groene vlammen die alle warmte opslokken. Ik heb het gevoeld, de ijzige kou die achterblijft na het vuur! De ijzige kou en de oneindige leegte...*

Ineens schoot hem iets te binnen. 'Hoe komt het dat jij zelf niet willoos geworden bent?' vroeg hij aan Tarek.

Aarzelend keek Tarek van Tamara naar Kaya.

Kaya haalde haar schouders op. 'Nu hij dit allemaal weet, maakt het niet meer uit als we hem dat ook nog vertellen,' zei ze. Ze wendde zich tot Matthias. 'Zafyra heeft een drankje om zichzelf tegen het groene vuur te beschermen. Malvezijn heeft Tamara verteld hoe ze door een geheime toegang ongemerkt in de oostelijke toren kan komen.' Ze nam een klein flesje uit haar tas. 'Tamara kon daarom het drankje uit de torenkamer van je moeder stelen.'

Sprakeloos keek Matthias toe hoe Tarek het flesje leegdronk. Het drankje dat hem moest beschermen tegen het middel van Zafyra.

Ineens werd het Matthias duidelijk wat de afgrijselijke bedoeling van zijn moeder was.

'Het is een wapen,' fluisterde hij. 'Ze is van plan Westenrijk ermee te veroveren. Ze neemt de mensen hun wil af, zodat ze zich niet meer tegen haar verzetten.'

Toen Matthias deze verpletterende waarheid besefte, was het alsof er iets in zijn hoofd knapte. Zafyra was zijn échte moeder, zijn familie. Het kon toch niet zo zijn dat zijn eigen moeder zo duivels en kwaadaardig was? Of was dit een nieuwe list van Malvezijn en Lupa?

Gedachten en stemmen raasden door zijn hoofd.

Er zijn twee mogelijkheden. Je kunt ze dwingen tegen hun wil, óf je kunt hun eigen wil wegnemen.

Ook het Klaverdal kan in groot gevaar komen.

Jóúw grootmoeder, Matthias. Jóúw familie.

Wanneer alle twaalf stenen gloeien, zal Zafyra nooit meer overwonnen worden. Dan is de macht aan het kwaad en alles verloren.

Zolang je maar nooit vergeet dat het bloed van Taragon van Dragonië door je aderen stroomt.

Hij drukte zijn handen tegen zijn oren, maar de stemmen lieten hem niet met rust.

Wees op je hoede voor mensen die je denkt te kunnen vertrouwen.

De waarheid is dat de waarheid vaak niet bestaat.

Heksenjong, duivelsoog!

Ik weet zeker dat je nog grote daden zult verrichten voor Dragonië, en als een held onze geschiedenis in gaat.

Kaya en Tamara zaten nu met hun rug naar hem toe. Uit hun tassen hadden ze stukken brood en kaas gehaald, die ze door de opening propten.

Ze zagen dan ook niet hoe Matthias zachtjes de tunnel weer in kroop.

Tranen liepen over zijn gezicht en bevroren meteen op zijn wangen. Maar Matthias was ongevoelig voor de snijdende kou. Hij sprong door het gat naar beneden de gang in. Zonder te weten waarheen zette hij het op een rennen. Verblind holde hij verder tot hij niet meer kon. Buiten adem zakte hij uiteindelijk langs de muur op de vloer.

'Hou op!' snikte hij hardop tegen de stemmen in zijn hoofd. 'Hou allemaal op!' Hij trok zijn benen op en legde zijn hoofd op zijn knieën.

Plotseling klonk het geluid van rennende voetstappen.

'Hoogheid, is alles in orde?'

Matthias klemde zijn tanden op elkaar en krabbelde overeind.

'Helemaal,' antwoordde hij vastberaden.

Hij had besloten dat hij zich niet meer in de luren zou laten leggen. Tenslotte was hij de prins van Dragonië.

Waarschuwing aan Walian

Koning Walian van Westenrijk had zijn lievelingsplekje bij het bosbeekje opgezocht. Hier kwam hij altijd om rustig na te denken of wanneer hij belangrijke beslissingen moest nemen.

Op aanraden van zijn moeder overwoog hij om volgend jaar op Derkoningen het dorp Venemonde te bezoeken. Walian vermoedde dat deze keuze niet in de laatste plaats te maken had met vrouwe Viviane, de zuster van graaf Gisbert van Venemonde.

Zowel zijn moeder als zijn raadsheren drongen er al jaren op aan dat het de hoogste tijd werd voor de koning om te trouwen. Als er geen opvolger voor de troon zou worden geboren, kwam het voortbestaan van het koningshuis van Westenrijk in gevaar.

Vrouwe Viviane was beroemd om haar schoonheid. Veel mannen hadden al om haar hand gevraagd, maar de levenslustige edelvrouwe hield van haar vrijheid en maakte liever lange reizen. Met haar gevoel voor humor en intelligentie was ze een goede vriendin van de koning geworden en hij luisterde graag naar haar raad. Iedereen was het erover eens dat zij voor Walian de ideale vrouw en voor een toekomstige kroonprins de ideale moeder zou zijn.

Walian bedacht steeds weer voorwendsels om een huwelijk uit te stellen. Nu hij weer hier aan het beekje zat, gingen zijn gedachten terug naar die ene Derkoningendag, vele jaren geleden. Hij was toen nog geen koning geweest, maar prins Walian van Westenrijk. Zijn vader, koning Belver, was al vroeg op pad gegaan. Omdat zijn moeder druk bezig was geweest met de voorbereidingen voor het feest had niemand naar de prins omgekeken.

De avond ervoor had een rondreizende troep van het Steppenvolk opgetreden tijdens het banket in de troonzaal. Het hele hof was verrukt geweest van de lenige acrobaten met hun halsbrekende toeren, de dansende beren en de goochelaars die leken te toveren. Maar prins Walian was het meest onder de indruk geweest van een van de Steppenmeisjes. Steeds als hij zijn ogen sloot, zag hij opnieuw haar dans op het ritme van de tamboerijn. De hele dag had hij aan niets anders kunnen denken. Hij móést haar gewoon weer zien.

In de feestdrukte had niemand gemerkt hoe de jonge prins door de poort over de ophaalbrug was gelopen. Hij was dan ook verkleed als een van de vele kooplieden die elke dag het kasteel bezochten. Door de stadspoorten was hij naar het bos gegaan. Tussen de bomen had hij daar de woonwagens van de Steppenmensen gezien. Met zijn hoofd nog vol van het dansende meisje was hij richting het kamp geslopen. Vlak buiten het kamp had hij haar gezien, nog mooier dan in zijn herinnering. Ze zat alleen bij een beekje met haar voeten in het water, op dezelfde plek waar koning Walian nu zat. Haar koperen haren hingen los op haar schouders. Af en toe deed een briesje haar krullen opwaaien.

Alsof ze voelde dat hij naar haar stond te kijken had ze zich plotseling omgedraaid. Met haar hand had ze hem dichterbij gewenkt. Verlegen was hij naar haar toe gegaan, maar zij had geglimlacht en zijn hand gepakt. Samen waren ze het bos in gelopen. Vanaf een rotspunt hadden ze naar de ondergaande zon gekeken, en later naar het vuurwerk dat werd afgestoken in de stad. Ten slotte waren ze onder de heldere sterrenhemel ineengestrengeld in de warme nacht in slaap gevallen.

Toen hij de volgende morgen wakker werd, was zij verdwenen. Ook de woonwagens waren nergens meer te bekennen. In de stad had de prins te horen gekregen dat de Steppenmensen al vóór zonsopgang verder waren getrokken. Wanhopig had hij de hele omgeving doorgezocht, maar het meisje was spoorloos verdwenen. Pas laat die avond had hij de hoop opgegeven, en was verslagen naar het kasteel teruggekeerd.

Nu, vijftien jaar later, moest koning Walian er met een glimlach aan terugdenken hoe het hele hof in rep en roer was geweest over zijn verdwijning. Maar ook nu nog voelde hij de pijn in zijn hart wanneer hij aan het geheimzinnige meisje dacht. Hij had haar nooit meer teruggezien, hij wist niet eens hoe ze heette.

Soms dacht hij dat het allemaal een droom was geweest, de mooiste nacht van zijn leven.

Hij had nooit meer met een ander willen trouwen. Nog altijd hoopte hij dat hij haar eens zou vinden om haar tot zijn koningin te maken.

Maar op het moment eisten belangrijkere zaken zijn aandacht op. Iedere dag hoorde hij nieuwe geruchten over de ellende in het buurland Dragonië. Omdat Dragonië zich steeds meer had afgesloten van de wereld, kwam er nog nauwelijks nieuws uit het land aan de andere kant van de rivier de Arge. Maar het weinige nieuws dat Westenrijk wél bereikte, was niet gunstig. Er zou nóg grotere hongersnood zijn dan voorheen. Koning Isgerias was inmiddels overleden en zijn dochter Zafyra zou hem zijn opgevolgd als koningin. Dat zou het land niet ten goede komen. Hij had gehoord dat Zafyra van Dragonië haar vader verreweg overtrof in wreedheid en meedogenloosheid.

'Arulf de Stalmeester, ik had het kunnen weten!'

Malvezijn streek glimlachend over zijn baard. Maar zijn gezicht betrok meteen toen hij de brief las die Isgar hem zojuist had gegeven.

Somber rolde hij het perkament weer op.

'Ik weet dat je popelt om naar het Klaverdal te reizen en je ouders te ontmoeten,' zei hij tegen Isgar, 'maar het is van het allergrootste belang dat je met me meekomt naar Esmeraldrië. We moeten koning Walian waarschuwen. Jij moet hem alles vertellen wat je weet.'

Hij aarzelde toen hij de teleurstelling in de ogen van de jongen zag. Isgar had zich dapper vermand toen Malvezijn vertelde waarom het Genootschap hem bij zijn ouders had weggehaald. De tovenaar had hem de kwade bedoelingen van Zafyra uitgelegd, en de jongen begreep hoe belangrijk het was dat zij werd tegengehouden. Bovendien had het soldatenleven hem geleerd om de dingen zonder morren te aanvaarden. Maar bij de gedachte nóg langer te moeten wachten voordat hij zijn echte familie zou leren kennen, sprongen de tranen hem in de ogen. Hij beet op zijn lip en knikte.

'Weet je wat?' bedacht Malvezijn ineens. 'Ik zal bericht sturen om je ouders naar kasteel Marevent te laten komen.'

Het gezicht van Isgar klaarde meteen weer op.

De tovenaar doopte een ganzenveer in de inktpot en schreef een bericht aan Tobias de Visser. Even later fladderde Bianca de duif met het briefje onder haar vleugel richting het Klaverdal. Niet lang daarna verlieten ze het klooster van Serti, Isgar op zijn paard en Malvezijn op de ezel van vader Benedictus.

Enkele dagen tevoren had koning Walian bij het beekje een belangrijke beslissing genomen. De koninklijke verlovingsring blonk als nieuw in het blauwfluwelen doosje. Hij hield het juweel in het zonlicht dat door de hoge ramen naar binnen viel. De diamanten flonkerden in de kleuren van de regenboog.

'Mag ik hopen dat je eindelijk een vrouw hebt gekozen, Walian?'

Hij had zijn moeder niet horen binnenkomen, en liep met uitgestrekte armen op haar af.

'Ik heb inderdaad besloten je wijze raad maar eens op te volgen, moeder,' zei hij, en hij kuste haar wang.

Koningin Dorinda nam het doosje uit zijn hand en keek glimlachend naar de ring op het fluwelen bedje. Een flonkerende robijn was geslepen in de vorm van een hart, gevat in een rand van diamanten.

'Ik weet nog als de dag van gisteren dat je vader mij deze ring gaf,' zei ze vertederd. 'We liepen samen over de slotmuren van Marevent. Hij was zo verlegen, dat hij ervan begon te stotteren.'

Verbaasd keek Walian zijn moeder aan. Koning Belver had in zijn tijd bekendgestaan als een van de moedigste mannen in Westenrijk.

'Vader?' vroeg hij ongelovig. 'Was vader verlegen?'

'Er zijn momenten waarop zelfs de meest onverschrokken mannen kunnen blozen,' antwoordde de koningin lachend. 'Mag ik al weten wie je uitverkorene is?'

'Ze weet het zelf nog niet eens,' zei koning Walian. 'Ik ben van plan om de hand van vrouwe Viviane te vragen.'

Zijn moeder sloeg blij haar handen in elkaar. 'O, Walian, daar heb ik al zo lang op gehoopt!'

'Werkelijk?' antwoordde Walian met gespeelde verbazing. 'Dat ik daar nou nooit wat van heb gemerkt!'

Ze werden onderbroken door een zachte klop op de deur.

'Sire, Hoogheid, Malvezijn de Tovenaar verzoekt om een onderhoud.'

Verwonderd keken de koning en zijn moeder elkaar aan.

Even later werd de oude tovenaar binnengebracht. Hij was nog stoffig van de reis en om hem heen hing een doordringende ezelslucht.

'Sire, ik breng slecht nieuws.' Hij wees op de jongen die hem vergezelde. 'Deze jongen was tot voor kort bekend als Isgar van Dragonië.'

Koningin Dorinda keek van Malvezijn naar Isgar.

'De zoon van koningin Zafyra?' vroeg ze verbaasd. 'Is dit een onverwacht staatsbezoek?'

'Hij is niet de echte zoon van Zafyra,' zei Malvezijn. 'De echte prins van Dragonië is een jongen van veertien uit het Klaverdal.'

De koningin fronste even toen Malvezijn zonder uitnodiging ging zitten. Maar toen de tovenaar zijn ongelooflijke geschiedenis begon te vertellen, dacht niemand meer aan hofceremonieel.

Aan het einde van zijn verhaal haalde Malvezijn de brief uit zijn tas.

'Lupa schrijft dat Zafyra elk moment Westenrijk binnen kan vallen. Kennelijk was Isgerias al begonnen met het opbouwen van een machtig leger. Omdat de Zwarte Rijders op het eiland Drach worden opgeleid, hebben hij en Zafyra ongemerkt hun troepen kunnen versterken. Steeds méér soldaten verzamelen zich nu in de Noorderveste, dus we vermoeden dat de eerste aanval vanaf de Noorderbrug zal zijn.'

De koningin sloeg haar handen voor haar gezicht, maar Walian gaf met zijn vuist een klap op de tafel.

'Mijn leger zal meteen naar de Noorderbrug vetrekken,' zei hij kordaat.

Malvezijn schudde zijn hoofd. 'Zafyra heeft ook een enorme vloot gebouwd op Drach. Tegelijk met de inval over de Noorderbrug zullen haar krijgsschepen waarschijnlijk Esmeraldrië binnenvaren. U zult het grootste deel van het leger nodig hebben om de hoofdstad te verdedigen.' Hij haalde diep adem voordat hij verder sprak. 'Maar dit alles is nog niets vergeleken met het verschrikkelijke wapen dat ze heeft ontwikkeld.'

'Wapen? Wat voor wapen?' Walian verbleekte zichtbaar.

Malvezijn rolde het perkament open dat Lupa aan Isgar had gegeven en las hardop voor: 'Een van de gevangen kinderen in de mijnen van Drach is de broer van het meisje Tamara...'

Hij werd onderbroken doordat de koningin een uitroep van afschuw slaakte. Ze sloeg verontschuldigend haar hand voor haar mond en beduidde Malvezijn om verder te lezen.

'Deze jongen beschrijft een groen vuur dat de wil doet verdwijnen van iedereen die eraan wordt blootgesteld...'

'Wat betekent dat?' fluisterde koningin Dorinda verschrikt.

'Het betekent dat iedereen zonder verzet zal doen wat Zafyra zegt,' antwoordde Malvezijn.

'Hoe kunnen we haar tegenhouden?' vroeg Walian bezorgd.

'Wij kunnen haar niet tegenhouden, Majesteit. De enige die dat kan, is het andere kind.'

'Je wilt me zeggen dat het lot van mijn land in handen is van een veertienjarige jongen uit het Klaverdal?'

Malvezijn knikte langzaam. 'En we weten niet eens meer aan welke kant hij staat. Zal hij voor ons kiezen' – verslagen haalde de oude tovenaar zijn schouders op – 'of voor zijn eigen moeder?'

De wil van Zafyra

Zafyra zat hoog op haar troon toen Matthias de zaal in werd gebracht. Haar gezicht was spierwit en vertrokken van woede. Met een kort gebaar beduidde ze de wachters om hen alleen te laten. Haastig stommelden de beide mannen de deur uit.

'Mag ik vragen wat je in mijn tunnels te zoeken had?' vroeg ze met ijskoude stem.

Matthias kromp in elkaar. Het zou hem niets verbazen als ze hem weer in de kerkers zou laten smijten. Misschien zou hij wel naar de mijnen van Drach worden gestuurd. Hij overwoog even om te zeggen dat hij was verdwaald. Maar de gedachte aan de willoze kinderen gaf hem nieuwe moed.

'Hoe kún je... Die kinderen...!' Tot zijn ergernis hoorde hij hoe zijn stem oversloeg.

De koningin trok een wenkbrauw op. 'Ik was al bang dat je te weekhartig zou zijn voor de harde werkelijkheid.'

'Je hebt hun wíl kapotgemaakt!' zei Matthias beschuldigend.

Zafyra wuifde verveeld met haar hand. 'Ik heb je duidelijk gemaakt waarom ze hun wil niet nodig hebben.'

'Malvezijn zegt dat je vrije wil moet hebben om een compleet mens te zijn!' wierp Matthias tegen.

'Echt waar?' vroeg de koningin smalend. 'En wat heeft de grote Malvezijn je nog méér allemaal verteld?'

Matthias probeerde zich zijn gesprekken met de tovenaar te herinneren. Eerlijk gezegd had hij niet alles ervan begrepen.

'Je hebt vrije wil nodig om te kunnen kiezen... Om voor jezelf te kunnen beslissen,' mompelde hij daarom zwakjes.

'*Ik* regeer dit land en dus neem *ik* ook alle beslissingen,' onderbrak Zafyra hem. 'Mijn wil is wet. Ik heb je gisteren al uitgelegd dat het in de natuur zo is geregeld. Zelfs dieren herkennen het recht van de sterkste. Je valt me tegen, Matthias, ik dacht dat je dit had begrepen.'

Ze dacht even na voordat ze verder sprak. Haar stem klonk nu wat milder.

'Zie je dan niet in dat ik het beste met het volk voorheb? Ik probeer mijn onderdanen alleen maar onnodig verdriet te besparen. Is het niet wreder om een paard een wortel voor te houden die hij niet mag eten, dan hem er helemaal geen te geven? Zo is het ook met vrije wil. Ik kan onmogelijk iedereen zijn zin geven, dus is het dan niet beter als ze gewoon niets willen? Zo worden mensen niet teleurgesteld en verloopt alles ordelijk.'

Matthias schudde zijn hoofd, maar Zafyra ging verder.

'Teleurgestelde mensen proberen tóch hun wil door te drijven en worden opstandig. Zo ontstaat wanorde.'

Matthias kon niet zeggen waarom, maar op een of andere manier wist hij dat het kwaad dat hij op het Runenplateau had gevoeld, hiermee te maken had. Datzelfde besef van afgrijzen bekroop hem nu ook.

Plotseling werd hem duidelijk dat dit het moment was waarop Malvezijn en Lupa hem hadden willen voorbereiden. Hij wist dat hij Zafyra ervan moest overtuigen dat het niet klopte wat ze zei. Dat ze iets belangrijks over het hoofd zag. Het wilde hem alleen maar niet te binnen schieten wat dat precies was. Hij wenste vurig dat hij beter had opgelet tijdens de lessen van Malvezijn. 'Zonder vrije wil kun je geen beslissingen nemen of schuld hebben voor je daden, en dus ook niet "goed" of "slecht" zijn. De manier waarop iemand zijn vrije wil gebruikt, bepaalt voor ieder mens wie hij of zij werkelijk is,' had de tovenaar gezegd.

Allerlei beelden kwamen tegelijkertijd in hem op. Hij zag de lege ogen van de willoze kinderen voor zich. Hij zag de rijen en rijen soldaten door de onderaardse gangen marcheren, precies op de maat en allemaal gelijk.

Hij rilde. Was dat 'orde' zoals zijn moeder bedoelde?

Zijn gedachten gingen nu naar het Klaverdal. Hij zag het lieve gezicht van Miriam en kreeg een warm gevoel. Zelfs de gedachte aan Frijda, of Ullrick en Sieger van de molenaar, voelde veel beter dan de willoze orde van Zafyra.

'Heb je dan helemaal geen gevoel?' vroeg hij wanhopig.

'Gevoel? Wat is het nut van gevoel?' Zafyra leek oprecht verbaasd bij deze vraag. 'Gevoel staat het verstand in de weg en is voor dromers en dwazen.'

Ineens begreep Matthias wat Malvezijn had bedoeld.

'Maar daarom gáát het juist! Mensen zijn geen dieren die volgens natuurwetten en ordes willen leven. Mensen hebben een wil en gevoel. En dromen. Dat is wat mensen bijzonder maakt... en leuk... en ook verdrietig of teleurgesteld. En soms gemeen of oneerlijk. Maar dat is nog altijd beter dan' – stotterend probeerde hij de woorden te vinden voor wat hij voelde – 'dan... dan... jouw léégte.'

Hij haalde diep adem. 'In jouw willoze wereld kun je net zo goed koningin zijn van een kudde schapen! Veel plezier ermee!'

Zafyra stond op van de troon. Alle mildheid was nu uit haar stem verdwenen.

'Ik heb je gewaarschuwd. Je bent óf met mij óf tegen mij, vriend of vijand. Het ziet ernaar uit dat je mijn vijand bent. En voor vijanden heb ik geen genade. En nu wil ik graag dat je me vertelt wie je de ondergrondse tunnels heeft laten zien.'

De dreiging in haar toon ontging Matthias niet. Met schrik dacht hij aan Tamara. Als Zafyra erachter kwam dat ze hem bij haar broer had gebracht, was ze haar leven niet meer zeker.

'Ik heb ze zélf gevonden,' zei hij daarom beslist.

'Zélf?' herhaalde Zafyra spottend. 'Helemaal alleen zonder

hulp?' Ze kwam van de verhoging af en pakte Matthias bij zijn kin. 'Je verwacht toch niet dat ik dat geloof?'

Matthias klemde zijn tanden stijf op elkaar.

'Moet ik nu echt nare middelen gebruiken om je aan het praten te krijgen?'

Haar vingers drukten hardhandig in zijn wangen. Hij probeerde zijn hoofd af te wenden, maar ze had hem in een ijzeren greep. Ze moest een soort toverkracht gebruiken, want hij dacht dat zijn kaken zouden verbrijzelen. Tranen sprongen in zijn ogen van de pijn.

Plotseling liet ze hem los en maakte met haar hand een beweging. Door een onzichtbare kracht werd Matthias van de grond getild en tegen de muur gesmakt. Versuft bleef hij liggen.

'Wil je het me nog steeds niet vertellen?'

Met moeite lukte het Matthias om zijn hoofd te schudden.

'Zoals je wilt,' zei Zafyra. Ze hief haar armen omhoog en richtte haar vingers.

'Wacht!' zei Matthias zwakjes. Zijn hoofd suisde nog na van de klap tegen de muur. 'Dit kun je niet doen!'

'Zooo...' antwoordde Zafyra met een langgerekte stem. 'En waarom dan wel niet?'

Meteen sloeg ze haar handen in elkaar alsof haar iets te binnen schoot.

'Ach, natuurlijk! Ik ben je móéder!' Ze begon hard te lachen. 'Dacht het Genootschap nou werkelijk dat je je daarmee tegen mij kon beschermen? Is dat het enige wapen dat de machtige Malvezijn je heeft meegegeven? Moederliefde? Tegen míj?'

Ze schaterde het uit.

Malvezijn! dacht Matthias bij zichzelf. Wat had die nog meer tegen hem gezegd? 'Rede en overtuiging zijn je sterkste kracht, Matthias. Het is belangrijk dat je dat onthoudt.' Paniekerig dacht hij na. Hoe kon hij Zafyra ervan overtuigen dat ze hem moest sparen?

Opnieuw hield ze haar handen boven haar hoofd.

Hij moest héél gauw een reden bedenken.

'Je kunt dit niet doen omdat je me nog nodig hebt!' riep hij snel.

'Ik ben de machtigste in het land, ik heb niemand nodig.'

'Zonder mij kun je de Voorspellingen van Taragon niet uit laten komen!' wierp Matthias tegen.

Zafyra aarzelde en liet toen haar armen zakken.

'Hmm...' zei ze peinzend, 'ik kan misschien inderdaad beter iets anders voor je bedenken.'

Ze klapte in haar handen en de wachters kwamen weer binnen.

'Ik hoef jóú natuurlijk niet te vernietigen,' zei ze tegen Matthias. 'Alleen die lastige vrije wil. Dat ik daar niet eerder aan heb gedacht.' Ze draaide zich om naar de beide mannen. 'Neem hem mee naar mijn torenkamer!'

Gevolgd door Zafyra werd hij door de twee soldaten over de binnenplaats geleid. Bij de ingang van de toren begon hij tegen te stribbelen, maar de wachters dwongen hem hardhandig de trappen op. Een van de mannen wierp nog een blik over zijn schouder voordat hij de kamer verliet. Matthias dacht even medelijden in zijn ogen te zien.

Zafyra bladerde in een dik boek.

Het boek van Zorah! dacht Matthias met een schok. Koortsachtig probeerde hij te bedenken hoe hij het boek te pakken kon krijgen.

'Haal je maar niets in je hoofd,' zei Zafyra zonder op te kijken. 'Het boek is beveiligd met een bezwering.'

Uit een glazen flesje goot ze wat vloeistof in een beker en zette deze opzij.

'Om mezelf te beschermen,' lichtte ze met een vals glimlachje toe. 'Míjn eigen wil kunnen we natuurlijk niet op het spel zetten.'

Matthias begreep dat dit hetzelfde drankje moest zijn dat Tamara voor Tarek had gestolen.

Zafyra sloeg een paar bladzijden in het boek om. Al lezend greep ze flesjes en potjes van de planken. Matthias zag hoe ze scheppen poeders in een kom uittelde. Met gesloten ogen prevelde ze een spreuk en bewoog haar hand boven het mengsel.

Hij was ten einde raad.

Plotseling bekroop hem een diep ongelukkig gevoel. Hij was helemaal alleen. Niemand hield van hem. Hij wilde niets liever dan bij iemand horen. Als een soort honger klauwde iets in zijn binnenste: hij húnkerde naar liefde.

Met een schok begreep hij dat het gevoel niet van hemzelf kwam, maar van Zafyra. Het was dezelfde vreemde gewaarwording die hij had gehad in de Fjelleborgh, toen hij vastgebonden in de kar lag. Bij de kleine man die hem zijn eten bracht was het háát geweest. Maar net als toen wist hij ook nu dat Zafyra zélf niet wist dat ze iets voelde.

'Moeder?' vroeg hij voorzichtig.

Haar ogen leken dwars door hem heen te kijken.

'Je kunt het écht niet voelen!' fluisterde Matthias ontsteld.

Zijn blik viel op het kommetje met poeders dat ze in haar handen hield. Een kringeltje groene rook steeg eruit op. Het zou niet lang meer duren of hij zou geen eigen wil meer hebben.

Zafyra hield de rokende kom omhoog. 'Je weet wat er gebeurt als ik dit laat ontvlammen. Voor de laatste keer: maak je keuze nu je dat nog kunt,' zei ze terwijl ze een kaars aanstak. 'Maar maak wel de goede, anders is het tegelijk je laatste,' voegde ze er dreigend aan toe.

Matthias luisterde al niet meer. Hij sprong op en dook naar de tafel waarop Zafyra zojuist de beker met haar drankje had neergezet. Voordat de verblufte koningin besefte wat er gebeurde, had hij het in één teug opgedronken. Met zijn andere hand greep hij nu de kaars en duwde de vlam in de kom. Van schrik liet Zafyra het kommetje vallen. Het spatte uiteen op de vloer en een enorme groene steekvlam schoot omhoog. Plotseling werd het ijskoud in het kamertje. Door de groene rook heen die uit het sissende mengsel opsteeg, zag Matthias zijn moeder als verstijfd staan, haar ogen opengesperd.

'Het werkt niet,' hoorde hij haar verbouwereerd fluisteren. 'Ik voel helemaal geen verandering...'

Matthias draaide zich om en rende zo hard hij kon de kamer uit.

Maar Zafyra besteedde geen aandacht aan hem. 'Het werkt niet,' herhaalde ze tegen zichzelf.

Dat kon maar één ding betekenen.

Ze hád geen eigen wil...

Vuurwerk op Drach

Tarek hield het flesje ondersteboven, maar er kwam geen druppel meer uit. Tamara was hem al een week niet meer komen opzoeken en hij maakte zich grote zorgen om haar. Dag en nacht marcheerden nu groepen Zwarte Rijders door de tunnels. Hij was bang dat ze haar misschien hadden ontdekt.

Zuchtend smeet hij het lege flesje in een hoek. Als Tamara vannacht niet kwam, zou hij niet meer tegen het groene vuur beschermd zijn.

Hij ging op zijn rug in het stro liggen en vouwde zijn handen onder zijn hoofd. Het zag ernaar uit dat dit zijn laatste avond met een vrije wil zou zijn. Hij besloot om zoveel mogelijk dingen te bedenken die hij zou willen, zolang het nog kon. Allereerst wilde hij natuurlijk zo snel mogelijk weg van dit vervloekte eiland. Hij keek naar de andere kinderen. Sommigen waren al in slaap gevallen. De rest staarde met glazige ogen voor zich uit. Kon hij maar een manier bedenken waarop ze allemaal konden ontsnappen!

Vanaf morgen zou hij dit niet eens meer wíllen.

Ineens hoorde hij een geluid. Tamara! was zijn eerste gedachte. Hij sprong op en stak zijn hoofd door het gat.

Tot zijn teleurstelling was er niemand te zien. Opnieuw klonk er een geritsel, maar het kwam bij de ingang vandaan. Voorzichtig sloop hij naar de tralies. De kinderen die nog wakker waren, gaven geen enkele reactie toen hij over hen heen klauterde. Hij duwde zijn gezicht tussen de spijlen en tuurde de donkere gang in.

Opeens verscheen een pikzwart hoofd vlak bij het zijne. Tarek deinsde verschrikt achteruit en struikelde over een slapend jongetje.

'Psst...' hoorde hij een stem. 'Wie van jullie is Tarek?'

Tarek klauterde overeind. Hij zag nu dat het gezicht zwart was gemaakt met roet.

'W... wie ben je?' stamelde hij.

'Ik ben Arulf, Lupa heeft me gestuurd.'

'Ik ben Tarek,' zei hij opgelucht. Tamara had hem verteld over Lupa de Wolfsvrouw.

'Met hoeveel zijn jullie?'

'Zevenentwintig in deze kerker,' antwoordde Tarek. 'Maar er zijn nog twee andere grote cellen verderop, dus ik denk in totaal rond de honderd kinderen.'

De man vloekte binnensmonds.

Tarek wees nu achter zich naar de verre muur. 'Daar zit een gat dat naar een van de gangen leidt,' zei hij. 'Als we het groter kunnen maken, kunnen de kinderen erdoor kruipen.'

De man dacht even na. Toen gaf hij Tarek door de tralies een staaf met een lont eraan.

'Hier is ook een tondeldoos. Eerst zet je alle kinderen zo ver mogelijk bij het gat vandaan en laat ze hun oren goed dichtdrukken. Dan leg je de staaf in het gat. Zodra je een knal hoort, steek je de lont aan,' zei hij. 'Heb je dat goed begrepen?'

Tarek knikte.

'Daarna wacht je tot ik terugkom.' Hij verdween in het donker.

Tarek maakte snel de slapende kinderen wakker en vertelde ze wat ze moesten doen. Zonder tegenwerpingen stelden ze zich willoos op met hun handen voor hun oren. Hij sloeg alvast een vonk uit de tondeldoos en stak een bundeltje hooi aan. Niet lang daarna galmde een luide knal door de gangen. Meteen zette hij de vlam aan de lont. Sissend kroop het vuurtje langs de bodem. Overal hoorde hij geschreeuw en het geluid van rennende voeten. Hij drukte zijn oren dicht. Op hetzelfde moment dat de staaf ontplofte, klonk er een nóg luidere ontploffing vanuit de mijnen. Geen van de kinderen bewoog. Gelaten staarden ze naar het grote gat in de muur. Even later verscheen het zwarte hoofd van Arulf weer bij de tralies.

'Zo, dat zal ze even bezighouden,' zei hij grijnzend. Met een sleutel ontgrendelde hij de deur en stapte de cel binnen.

'Weet je toevallig de weg door de gangen?' vroeg hij en wees op het gat.

'Ik weet alleen de weg naar het kasteel,' antwoordde Tarek.

Arulf haalde zijn schouders op. 'Alles is beter dan hier,' zei hij.

Hij trok Tarek de gang in. Van alle kanten waren nu ontploffingen te horen.

'Dat zijn alleen nog maar de afleidingsmanoeuvres,' zei Arulf met een knik over zijn schouder. 'Het echte feest moet nog beginnen.'

Tarek zag de cipier vastgebonden in een hoek liggen. De man staarde nijdig naar Arulf en stootte door zijn knevel woedende geluiden uit.

'Shhhh...' zei Arulf met een vinger op zijn lippen. 'Netjes blijven liggen, anders pak ik misschien je andere sleutels ook nog af.' Met deze woorden gaf hij de briesende man een gemoedelijk kneepje in zijn wang.

Hij maakte ook de andere deuren open, en samen loodsten ze de kinderen de cel van Tarek in.

'Jij gaat eerst,' zei Arulf tegen Tarek. 'Wanneer het laatste kind door het gat is gekropen, wacht ik nog een half uur. Ren zo hard als jullie kunnen hiervandaan.'

'Maar jij dan, hoe kom je zelf weg?'

'Ik moet eerst nog wat vuurwerk organiseren. Maak je over mij geen zorgen, ik heb mijn bootje klaarliggen.'

Tarek verdween in het gat en kroop snel door de nauwe tunnel. Toen hij in de grotere gang was aangeland, zag hij het eerste gezicht al in de opening verschijnen. Zo snel als hij kon trok hij het ene kind na het andere door het gat naar beneden.

'Hand in hand doorlopen,' commandeerde hij bars. 'Wat er ook gebeurt, elkaar niet loslaten.' Hij duwde het voorste meisje in de richting van slot Dragon. 'Lopen, blijven lopen!'

Zonder na te denken deed ze wat haar werd gezegd. De andere kinderen volgden zwijgend in een steeds langer wordende slang. Toen Tarek eindelijk het laatste kind had aangehaakt, rende hij langs de groep naar voren.

Het eerste meisje was bij een tweesprong gekomen, en hij kon haar juist op tijd de goede kant op draaien.

'En nu rennen!' beval hij zo luid als hij durfde.

Zelf draafde hij heen en weer langs de rij. Buiten adem bereikte hij als eerste de gang met de gaten in de muur. Aan de andere kant zag hij hoe soldaten enorme houten vaten opstapelden.

Het aanzwellende geluid van de vele kindervoeten zou dadelijk ook aan de andere kant van de rotswand te horen zijn. Een van de mannen stond al stil en hield zijn hoofd schuin. Hij gebaarde naar de anderen en wees op de muur. Met getrokken zwaarden kwamen de mannen nu op hen af.

In paniek begon Tarek de kinderen voort te duwen.

'Snel, ren zo hard als je kunt!' gilde hij met overslaande stem.

Op dat moment klonk een oorverdovende explosie. De kinderen renden onverstoord verder, maar Tarek bleef als bevroren staan. Door de gaten kwamen groene flitsen en het werd ijskoud in de tunnel. Toen er geen groen licht meer kwam, durfde Tarek door een van de openingen te turen. Groene dampen hingen door de hele grot. Verblind liepen de soldaten in het rond.

De mist trok langzaam op, zodat Tarek kon zien wat er was gebeurd. De meeste vaten waren ontploft en de houten duigen lagen door de hele grot verspreid.

Versuft keken de soldaten om zich heen. Toen eentje zijn richting uit keek, zag Tarek de bekende lege blik in zijn ogen. Hij slaakte een zucht van verlichting. Van deze mannen hadden ze niets meer te vrezen. De laatste kinderen slingerden de bocht om en hij holde erachteraan.

De gangen liepen steeds verder omhoog en de muren waren nu ook gemetseld in plaats van uitgehakt. Achter zich hoorde hij het gedonder dichterbij komen.

Ten slotte bereikten ze de trappen naar het kasteel. Tarek rende de treden op en greep het voorste meisje bij de hand. Hij sleurde haar bijna met zich mee. Bovenaan duwde hij met zijn andere hand de deuren open en spoorde de kinderen opnieuw aan. Het kon hem niet zoveel schelen wat er aan de andere kant wachtte, zolang ze maar op tijd uit de tunnels waren.

Ze kwamen nu bij de bediendenvertrekken in de kelders van slot Dragon aan. Deuren gingen open, en nieuwsgierige dienstmeisjes in hun nachtjaponnen keken de gang in.

'Hemeltjelief, Tarek?'

Tarek draaide zich om en herkende Gonda, het hoofd van de linnenkamer. Ze hield een kandelaar omhoog en keek sprakeloos naar de rij uitgeputte kinderen.

'Gonda, je moet me helpen de kinderen te verbergen. Ze zijn ontsnapt uit de mijnen van Drach.'

'Mijnen?' Afkeer trok over het mollige gezicht. 'Wat heeft dat afschuwelijke mens toch allemaal op haar geweten!'

Ze aarzelde geen moment en klapte in haar handen. 'Meisjes! Neem vijf kinderen per kamer! In de linnenkamer kunnen jullie extra beddengoed komen halen!'

Ze krabbelde een paar woorden op een briefje en gaf dat aan het dichtstbijzijnde dienstertje.

'Ga snel naar de keukens en geef dit aan de kok,' zei ze, en gaf het meisje een duwtje in de rug. 'En denk eraan, verder geen woord over wat je hier hebt gezien!' riep ze erachteraan.

Tarek klampte Gonda aan. 'Waar is Tamara?' vroeg hij bezorgd. 'Is alles goed met haar?'

'Ja hoor, ze ligt waarschijnlijk al lang te slapen,' antwoordde Gonda geruststellend. 'Kom, dan maak ik voor jou een bed op in de linnenkast.'

Op datzelfde moment tuurde Arulf in het donker naar de omtrekken van het eiland Drach. Hij hoorde het gerommel uit de vulkaan opstijgen. Meteen dook hij overboord. Hij hapte naar lucht toen het ijskoude water zijn adem afsneed. Met zijn volle gewicht hing hij nu aan de zijkant van het bootje totdat de kleine jol omsloeg. Het vaartuig bleef goed drijven op de luchtkamers. Als een soort koepel trok hij het over zich heen.

Toen de knal kwam kromp hij ineen. Eén enkele vloedgolf tilde het bootje bijna uit het water en uit alle macht klampte hij zich aan de zijspanten vast. Klappertandend wachtte hij totdat de zee weer tot bedaren was gekomen.

Een zuil van groen licht spoot de donkere hemel in en de ijskoude wind trok een rimpeling over het water. Arulf voelde het.

'Zo, de Zwarte Rijders die nog op het eiland zijn, hebben alvast niet meer zo veel te willen,' mompelde hij tegen zichzelf.

Hij kroop tevoorschijn en keerde zijn bootje weer om. Toen hij het water eruit had gehoosd, haalde hij een bundeltje droge kleren uit het vooronder. Hij stak een natte vinger in de lucht en zette nog een zeiltje bij.

Zachtjes fluitend koerste hij naar het westen.

Het plan van Malvezijn

Zodra hij ontdekte dat het groene vuur geen uitwerking had op Zafyra, stormde Matthias zo snel als zijn benen hem konden dragen de trappen af. Halverwege schoot hem echter te binnen dat de toegang streng werd bewaakt. Hij keek om zich heen, en zag verder naar beneden een kleine deur op een kier staan. Met een blik omhoog stelde hij vast dat de koningin hem niet was gevolgd. Het verbaasde hem dat ze ook nog geen alarm had geslagen.

Hij rende de deur door en trok hem zachtjes achter zich dicht. Langs de stenen muur tastte hij in de donkere ruimte. Zijn handen vonden houten luiken en het lukte hem om de grendel open te maken. Hij zag dat hij bijna onder aan de toren was, maar tot zijn teleurstelling zaten er dikke ijzeren tralies voor de opening.

Plotseling hoorde hij achter zich een schrapend geluid. Verstijfd hield hij zijn adem in. Toen er niets gebeurde, draaide hij zich voorzichtig om. Het geluid leek uit een kast te komen. Tot zijn schrik zag hij hoe de deur langzaam openging.

'Matthias?'

Lupa de wolf kroop tevoorschijn.

Matthias kon haar kop bijna niet zien achter de damp die haar adem in de koude lucht maakte. Hij drukte zich tegen de wand en kneep zijn ogen stijf dicht.

'Matthias? Ik ben het, herken je me niet?' hoorde hij de bezorgde stem van Lupa.

'Ik weet dat je me wilt vermoorden,' antwoordde Matthias.

Meteen veranderde ze in Lupa de vrouw.

'Vermoorden? Waarom zou ik je willen vermoorden?'

'Om dezelfde reden dat je mijn grootmoeder hebt vermoord. Om ervoor te zorgen dat er geen prins van Dragonië is die de macht over de beide rijken krijgt. Dat is toch wat het Genootschap wil?' zei Matthias kwaad. 'Jullie hebben allemaal tegen me gelogen. Ik wil trouwens helemaal geen macht hebben.'

'Ik heb Zorah niet vermoord,' antwoordde Lupa geduldig. 'Maar dat is nu niet belangrijk, we hebben niet veel tijd.'

Ze wenkte Matthias haar te volgen, de kast in, maar hij bewoog zich niet.

'Wát moet ik nog denken? Ik weet niet meer wie ik nog kan geloven!' zei Matthias wanhopig.

'Je hebt helemaal gelijk. Ik begrijp dat je niemand meer vertrouwt, ook mij niet.'

Lupa keek aarzelend naar de deuropening. Toen nam ze zijn gezicht in haar handen. Haar gele ogen keken hem strak aan.

'Ik wil dat je goed naar me luistert, Matthias. Je hebt gezien wat Zafyra doet en je weet hoe belangrijk het is dat we haar tegenhouden.'

'Waarom hebben jullie me dan niet vanaf het begin af aan gewoon de waarheid verteld?'

'De voorspellingen zeggen niet welke kant je zult kiezen.'

Lupa keek naar het plafond en zei uit haar hoofd op: 'Geboren wordt één prins, tweemaal van koningsbloede, *die zal bepalen het kwade of goede*. Door hem zal heersen dag of nacht, *aan licht of aan donker zal zijn de macht*. Als we je hadden verteld dat je eigen moeder de vijand was, had je dan naar ons geluisterd?'

Matthias wist hierop geen antwoord te geven.

'Om dezelfde reden konden we het er ook niet op wagen dat je zou worden opgevoed door Isgerias en Zafyra,' ging Lupa verder. 'Het was een heel moeilijk besluit voor Malvezijn om het plan in werking te stellen.' Verdrietig schudde ze haar hoofd. 'Stel je toch voor, we moesten van onschuldige mensen als Frenkel en Miriam hun echte zoon verwisselen! En Isgar zelf is opgegroeid bij Zafyra, terwijl zijn eigen ouders zulke liefhebbende mensen zijn.'

Matthias knikte. Als hij er goed over nadacht, had het Genootschap hem eigenlijk een dienst bewezen. Voor geen goud had hij zijn jeugd in het Klaverdal willen ruilen met die van Isgar op slot Dragon.

'We dachten dat het nog jaren zou duren voordat Zafyra sterk genoeg zou zijn om Westenrijk aan te vallen. Jij zou dan allang zijn opgegroeid. Maar toen vond ze het boek van Zorah...' Ze moest even glimlachen. 'Onze enige hoop was een jongen van veertien die nog nooit verder was geweest dan het dorp in het Klaverdal.'

Matthias luisterde ademloos.

'Deze jongen moest het opnemen tegen de machtige Zafyra van Dragonië. Maar Zafyra heeft één zwak punt: ze luistert niet naar nieuwe ideeën en andere meningen. Iedereen die het waagt om haar tegen te spreken, wordt meteen vernietigd of willoos gemaakt. Alleen jou zou ze geen kwaad doen, ze had je namelijk nodig.'

Matthias dacht er huiverend aan terug hoe weinig dat zo-even had gescheeld.

'Daarom was jij de enige die haar misschien tot rede en inzicht zou kunnen brengen. Malvezijn zou je in Serti hierop voorbereiden. Je moest ook leren om de ideeën van anderen in twijfel te durven trekken en andere mogelijkheden te zoeken. We wisten namelijk dat Zafyra er tegelijkertijd alles aan zou doen om jou van haar mening te overtuigen.'

Beschaamd boog Matthias zijn hoofd. 'Dat was haar ook bijna gelukt,' mompelde hij.

'Maar niet helemaal,' zei Lupa, en ging verder. 'Ten slotte

moest je angsten overwinnen en zelfvertrouwen krijgen. Zolang je erop vertrouwde dat je zou leren toveren was je niet bang. Maar je moest inzien dat je ook zonder toverkracht veel méér kon dan je dacht. Dat was het doel van je reis naar de Duivelspiek.'

Matthias knikte. Dit had Emu hem ook al verteld.

'Maar het ziet ernaar uit dat het plan mislukt is,' zei Lupa verdrietig. 'We rekenen nu op Arulf de Stalmeester om wat tijd voor ons te winnen.'

'Zafyra heeft geprobeerd mijn wil weg te nemen met het groene vuur.' Matthias vertelde haar wat zojuist was gebeurd in de torenkamer. 'Maar bij haarzelf werkte het niet. Ze zei dat ze geen verschil voelde.'

'Hmm...' zei Lupa nadenkend, 'misschien is dat helemaal niet zo vreemd. Zafyra heeft haar hele leven de wil van Isgerias opgevolgd. Zelfs nu nog, na zijn dood, is haar enige streven om de wensen van haar vader te vervullen.'

'Je bedoelt dat ze helemaal geen eigen wil hééft?' vroeg Matthias verbaasd.

Lupa knikte. 'Haar moeder werd door Isgerias vergiftigd toen Zafyra pas een paar uur oud was...'

'Isgerias heeft koningin Zorah zélf vermoord?' onderbrak Matthias haar verbluft.

'Zafyra denkt dat ík het was. Dat heeft Isgerias haar altijd wijsgemaakt. Maar de waarheid is dat toen hij erachter kwam dat hij geen zoon had gekregen, hij haar in zijn drift heeft vergiftigd. Zafyra heeft haar moeder daarom nooit gekend.'

Stofwolken stoven op uit de bekleding toen Lupa op een stoel ging zitten.

'Haar vader was een harteloze, wrede man. Het enige wat hem interesseerde was macht,' ging ze verder. 'Elk kind heeft liefde nodig. Als het geen liefde krijgt, probeert het iets te krijgen wat erop lijkt, zoals goedkeuring. Daarom deed ze alles wat haar vader wilde... en dat doet ze nog steeds.'

Lupa dacht even na voordat ze verder sprak.

'Goedkeuring kan de plaats van echte liefde nooit innemen. Er is namelijk één belangrijk verschil, en dat kan Zafyra niet weten. Om goedkeuring te krijgen, moet je iets goed doen. Maar aan echte liefde zijn geen voorwaarden verbonden, die krijg je zomaar.' Peinzend keek ze Matthias aan. 'Miriam en Frenkel zullen altijd van je houden, wat er ook gebeurt en wat je ook doet, goed of fout. Dat is echte liefde. Dat is wat Zafyra eigenlijk zoekt.'

'Maar dat is precies wat ik in haar heb gevoeld!' riep Matthias opgewonden. 'Ik vóélde hoe ze naar liefde hongerde.'

Lupa bleef als bevroren zitten. 'Je kunt gevoelens lezen?' vroeg ze. 'Hoe lang weet je dat al?'

Matthias vertelde haar over de haat die hij had gevoeld bij de kleine man in de Fjelleborgh.

'Toen de Zwarte Rijders me te pakken hadden gekregen bij de Ebe, werd ik vastgebonden en achter in een kar gelegd. In de Fjelleborgh kwam een kleine man mij eten geven. Hij deed heel vriendelijk, maar ik weet zeker dat hij mij haatte! En het allervreemdste was dat hij het zelf niet eens leek te weten!'

Lupa knikte. 'Dat was de haat van de Troggl.'

Matthias keek haar vragend aan.

'Vroeger was het hele gebied tussen het Lage Woud en wat nu de Vergeten Heuvels wordt genoemd, het rijk van de kleine mensen,' legde Lupa uit. 'De Dragoniërs noemen hen de Heuveldwergen, maar dat vinden ze zelf een scheldwoord. In het echt heten ze de Troggl. Taragon heeft hun land veroverd, en daarom haten ze hem en al zijn afstammelingen. Nadat Taragon ze had verslagen, zijn de meesten van hen de Vergeten Heuvels in gevlucht. Er wordt gezegd dat ze wachten op een verlosser die hun land terug zal veroveren.'

'Maar hoe kon hij mij zo haten en het toch zelf niet weten?' vroeg Matthias.

'Alle Troggl weten dat ze de afstammelingen van Taragon haten. Maar de Troggl uit Fjelleborgh wist niet dat jij er een was.'

'En Zafyra, die wist zelf ook niet wat ze voelde.'

'Ik denk dat Zafyra niet kan weten dat ze de behoefte aan liefde voelt, gewoon omdat ze niet weet wat het is.'

Ineens schoot Matthias iets te binnen. 'Lupa, Malvezijn heeft gezegd dat je zonder een vrije wil geen eigen beslissingen kunt nemen of schuld kunt hebben voor je daden. Als mijn moeder geen liefde kent en geen eigen wil heeft, kan ze dan echt slecht zijn?'

Lupa dacht nu diep na. 'Als Malvezijn gelijk heeft, misschien niet,' antwoordde ze toen. Maar voor Matthias was dat genoeg. Het gevoel van opluchting dat hij voelde was onbeschrijfelijk.

Lupa sprong op van de stoel. 'We hebben al te veel tijd verloren. Ik ben gekomen om je naar Westenrijk te helpen vluchten.'

'Nee,' zei Matthias vastberaden, 'ik ga terug naar mijn moeder.'

'Wat?' Lupa legde haar hand op zijn schouder. 'Dat is veel te gevaarlijk. Je weet wat ze met je gaat doen! Ze zal je wil wegnemen, en je gebruiken voor haar plannen!'

Matthias schudde zijn hoofd. 'Je hebt zelf net gezegd dat je van iemand kunt houden of die nou goede of foute dingen doet.'

Lupa knikte langzaam.

'En weet je nog dat je me het teken op het Runenplateau liet zien? Hetzelfde teken als op de ring die ik van Malvezijn heb gekregen? Je zei toen dat ik altijd het goede in mensen moest zoeken.'

Lupa gaf geen antwoord, maar ze wist al wat hij ging zeggen.

'Zafyra is mijn moeder en ik wil van haar houden.' Smekend keek hij de wolfsvrouw aan. 'Ze is mijn moeder,' herhaalde hij.

'Als ze liefde zoekt, dan kan ze die van mij krijgen. Ik móét naar haar toe.'

'Dat zal niet nodig zijn,' hoorden ze achter zich.

In de deur stond Zafyra.

Het kleine meisje

De allereerste herinnering van het meisje was dat er altijd iets was om bang voor te zijn. De koude donkere gangen, de sombere soldaten, maar vooral de woedeaanvallen van haar vader.

Soms kon haar vader zomaar heel boos op haar worden. Meestal begreep ze dan helemaal niet wat ze verkeerd had gedaan. Andere keren, wanneer ze dacht dat ze stout was geweest, leek het hem niets te kunnen schelen. Het kleine meisje vond het erg verwarrend. Vaak kreeg ze het gevoel dat het hem om het even was of ze bestond of niet.

Haar tweede herinnering was dan ook dat ze zich altijd eenzaam voelde. Soms zat ze uren met haar neus tegen het raam gedrukt en te kijken naar de andere kinderen, die op de binnenplaats speelden. Ze renden vrolijk rond en gooiden ballen naar elkaar. Eén keer kon ze zich niet bedwingen. Ze trok haar roze jurkje met het knellende lijfje uit, en rende de binnenplaats op.

'Naar mij, naar mij!' riep ze, zoals ze de andere kinderen had horen doen als ze de bal wilden hebben.

Het jongetje liet van schrik de bal uit zijn handen vallen. Het kleine meisje raapte hem op om terug te gooien. Maar toen ze opkeek zag ze de andere kinderen hard wegrennen. Hoog achter een van de ramen stond haar vader.

Zijn gezicht was onbewogen, maar dat vond ze nog enger dan boos. Als hij kwaad werd, wist ze tenminste waar ze aan toe was. Zijn wijsvinger bewoog nauwelijks toen hij haar naar boven wenkte. Met slepende voeten liep ze de trappen weer op.

Haar vader stond in het midden van zijn kamer. Zijn handen waren achter zijn kaarsrechte rug verborgen. Misprijzend keek hij naar de zwarte veeg die de bal op haar witte onderjurkje had gemaakt.

Het meisje begreep weer niet wat ze verkeerd had gedaan. Ze wilde alleen maar hetzelfde doen als de andere kinderen.

Ze stak haar handen naar voren en wachtte op het rietje. Maar tot haar verbazing had haar vader dit keer niets in zijn hand. Hij duwde haar naar het raam en wees naar buiten.

'Onder geen enkele omstandigheid mengen wij ons met het gewone volk,' zei hij. 'Wij zijn hooggeboren en staan ver boven het gepeupel.'

Het meisje keek neer op de mensen op de zonnige binnenplaats. Ze voelde dat haar vader met 'ver boven' iets anders bedoelde dan de afstand tussen het raam en de grond. Omdat het blijkbaar iets was wat hij belangrijk vond, wenste ze vurig dat ze dit kon begrijpen.

'En dan nog wel zonder enige waardigheid in je... je... onderkleding!' Zijn stem trilde nu van woede, en het kleine meisje kromp in elkaar.

'Verdwijn uit mijn ogen, je hebt mij diep teleurgesteld en je familienaam beschaamd.'

Opnieuw begreep ze niet wat haar vader bedoelde, maar ze voelde dat het heel erg was. Ze had liever de pijn van het rietje op haar vingers gevoeld, dat kende ze tenminste.

Ze was dan ook pas vier jaar.

In het deel van het kasteel waar ze woonde werd nooit gelachen. Ze was wel eens stiekem de trappen afgeslopen, naar de personeelsvertrekken. Met haar oor tegen de deur van de keukens had ze gehoord hoe de bedienden elkaar aan tafel grappen vertelden. Een bulderend geschater deed haar nieuwsgierig de deur openduwen. Meteen verstomde het gelach en alle bedienden sprongen op uit hun stoelen.

'Hoogheid,' stamelde de hofmeester, en iedereen boog diep.

Het kleine meisje besefte dat overal waar zij verscheen, alle plezier meteen ophield. Ze begreep dan ook best dat niemand haar leuk vond of met haar wilde spelen. Het was natuurlijk haar eigen schuld dat haar vader niet van haar hield. Ze verdiende het ook niet om te worden geknuffeld, zoals ze had gezien bij de andere kinderen en hun vaders en moeders.

Zoals die ene keer.

Terwijl ze uit de koninklijke koets stapte, bleef haar puntige muiltje haken in de lange rokken. Ze tuimelde van het afstapje, en haar voet knikte om. Ze gaf een kreet van pijn en tranen sprongen in haar ogen. Meteen voelde ze een paar vlezige handen onder haar oksels die haar optilden.

Stevig klemde ze zich aan de keukenmeid vast. Ze rook naar taart en vanille, en naar nog iets anders dat het meisje niet kende.

Ineens voelde ze hoe de vrouw verstijfde. Achter haar stapte haar vader uit het rijtuig.

'Zet haar neer,' zei hij kortaf.

Voorzichtig maakte de vrouw de armpjes achter haar nek los. Het meisje probeerde zich nog wat langer tegen de vrouw aan te drukken. Een pijnscheut trok door haar been zodra haar voet de grond raakte.

'Houd op met die aanstellerij en verman je,' hoorde ze de stem van haar vader boven zich. 'Je moet leren om je zwakten te beheersen tegenover je onderdanen.'

Was het zwak om pijn te hebben? vroeg het kleine meisje zich af, maar ze durfde het niet te vragen. In de jaren die volgden zou ze erachter komen dat volgens haar vader álle gevoelens een teken van zwakte waren.

Ze klemde haar tanden op elkaar en negeerde de scherpe steken in haar enkel. De tranen stonden in haar ogen toen ze eindelijk haar kamers bereikte. Ze was nu misselijk van de pijn, en hinkte naar haar bed. Ze rolde zich op en probeerde geen aandacht te besteden aan haar kloppende voet. Haar porseleinen pop zat met haar jurk over het kussen gespreid. Ze drukte haar gezicht in het krakende kant en probeerde zich de geur van de keukenmeid te herinneren. Taart, vanille en... de zoete geur van een warme huid. Maar het enige wat ze rook, was het stijfsel van de poppenrok.

Het meisje werd vandaag tien jaar. Ze zat hoog op het paard dat haar verjaardagscadeau was. Haar ogen stonden wijd open en haar spierwitte knokkels klemden zich om de teugels. Ze hield haar adem in en hoopte dat het dier zich niet zou bewegen.

Ineens hoorde ze een klets, en met een schok kwam het paard in beweging. Wezenloos van angst kneep ze haar ogen stijf dicht en greep ze zich vast aan de manen. Ze drukte haar knieën zo hard als ze kon tegen de flanken, en het lukte haar om te blijven zitten.

Toen ze eindelijk tot stilstand kwamen, tilde haar vader haar zelf omlaag.

'Je mag dan wel geen zoon zijn, maar voor een dochter kan ik misschien nog veel van je verwachten,' zei hij. 'Het wordt tijd dat wij elkaar wat beter leren kennen.'

Het meisje kon haar oren niet geloven en gloeide van trots.

Die avond vertelde haar vader haar over de voorspellingen van haar verre voorouder, koning Taragon. Voor het eerst werden een heleboel dingen het kleine meisje duidelijk. Ze begreep wat haar te doen stond. Ze wist eindelijk ook hoe ze haar vader tevreden kon stellen.

Duidelijkheid.

De kleine Zafyra nam zich voor dat er nooit meer onduidelijkheid in haar leven zou zijn, maar orde. En dat was haar goed gelukt.

Tot vandaag.

Zafyra is mijn moeder en ik wil van haar houden.

Ze keek naar haar zoon die deze woorden zojuist had uitgesproken. De wolfsvrouw sloeg beschermend een arm om hem heen. Verward draaide Zafyra zich om en rende de trappen van haar toren af.

Lupa hield de kastdeur met de geheime toegang open.

'Kom snel,' siste ze, 'we moeten gaan.'

Maar Matthias bleef staan waar hij stond.

'Ga jij maar,' zei hij vastberaden, 'ik blijf hier.'

Lupa zag in dat het geen zin had om te proberen hem te overreden.

'Hadden we maar wat meer tijd gehad om je Kracht te ontwikkelen,' zei ze daarom spijtig. 'Die had je nu goed kunnen gebruiken.'

'Kracht? Wat voor kracht?' onderbrak Matthias 'Je bedoelt tóveren?'

'Noem het wat je wilt, maar je bent geboren met de Kracht van de Royaldi's. De Kracht van de vrouwen van de koninklijke familie van het Steppenvolk.'

Matthias moest dit nieuws even laten bezinken. Hij had een speciale kracht! Toen drong het tot hem door wat Lupa zojuist had gezegd.

'Zei je: de vróúwen van de koninklijke familie?' vroeg hij bedremmeld. 'Maar ik ben toch geen meisje?'

'Nee, jij bent geen meisje,' beaamde Lupa 'en tóch heb je de Kracht. De Kracht die ík heb ontfutseld.'

'Ontfutseld?' vroeg Matthias onthutst. 'Aan wie dan?'

'Alle tovenaars, waarzeggers, heksen en magiërs van de Steppen,' antwoordde Lupa.

Ze liep naar de deur en keek naar beneden. Toen ze er zeker van was dat niemand de trap opkwam, vertelde ze verder.

'Toen Isgerias koning van Dragonië werd, bleek al snel dat hij bezeten was van macht en onderdrukking. Hij had het vooral gemunt op de rondreizende Steppenmensen die zo moeilijk te beheersen zijn. Hun onbedwingbare vrijheid was hem een doorn in het oog, zoals alles wat hij niet kon beheersen. De woonwagenkampen werden vernield en onze mensen uit Dragonië verjaagd.

De koning van het Steppenvolk was bang dat hij de Vlakte van Ebe binnen zou vallen en onze Heilige Bergplaats zou ontdekken. Dat is het heiligdom van de Steppenmensen. Daarom riep hij de hulp in van alle magische leden van zijn volk. Hij vroeg ons om in deze tijden van nood allemaal een deel van onze krachten af te staan aan de koninklijke familie. Dagenlang werd hierover geredetwist, want zoals gewoonlijk kon niemand het eens worden. De tovenaars waren bang dat de koninklijke familie hierdoor te machtig zou worden. De gierige magiërs wilden niet te veel van hun krachten weggeven. Weer anderen waren bang dat hun diensten niet meer nodig zouden zijn wanneer de koning zelf krachten had. En de waarzeggers en heksen kunnen het al helemáál nooit ergens over eens worden.' Lupa zuchtte bij de herinnering. 'De verdeling van machten en krachten is een gevoelige zaak, Matthias. Iedereen is altijd bang er te weinig van te hebben. Maar het evenwicht moet altijd bewaard blijven. Als kracht niet gelijkmatig verdeeld blijft, wordt het meestal een kwade macht. Dan lichten de stenen op het Runenplateau op.'

Opnieuw keek Lupa het trapgat in. Het verbaasde haar dat er nog geen wachters waren verschenen. Ze vervolgde haar verhaal.

'De vrouwen van de koninklijke familie bewaren het geheim van de plaats van het heiligdom. Opdat dit geheim voor altijd veilig zou zijn, was iedereen uiteindelijk dan toch bereid om een klein deel van zijn toverkrachten aan de bewaarders te schenken. Alleen dóchters van de Royaldi's zouden voortaan worden geboren met de Kracht. Verblind door eigenbelang zag niemand in hoe oorlogszuchtig Isgerias was. Ik zei dat we geen tijd hadden om te wachten totdat een nog ongeboren dochter zou zijn opgegroeid. De Heilige Bergplaats moest nú beschermd worden. Allemaal dachten ze dat het zo'n vaart niet zou lopen. Ze noemden mij een onruststoker en een woelgeest.'

Lupa haalde haar schouders op.

'Daarna wilde helemaal niemand meer naar me luisteren. Ook mijn waarschuwing dat daarmee het evenwicht van krachten te veel in de vrouwelijke richting zou verschuiven werd in de wind geslagen. Het enige dat ik dááraan kon doen was ongemerkt een klein deel van de gegeven krachten omleiden richting de mannelijke nazaten die nog geboren zouden worden. Kort daarop kregen koning Caspar en koningin Wioletta een dochtertje, prinses Zorah. Zorah was dus de eerste met de Kracht.

Helaas kreeg ik gelijk. Veel eerder dan verwacht viel Isgerias met zijn legers de Vlakte van Ebe binnen. Koningin Wioletta Royaldi is nog steeds de bewaarder van het geheim van de Heilige Bergplaats. Isgerias wilde haar dwingen om dit prijs te geven. Toen kwam koning Caspar erachter dat er één ding nóg belangrijker was voor Isgerias dan onze Geheime Bergplaats. Hij wilde een zoon, tweemaal van koningsbloede. De prins uit de Voorspellingen van Taragon. Caspar beloofde Isgerias daarom de hand van zijn pasgeboren dochter, prinses Zorah. In ruil daarvoor zou Isgerias de Vlakte van Ebe en de Heilige Bergplaats met rust laten. Ook zouden de Steppenmensen ongestoord in en uit Dragonië mogen reizen. Jaren later werd het gedoemde huwelijk tussen Zorah en Isgerias voltrokken. Ikzelf ging met Zorah mee in haar gevolg naar slot Dragon...'

Maar Matthias luisterde al niet meer.

Hij had toverkrachten!

'We durfden je dit niet eerder te vertellen, omdat we nog niet wisten welke kant je zou kiezen. Maar ik geloof dat je je keuze hebt gemaakt.'

Lupa glimlachte toen ze zijn gezicht zag.

'Natuurlijk kon ik niet al te veel kracht laten afbuigen, dat zou te veel opvallen. Daarom werkt jouw Kracht alleen in de buurt van een "veld". Het is ook lang niet zo sterk als die van de vrouwelijke Royaldi's.'

'Een veld? Wat is een veld?'

'Een veld is een heiligdom dat met de Kracht kan worden beschermd. Het Runenplateau is een veld, net als de Heilige Bergplaats van het Steppenvolk. En na jouw verhaal over de Trogglman in de Fjelleborgh denk ik dat daar ook ergens een veld is. Bovendien kunnen alle vrouwen met de Kracht zelf ook als veld dienen.'

Matthias dacht even na bij deze woorden.

'Is mijn moeder dan ook zo'n veld?' vroeg hij ten slotte.

Lupa knikte.

Matthias greep haar hand en gaf er een kneepje in. Het leek even of hij nog iets ging zeggen, maar hij draaide zich om en rende de trappen af.

Zafyra hoorde niet hoe de deur openging en iemand zachtjes de troonzaal in kwam.

Matthias zag zijn moeder op de vloer zitten met haar handen voor haar gezicht. Spontaan sloeg hij zijn armen om haar nek en legde zijn hoofd tegen haar rug.

Zafyra herkende iets van lang geleden. De zoete geur van een warme huid.

Matthias hurkte nu tegenover haar op de grond en pakte haar beide handen vast. De twee paar turquoise ogen keken elkaar aan. Allebei voelden ze hun vingers tintelen en hun armen begonnen te gloeien. Zafyra hapte naar lucht, maar Matthias greep haar handen nóg steviger vast. Uit alle macht concentreerde hij zich op alles wat voor hem liefde was. De warme ogen van Miriam... De hand van Frenkel die door zijn haar woelde... Kaya die onzelfzuchtig tussen hem en de speer van de Zwarte Rijder sprong.

Kaya... Hij voelde dat hij begon te blozen. De mondhoeken van Zafyra bewogen zich en hij zag nu een glimlach ontstaan. Héél kort voelde hij iets terugstromen naar hemzelf.

Voor zijn geestesoog verscheen een jong paar. De turquoise ogen van het meisje twinkelden verliefd toen ze naar de jongen opkeek. Hand in hand liepen ze door een bos. Plotseling voelde Matthias een angst. In een flits was het beeld weer verdwenen. Diep terug in het geheugen waar het jarenlang weggestopt had gezeten. In plaats daarvan zag Matthias nu een grimmig gezicht dat hij herkende uit de portrettengalerij. Het was zijn grootvader Isgerias. De figuur wenkte met een gebogen vinger. Zijn dwingende ogen waren onverbiddelijk.

De angst die Matthias voelde werd steeds beklemmender.

'Ga weg!' riep hij. Tot zijn schrik hoorde hij dat het niet zijn eigen stem was die uit zijn mond kwam, maar die van Zafyra.

'Ga weg!' riep hij opnieuw. 'Je bent een wrede nare man en je hoort hier niet!'

Het beeld vervaagde en verdween.

Matthias hoorde hoe zijn moeder plotseling met gierende uithalen begon te snikken. Zafyra huilde alle tranen die het kleine meisje jarenlang had opgekropt.

Onthullingen

Koning Walian en Malvezijn bogen zich diep over de landkaart. Malvezijn wees naar de haven van Esmeraldrië.

'We moeten ervoor zorgen dat haar vloot niet dicht genoeg kan naderen. Ik weet niet vanaf welke afstand het groene vuur werkt,' zei hij.

Walian knikte. 'Ik heb kanonnen langs de haven laten plaatsen.'

Hij trok zijn vinger langs de noordoostelijke kust van Westenrijk, toen een rumoer hun aandacht trok. Het geluid van rennende voetstappen echode door de gang. Er was nog nauwelijks een klop op de deur te horen geweest, of een van de kamerdienaren viel buiten adem de troonzaal binnen.

'Sire, vergeef mij,' stamelde de man opgewonden, 'er is een Dragoniaans schip in aantocht!'

'Eén schip?' herhaalde Walian. Hij draaide zich om naar Malvezijn. 'Wat zou dat kunnen betekenen?'

Zonder op antwoord te wachten wendde hij zich weer tot de lakei. 'Weet je zeker dat het maar één schip is? Niet een hele vloot?'

De man schudde zijn hoofd. 'Nee, Sire, de uitkijk is er zeker van dat het het enige schip is.'

Op de voet gevolgd door Malvezijn snelde de koning naar de kasteelmuren. Op de kantelen aangekomen nam hij de verrekijker van een van zijn officieren over. Gespannen tuurde hij door de lens.

Aan de horizon doemde een groot galjoen op. De rode zeilen stonden bol in de wind. Op de wapperende vlag was duidelijk de Dragoniaanse draak te zien.

Toen het schip dichterbij kwam, richtten alle kanonnen zich. De koning tilde zijn hand op om het bevel voor een waarschuwingsschot te geven.

'Wacht!'

Malvezijn greep de arm van de koning.

'Mogelijk is het een list en is het schip gevuld met het groene poeder!'

Met afgrijzen keek de koning hem aan.

'Moeten we het dan niet júíst tot zinken brengen?'

'We weten niet hoe het werkt, Sire. Misschien wordt het wel werkzaam door kanonnenvuur.'

Met ingehouden adem wachtten ze af. Ze konden niets anders doen dan het schip ongestoord binnen te laten varen, en even later gleed het de havenmonding in.

Toen het galjoen binnen schootsafstand kwam, werd plotseling een witte vlag gehesen.

'De vredesvlag!'

Over de hele slotmuur was een gemompel te horen. Ook vanaf de kade stegen kreten van verbazing op.

Walian en Malvezijn liepen de trappen weer af en wachtten op de kade.

Touwen werden naar de wal gegooid, en het enorme vaartuig werd op zijn plaats getrokken. Op de wal strekten zich honderden nekken.

Aan het dek verscheen een beeldschone vrouw. In het zonlicht glansde haar lange rode haar als gesponnen koper. Ze droeg een groenblauwfluwelen gewaad in dezelfde kleur als haar bijzondere ogen.

Omdat alle blikken op haar waren gericht, zag niemand hoe koning Walian verbleekte. Als aan de grond genageld bleef hij staan en zijn mond viel open. Daar stond het meisje van de Steppen naar wie hij al vijftien jaar op zoek was!

Met opgeheven hoofd kwam ze over de loopplank naar beneden. Achter haar volgde een jongen die nieuwsgierig om zich heen keek.

Vlak voor Walian bleef de vrouw staan. Zachtjes duwde ze de jongen naar voren.

'Gegroet, Walian van Westenrijk,' sprak Zafyra met luide stem. 'Ik breng je onze zoon, prins Matthias van Westenrijk en Dragonië.'

Het geroezemoes om hen heen zwol aan tot een luid gegons van stemmen.

De koning staarde sprakeloos heen en weer van Zafyra naar Matthias. Hij probeerde iets te zeggen, maar de woorden stokten in zijn keel.

Ten slotte draaide hij zich om naar Malvezijn.

'Wist jij...?' begon hij. Maar aan het verblufte gezicht van de tovenaar kon hij zien dat deze net zo verrast was als hijzelf. Walian vermande zich en wist zijn verwarring te verbergen.

'Welkom in Westenrijk,' zei hij stijfjes. 'Vergeef ons de gebrekkige ontvangst, maar dit is een zeer onverwacht genoegen.'

De jongen keek hem met grote ogen aan. Ze hadden dezelfde turquoise kleur als die van zijn moeder. Walian wilde iets zeggen om hem gerust te stellen. Of op zijn gemak, hij wist zelf niet precies wat.

Naast Matthias verscheen nu een meisje dat Walian aandachtig bekeek. Toen ze de ontgoochelde blik van Matthias zag gaf ze hem een opbeurende por in zijn zij.

'Tjee, Matthias, kijk niet zo raar. Die man wist helemaal niet dat je bestaat. Geef hem even de tijd om aan je te wennen zeg,' fluisterde ze.

Glimlachend keek koning Walian Kaya aan. Toen ze besefte dat hij haar woorden had verstaan sloeg ze blozend haar hand voor haar mond.

'Ik denk dat dat de beste raad is die ik vandaag heb gehoord,' zei hij tot haar opluchting.

'Ja, maar...' stamelde Matthias beduusd, 'ik wist het ook niet... koning Walian... mijn vader?' Vragend keek hij achterom naar Zafyra.

Malvezijn sloeg met zijn hand tegen zijn voorhoofd.

'Maar natuurlijk!' riep hij uit. 'Ik had het kunnen weten: geboren wordt een prins, twéémaal van koningsbloede. Ik heb steeds gedacht dat hiermee de twee koningshuizen van Dragonië en Royaldi werden bedoeld.'

Walian legde zijn handen op Matthias' schouders.

'Het ziet ernaar uit dat ik eerst een paar andere zaken moet opklaren,' zei hij in zijn oor. 'Maar daarna hebben we heel wat verloren jaren in te halen, jij en ik.'

Hij aarzelde even, maar trok Matthias toen stevig tegen zich aan. Daarna maakte hij een buiging naar koningin Zafyra.

'U zult na de lange reis wat willen rusten,' zei hij formeel. 'Ik stel voor dat we elkaar later in de troonzaal treffen.'

De ontdekking dat koningin Zafyra van Dragonië en het meisje van de Steppen een en dezelfde persoon waren kwam voor Walian als een enorme schok. Maar dat Zafyra bijna vijftien jaar had verzwegen dat hij een zoon had, vond hij onbegrijpelijk. Een zoon die ze in opdracht van haar vader had gekregen. Niet omdat ze het zo wilde, maar omdat in een voorspelling stond geschreven dat beide ouders van koninklijk bloed moesten zijn. Het meisje van wie hij al die tijd had gedroomd was door haar vader gestuurd om hem het hoofd op hol te brengen. En dat was haar gelukt: vijftien jaar lang had hij naar haar gezocht!

Zwijgend luisterde hij hoe ze nu voor vergeving pleitte.

'Toen ik het gesprek hoorde tussen Matthias en Lupa de Wolfsvrouw begreep ik hoe verblind ik al die jaren ben geweest.' Beschaamd boog ze haar hoofd. 'Ik was mezelf niet,' zei ze. 'Of liever, er wás geen mezelf...'

Walian stond op van zijn troon. Hij knikte kort en verliet zonder iets te zeggen de zaal.

Zafyra sprong op, maar Malvezijn hield haar tegen.

'Ik denk je hem beter even met rust kunt laten,' zei hij.

Handenwringend liep Zafyra voor hem heen en weer.

'Ik begrijp dat het onvergeeflijk is wat ik heb gedaan,' zei ze. 'Door mijn schuld heeft hij nooit geweten dat hij een zoon had.' Ze keek Malvezijn wanhopig aan. 'Hoe kan ik hem uitleggen dat ik niet wist hoeveel dat betekent...?'

'En waarom denk je dat je dat nu wél weet?'

'Het was iets dat Matthias me liet zien... of nee...' verbeterde ze zichzelf, 'het was meer iets dat ik Lupa tegen Matthias hoorde zeggen. Ze zei dat er aan echte liefde geen voorwaarden zijn verbonden, dat je die zómaar krijgt. En Matthias zei toen...'

Zafyra tuurde naar het plafond terwijl ze zich de precieze woorden probeerde te herinneren.

'Zafyra is mijn moeder en ik wil van haar houden. Dat zei hij, ondanks alles wat ik had gedaan. En zelfs toen hij wist dat ik zijn vrije wil zou wegnemen, wilde hij nog terugkomen. Hij zei: als ze liefde zoekt, dan kan ze die van mij krijgen.'

Tot zijn verbazing zag Malvezijn dat er tranen over haar gezicht liepen.

'Mijn vader moest en zou een kleinzoon hebben van een prins. Daarom stuurde hij mij vijftien jaar geleden naar Westenrijk.'

Malvezijn knikte peinzend. 'Ik had moeten weten dat de sluwe Isgerias niets op het spel zou zetten.'

Zafyra boog haar hoofd.

'Je kunt de tijd helaas niet terugdraaien, Zafyra. Walian zal op den duur misschien begrijpen hoeveel spijt je hebt. Maar dat je in het geheim zijn kind hebt gekregen, alleen maar voor de macht over zijn land...' De tovenaar haalde weifelend zijn schouders op.

'Je begrijpt het niet,' zei Zafyra. 'In één ding had Lupa ongelijk. Ik had wél al een keer eerder liefde gevoeld. Op een nacht vijftien jaar geleden in het Esmeraldse Bos... Maar ik had niet genoeg wilskracht om eraan toe te geven.'

'Je hebt een heleboel goed te maken,' zei Malvezijn. 'Misschien moet je beginnen hem dat te vertellen.'

Walian had uren door het Esmeraldse Bos gelopen. Hij had diep nagedacht over alles wat Zafyra had verteld. Toen de zon opkwam, liep hij als vanzelf naar het bosbeekje.

Ze zat alleen, met haar voeten in het water. Haar koperen haren hingen los op haar schouders. Af en toe deed een briesje haar krullen opwaaien. Net als op die ene dag, bijna zestien jaar geleden.

Prins van zee tot veen

De weken die volgden waren voor Matthias een wirwar van ontmoetingen, onthullingen en nieuwe belevenissen. Hij was blij dat Kaya er was om hem met beide voeten op de grond te houden.

'Allemaal apekool,' zei ze over de onderdanen die begonnen te juichen zodra Matthias op het bordes van kasteel Marevent verscheen. 'Die mensen kennen je helemaal niet. Als ze eens wisten wat voor een vervelende mieter je soms bent, gooiden ze waarschijnlijk rotte eieren.'

En als hij mopperde over alle stijve ministers die hij moest leren kennen, maakte ze hem steeds weer aan het lachen met haar gekke gezichten. Het was ongelooflijk hoe levensecht ze de kanselier met zijn pruimenmondje kon nadoen.

'Net als iedereen moet je werken voor de kost, prins of geen prins,' plaagde ze, toen hij zuchtend de troonzaal uit kwam na een saaie morgen vol staatszaken.

Matthias plofte achterover in een stoel. 'Ik dacht altijd dat prinsen zo veel bedienden hebben zodat ze niet hóéven te werken,' zuchtte hij. 'Geloof me, ik heb gewoon nergens anders meer tijd voor.'

Hij boog zich voorover en graaide een handvol uit een schaal met suikerwerk.

'Als ik nog één hand moet schudden, vallen mijn vingers eraf,' mopperde hij met volle mond verder. 'En die eindeloze staatsbanketten. Doe mij maar een Klaverdalse uiensoep… of een pannenkoek…'

'Zo te zien kom je aan zoetigheid niks te kort,' zei Kaya, toen hij nog een gesuikerde walnoot in zijn mond stak. Ze sprong op en maakte een sierlijke buiging.

'Zijne Koninklijke Hoogheid, Matthias de Bolle van Westenrijk.'

Ze kon net op tijd de poef ontwijken die Matthias naar haar gooide. Maar het kussen dat Kaya terug smeet, landde midden op zijn neus.

'Of is het prins Mopperkont van Dragonië?' ging ze vrolijk verder.

Dit keer had ze minder geluk. Het dons dwarrelde door de kamer toen de zijden sloop op haar hoofd scheurde. Ze proestte van het lachen en van de kriebelende veren tegelijk.

'Ahum...'

Vanuit de deuropening tuurde de kanselier misprijzend over de rand van zijn monocle. Voordat hij nog iets kon zeggen, trof een sierkussen hem vol in het gezicht.

Matthias en Kaya keken elkaar geschrokken aan. Geen van beiden zouden ze het wagen om een kussen naar de kanselier te gooien.

Matthias draaide zich om in de richting waar het projectiel vandaan was gekomen. Het gezicht van zijn vader verscheen voor het raam en gaf hem een knipoog. Met een ondeugende twinkeling in zijn ogen stapte koning Walian door de openslaande terrasdeuren.

'Beste kanselier, zoudt u zo vriendelijk willen zijn om de kok te laten weten dat we vanavond graag Klaverdalse uiensoep en pannenkoeken op het menu zouden willen zien?' zei hij alsof er niets was gebeurd. 'En alle afspraken voor de rest van de dag willen we verschuiven.'

De kanselier bleef stram staan toen hij de stem van de koning herkende.

'Maar, Sire, de minister van Visserij wacht al...'

'Ik heb vijftien jaar moeten wachten op mijn zoon,' onderbrak Walian hem, 'denkt u dat het de minister zou lukken om één dagje geduld te hebben?'

Miriam was nog helemaal van de kaart. Ze had niet beter geweten of Matthias logeerde bij haar broer in het Dennendal. Achteraf was ze maar blij ook dat ze er geen benul van had gehad aan welke gevaren hij had blootgestaan.

'Maar vond je het dan niet vreemd dat hij zo lang wegbleef?' vroeg Gonda van de linnenkamer. 'Ik bedoel, meer dan vier maanden...'

Ze zaten samen aan de enorme houten tafel in de keuken. Hier voelde Miriam zich meer thuis dan tussen de pracht en praal in de rest van kasteel Marevent.

Op de vraag van Gonda schudde ze haar hoofd.

'Je moet weten dat de tocht over de bergen alléén al twee weken duurt. Toen Tobias na vijf weken terugkwam, vertelde hij ons dat alles zo goed ging met Matthias. Hij bood aan om hem aan het einde van de zomer mee terug te brengen, omdat hij dan opnieuw naar het Dennendal moest,' antwoordde Miriam. 'Frenkel was eerst van plan geweest om hem na een maand zelf te gaan halen, maar het was midden in de oogsttijd. Daarom namen we zijn aanbod graag aan.'

Ze schonk Gonda en zichzelf in uit de stenen theepot.

'Maar vlak voordat Tobias zou vertrekken, kwam hij ons vertellen dat we waren uitgenodigd op kasteel Marevent. We wisten niet wat we er allemaal van moesten denken, Frenkel en ik...' Peinzend blies ze in de hete kom vlierbessenthee.

Met Tobias waren ze door de tunnel naar het Dennendal gereisd. Allebei hadden ze moeten zweren om niemand over deze geheime weg door de bergen te vertellen. Maar dat was toen koningin Zafyra nog kwade bedoelingen had gehad. Nog steeds was

Miriam er verontwaardigd over dat de tovenaar Malvezijn ook maar had kunnen dénken dat háár Matthias in deze boze opzet zou meegaan.

In het Dennendal had de koninklijke koets al voor haar en Frenkel klaargestaan. En toen bleek Matthias ook nog de kroonprins van Westenrijk te zijn. En van Dragonië.

'Was het niet een enorme verrassing om te ontdekken dat Matthias de zoon van koning Walian is?' vroeg Gonda.

Miriam haalde haar schouders op. Ze had er zelf versteld van gestaan hoe weinig verbaasd ze hierover eigenlijk was geweest. Diep vanbinnen had ze altijd al geweten dat Matthias niet in hun huisje in het Klaverdal thuishoorde. De verandering in Matthias had haar méér overdonderd. Niet alleen stak hij nu bijna een kop boven haar uit, ook in andere opzichten was hij gegroeid. De dromerige verlegen jongen die ze met Tobias uit het Klaverdal had zien vertrekken, had plaatsgemaakt voor een vastberaden jonge prins. Maar het volgende moment had ze haar Matthias weer herkend. Hij had zijn armen om haar nek geslagen.

'Mam...' had hij in haar oor gefluisterd. Even hadden zijn vreemde ogen haar angstig aangekeken. 'Je blijft toch wél altijd mijn echte "mam", hè?'

Toen ze knikte had hij opgelucht geglimlacht.

Miriam pinkte een traan weg van blijdschap. Hoe groot en voornaam hij ook werd, een deel van hem zou altijd háár kleine jongen blijven.

Frenkel was nooit snel van zijn stuk te brengen. Hij vond dat je niet te lang moest blijven doorzeuren over dingen die je niet kon veranderen. Bovendien hadden ze nu twéé zonen in plaats van één.

Isgar was niet opgehouden met glunderen sinds hij zijn echte ouders had ontmoet. Hij kon zijn geluk niet op nu hij op een echte boerderij zou wonen in plaats van op het kille slot Dragon.

Dat Frenkel bleef herhalen dat het maar een klein keuterboerderijtje was, kon hem niets schelen. Hij wilde alles weten over de verschillende gewassen die ze verbouwden en de dieren die ze hielden.

Arulf was een dag na het galjoen van Zafyra de haven van Esmeraldrië binnengevaren. Als een ware held was hij onthaald. Zelfs Zafyra had hem bedankt, en hem ervan verzekerd dat alle kinderen weer in orde waren door haar tegengif. Toch moest Arulf in het begin niets van de koningin hebben. Pas toen bekend werd gemaakt dat Zafyra als staatshoofd van Dragonië was afgetreden en haar troon overdroeg aan Walian van Westenrijk, leek hij wat vergeeflijker te worden.

De eerste zonnestralen kwamen over de horizon en een gouden gloed breidde zich uit over de zee. Het zou een warme zomerdag worden in Esmeraldrië, maar in een van de kamers op het kasteel brandde de haard. Zafyra hurkte en pookte tot het vuur hoog oplaaide. Met een glimlach rond haar mond keek ze toe hoe de vlammen aan de leren band van het boek van Zorah likten en de bladzijden bruinzwart deden omkrullen.

Aan haar vinger flonkerde een hartvormige robijn gezet in diamanten.

Lupa was blij om op het Runenplateau terug te zijn. Kalm staarde ze over het Veen. Ze voelde hoe de volle maan haar uitgeputte lichaam vulde met nieuwe kracht. Het gladde oppervlak van de offersteen glansde in het licht, en de twaalf witte stenen lagen roerloos in een kring. Lupa sloot haar ogen en richtte haar gezicht naar de hemel.

Ze zag daarom niet hoe een van de stenen bijna onmerkbaar begon te bewegen…

DE PERSONEN IN DIT BOEK

Westenrijkers

Alchior Alchemist en sterrenwichelaar. Woont op de rand van het Veen en het Westerwoud. Trouwe vriend van Lupa. Lid van het Genootschap.

Amalia Waardin van herberg De Vrolijke Baars in Bergmond. Vrouw van Ivo. Moeder van Maartje.

Belver Vroegere koning van Westenrijk. Vader van Walian. Echtgenoot van koningin Dorinda.

Benedictus Abt van het klooster van Serti.

Bruintje Trekpaard van Frenkel en Miriam.

Clovis Broer van Miriam uit het Dennendal. Oom van Matthias.

Dieter Molenaar uit het Klaverdal. Man van Frijda. Vader van Ullrick en Sieger.

Dora Melkkoe van Frenkel en Miriam.

Dorinda Koningin van Westenrijk. Moeder van koning Walian. Echtgenote van (voormalige) koning Belver van Westenrijk.

Esmeraldus de Eerste Voorvader van Belver en Walian. Vroegere koning van Westenrijk.

Frenkel Man van Miriam en vader vàn Mattias. Keuterboer

Grauwtje Postduif van Tobias.

Ivo Waard van herberg De Vrolijke Baars in Bergmond. Man van Amalia. Vader van Maartje.

Janis Bakker uit het Klaverdal.

Lucas Monnik in het klooster van Serti.

Lupa Geheimzinnige vrouw van het Runenplateau. Duider van de maanstenen. Bewaker van het Evenwicht van Krachten. Komt oorspronkelijk van het Steppenvolk. Lid van het Genootschap.

Maartje Dochter van Ivo en Amalia, van herberg De Vrolijke Baars in Bergmond.

Matthias Zoon van Miriam en Frenkel uit het Klaverdal. Ontwikkelt zich van verlegen boerenjongen tot de held van dit verhaal.

Miriam Vrouw van Frenkel, moeder van Matthias.

Pius Monnik in het klooster van Serti.

Sieger Zoon van Dieter de Molenaar en Frijda uit het Klaverdal.

Simon Waard van herberg De Schele Eekhoorn in het Klaverdal.

Tobias Visser uit het Klaverdal. Lid van het Genootschap.

Ullrick Zoon van Dieter de Molenaar en Frijda uit het Klaverdal.

Viviane van Venemonde Levenslustige edelvrouwe en zuster van graaf Gisbert van Venemonde. Goede vriendin van koning Walian.

Walian Huidige koning van Westenrijk.

Dragoniërs

Aramis Paard van Kaya.

Arulf Roverhoofdman. Vader van Kaya.

Bethilda Vrouw van Finn uit Laagwoude. Tante van Kaya.

Bianca Postduif van Malvezijn.

Finn Rivierschipper uit Laagwoude. Man van Bethilda. Oom van Kaya.

Gonda Hoofd van de linnenkamer op slot Dragon.

Gorak Rover in de bende van Arulf.

Isgar Prins van Dragonië. Zoon van Zafyra.

Isgerias Vroegere koning van Dragonië. Echtgenoot van Zorah, vader van Zafyra.

Kali Generaal van koningin Zafyra. Aanvoerder van de Zwarte Rijders.

Kaya Roverskind. Dochter van Arulf.

Malvezijn Tovenaar aan het hof van Dragonië. Leider van het Genootschap.

Sirocco Paard van Matthias.

Tamara Kamermeisje op slot Dragon. Zusje van Tarek.

Taragon Machtig krijgsheer. Stichter en eerste koning van Dragonië. Later achtereenvolgens bedelmonnik, wijsgeer en kluizenaar.

Tarek Staljongen op slot Dragon. Broer van Tamara.

Zafyra Huidige koningin van Dragonië. Dochter van Isgerias en Zorah. Moeder van Isgar.

Zoeker Postduif van Malvezijn.

Zorah Vroegere koningin van Dragonië door haar huwelijk met koning Isgerias. Geboren als Zorah Royaldi, prinses van het Steppenvolk. Moeder van Zafyra.

Steppenvolk

Baboeska Kruidenvrouwtje op de Vlakte van Ebe.

Caspar Royaldi Vroegere koning van het Steppenvolk. Echtgenoot van Wioletta, vader van Zorah.

Jadvicka Waarzegster van het Steppenvolk. Vroegere leermeesteres van Zorah.

Natalja Vrouw van Ursus de Berenjager.

Pawel Royaldi Huidige koning van het Steppenvolk. Oudoom van Zorah en achteroudoom van Zafyra.

Ursus Berenjager op de Vlakte van Ebe. Man van Natalja.
Wioletta Royaldi Vroegere koningin van het Steppenvolk. Moeder van Zorah. Echtgenote van Caspar. Bewaker van de Heilige Bergplaats.

Eva Raaff

'In 1962 ben ik uit een Nederlandse vader en een Zweedse moeder geboren op het hoogtepunt van een hippie-provofeest. Toen ik twaalf was, kregen mijn ouders – zoals velen in de jaren zeventig – hun terug-naar-de-natuurbevlieging. Helaas niet naar een wijnboerderij in de Provence, maar naar Noord-Zweden. Veertig graden onder nul, geen stromend water (een bevroren restje water in de putemmer diende 's ochtends als gewicht om een gat in het ijs op de bron te maken) en geen elektriciteit. Deze ervaring heeft ongetwijfeld bijgedragen aan mijn voornemen om nooit meer in een koud klimaat te leven! Gelukkig hadden ook mijn ouders na een jaar hun bekomst van dit rurale avontuur, zodat ik in Amsterdam mijn school af kon maken.'

Eva Raaff studeerde geneeskunde en woont tegenwoordig op het lekker warme Mallorca, waar ze een artsenpraktijk heeft. Het tweede deel van de Taragon Trilogie zit al in de pen.

Spannende leestips!

Het rijk van de wolf
Marian van der Heiden

Lance heeft geen idee hoe hij in het bos terecht is gekomen, of aan wie het kleine meisje Mira hem zo sterk doet denken. Het enige wat hij weet, is dat ze naast hem stond toen hij wakker werd. Al snel wordt duidelijk dat hij een opdracht te vervullen heeft: Mira thuisbrengen. Dit lijkt zo eenvoudig, maar steeds wordt Lance van zijn doel afgeleid…

Wie is de geheimzinnige wolvenman die telkens zijn pad kruist? En welke weg moet Lance volgen om zijn opdracht tot een goed einde te brengen?

ISBN 90 216 1618 1

De Daalmark-boeken

Diana Wynne Jones

Daalmark is na de heerschappij van de legendarische koning Adon in twee delen gesplitst: het vrije Noorden en het onderdrukte Zuiden. In het bergachtige grensgebied wemelt het van spionnen en smokkelaars. De Daalmarkers geloven heilig in hun magische mythen, en het valt inderdaad niet te ontkennen dat er soms onverklaarbare dingen gebeuren...

Een spannende serie voor iedereen die zich wil laten meevoeren naar een verre en magische wereld!

De onbekende reiziger

Moril is de jongste zoon uit een rondtrekkende muzikantenfamilie. Op een dag neemt zijn vader een reiziger mee. Deze Kialan gedraagt zich vreemd, en Moril moet niets van hem hebben. Dan wordt Morils vader vermoord. Heeft Kialan hier iets mee te maken?

Eén ding ontdekt Moril algauw: niets is wat het lijkt te zijn, ook Moril zelf niet...

ISBN 90 216 1605 X

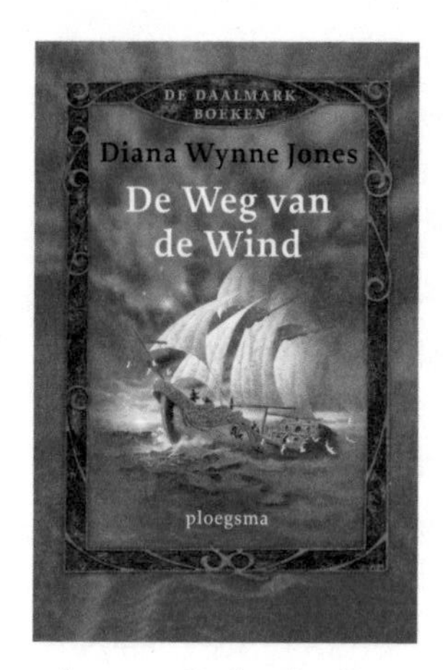

De Weg van de Wind

Mitt groeit op met maar één gedachte: zijn vaders dood wreken op graaf Hadd, de tirannieke heerser van Holand. Maar als het moment eindelijk daar is, mislukt zijn aanslag jammerlijk. Mitt vlucht en verstopt zich aan boord van een zeilschip, *De Weg van de Wind*. Als het schip uitvaart, blijkt dat Mitt zich op het schip van Hadds kleinkinderen heeft verschanst. Ook zij zijn op de vlucht.

ISBN 90 216 1765 X

De magische mantels

Dit boek vertelt over het oude Daalmark, waar de grote legenden zijn ontstaan.

Nadat Olbert door Heidenen is gedood, ontvluchten zijn vijf kinderen het dorp Shelling. Op hun tocht over de rivier ontmoeten ze Kankredin, een angstaanjagende magiër. Een van de kinderen, Tanaqui, weeft al hun belevenissen in mantels. Tijdens het weven van de tweede mantel wordt niet alleen de betekenis van hun tocht steeds duidelijker, maar krijgt ze ook inzicht in de geheimen van de Onsterfelijken. Ze ontdekt dat ze misschien Kankredin zou kunnen verslaan.

ISBN 90 216 1806 0

De kroon van Daalmark

Mitt is gevlucht uit het Zuiden, maar hij komt er al snel achter dat het in Noord-Daalmark ook allemaal geen koek en ei is. Als hij wordt gedwongen het meisje Noreth teh vermoorden dat beweert aanspraak op de troon van heel Daalmark te maken, vlucht hij. Samen met Noreth en een bende volgelingen gaat hij op zoek naar de ring, het zwaard en de kelk. Alleen met deze drie dingen kan de kroon worden opgeëist zodat het land weer één kan worden. Maar Kankredins boze machten zijn nabij, vastbesloten om Mitt tegen te houden...

ISBN 90 216 1507 X